Secretos de la
DICHA CONYUGAL

Secretos de la DICHA CONYUGAL

Nancy Van Pelt

APIA

ASOCIACIÓN PUBLICADORA INTERAMERICANA
Belice–Caracas–Guatemala–Managua–México
Panamá–San Salvador–San José–San Juan
Bogotá–Santo Domingo–Tegucigalpa

Título de la obra original:
Highly Effective Marriage

Dirección editorial:
Mario A. Collins

Traductora:
Alicia Harper Nash

Diseño de portada, interiores e ilustraciones:
Ideyo Alomía

Foto portada:
(Image Bank Guadalajara, Jal., México)

Asociación Publicadora Interamericana
2905 NW 87th Avenue
Doral, Florida 33172
Estados Unidos de Norteamérica

ISBN-10: 1-57554-241-2
ISBN-13: 978-1-57554-241-6

Impresión y encuadernación por:
Printer Colombiana S.A.
Bogotá, Colombia

Impreso en Colombia
Printed in Colombia

3a. edición: abril 2007

Dedicatoria

A MI ESPOSO

Harry Arthur Van Pelt

Dondequiera que esté Harry habrá. . .
Música clásica a todo volumen
Una recomendación de "tener cuidado"
Un abrazo matutino
Un beso de buenas noches
Una cama bien arreglada
Una alfombra bien limpia
Una computadora tratando de persuadirlo a usarla
Una cocina bien limpia, sin regueros ni platos sucios (en el fregadero)
Un césped que necesita ser cortado
Un carro con el tanque lleno de gasolina
Mi mayor apoyo

Dondequiera que esté Harry, habrá. . .
Sus pasos lentos (muy lentos) y firmes
Chistes buenos y sanos
Cortesías provenientes del corazón de un caballero
Libros y más libros
Planes de ir a nuestro "trailer" en Fish Camp
Multitud de sorpresas

Dondequiera que esté Harry, habrá. . .
Una persona fácil de convencer para una charla corta y placentera
Un guiño de ojos y una sonrisa
Lectura en la cama
Una frazada eléctrica calentada a mi gusto
Un balneario calientito para aliviar mi espalda adolorida
El mejor masajista de pies en el mundo
Uno que le gustan los cachivaches
Un gran amor y un amigo

Y alguien con quien quiero pasar el resto de mi vida.

Contenido:

Antes de comenzar..

CAPÍTULO 1 **Secretos del amor que dura para siempre**...

Los beneficios de mantener el compromiso matrimonial 16,
Grandes expectativas 17, No hay garantías 18.

CAPÍTULO 2 **El arte de satisfacer las necesidades
emocionales: Privilegio de ella y de él**.................**22**

La mujer necesita amor y afecto 25, La mujer necesita seguridad emocional
30, La mujer necesita atención sentimental 32, El hombre necesita admiración y aprecio 35, El homb
necesita respeto 40, El hombre necesita satisfacción sexual 43, Veintiuna formas de amar a tu esposa

CAPÍTULO 3 **La autoestima y la capacidad para aceptar
y comprender al cónyuge**..................................**48**

La aceptación 52, ¿Qué es la aceptación? 53, La clave de la
aceptación 55, Hábitos que destruyen las relaciones 58, Defectos
que tienen los hábitos destructivos sobre las relaciones 64,
Otra parte del problema: Tú 67, Cómo señalar los errores si es
necesario 68, Cómo convertirse en una persona más receptiva,
si realmente quiere serlo 70, ¿Debo aceptar cualquier cosa? 76.

CAPÍTULO 4 **El poder de la comunicación para lograr la intimidad mental,
física y espiritual**..

Por qué las parejas no se pueden comunicar 84, Por qué nos comunicamos com
hacemos 84, ¿Hay esperanzas de lograr una mejor comunicación? 86, Escuchar: u
forma de demostrar que sí te importa 87, Escuchar bien es un asunto serio 88, ¿
sintonía o desconectado? 88, Lenguaje corporal – ¿Hablan las acciones siempre m
alto que las palabras? 88, Escuchar activamente: una excelente pauta para lograr la
intimidad 90, La forma de escuchar del hombre, ¿difiere del modo como escucha
mujer? 92, Seis poderosas reglas del arte de escuchar 94, Cómo hablarle a la per
que amas 95, Asesinos de la conversación: Barreras que impiden la comunicación
efectiva 95, El "tratamiento del silencio" 96, Conversaciones que triunfan 98,
Conversaciones de alto nivel 99, La comunicación franca: aprende a expresarte 1(
Los estilos de hablar de él y de ella, ¿son diferentes? 102, Frente a los conflictos

El hombre y la mujer: Similitudes y diferencias físicas y psicológicas..112 CAPÍTULO 5

¿Hay algo que realmente anda mal en los cerebros masculinos? 109, Sé afectuoso 120, La mujer necesita honestidad, sinceridad y confianza 121, SPM : no es un cuento de viejas ni se lo está imaginando todo 123, La mujer necesita seguridad financiera 126, La mujer necesita un compromiso hacia la familia, de parte de su esposo 128, Lo que las mujeres debieran entender acerca de los hombres 129, La fuerza del ego masculino 130, Una esposa atractiva 131, Compañerismo recreativo 134, Los hombres y el estrés 136, Comportamientos reveladores de estrés 138, Procura entender 139.

Principios de liderazgo para la dicha y la armonía en el hogar..142 CAPÍTULO 6

¿Cuál es el plan de Dios para el liderazgo en el matrimonio? 144, El plan original de Dios 145, Una relación sustentadora 145, Hay que aceptar el liderazgo 148, Un liderazgo sustentador 149, Sumisión mutua, ¿qué es eso? 150, El eslabón perdido 151, Lo que la sumisión no es 152, Una esposa sustentadora 153, La sumisión es una actitud 154, Lo que la mujer realmente quiere del hombre 155, Liderato espiritual 156, Situaciones imperfectas 159, Límites de la sumisión 163, Los beneficios de una relación mutuamente sustentadora 165.

Mitos y realidades acerca de la intimidad marital...........................168 CAPÍTULO 7

Esta noche no, querido 169, Frecuencia masculina... 171, Así es la sexualidad femenina 172, Las cuatro etapas de la reacción sexual 174, Orgasmos simultáneos 182, Orgasmo centrado en el clítoris versus orgasmo vaginal 183, Orgasmos múltiples 184, Problemas que pueden arruinar su vida sexual 185, Una palabra para las mujeres preorgásmicas 185, Eyaculación precoz 187, Disfunción eréctil 190, Pornografía 192, Hablemos de esto 193, Lo que los hombres necesitan entender acerca de la respuesta femenina 194, Secretos para matrimonios amorosos y excelentes 195, Lo que las mujeres deben aprender acerca de la reacción masculina 198, Se necesita fidelidad 203, Amantes casados 203.

Ideas creativas para conservar el amor de tu vida...................................206 CAPÍTULO 8

¿Qué es el hastío matrimonial? 208, Cómo mantener saludable la relación 209, Sé novio de tu cónyuge 212, Actividades de pareja 213, Ideas creativas para mantener vivo el enamoramiento 214, Juega con tu cónyuge 215, Hagan una pausa para el humor 217, La salida renovadora 220.

$\mathscr{A}$*ntes de* COMENZAR

EL MATRIMONIO puede ser maravilloso. Un matrimonio exitoso puede ser uno de los factores más decisivos para alcanzar la felicidad en la vida. El noventa y seis por ciento de los norteamericanos se casan alguna vez. Un buen matrimonio, lo que yo llamo un matrimonio altamente eficaz, puede ser uno de los más grandes gozos de la vida y el factor único más importante en hacer que ésta sea digna de ser vivida.

A pesar de que a las personas les *gusta* casarse, es más difícil *quedarse* casados. Las estadísticas actuales de divorcio indican que aproximadamente el 50 por ciento de los matrimonios fracasan. Cuando ambos contrayentes de la pareja tienen menos de veintiún años o han dejado de estudiar la preparatoria para casarse, el porcentaje de divorcios aumenta a un 80 por ciento.

A pesar de estas estadísticas tan deprimentes, continuamos casándonos ávidamente. Y las personas divorciadas vuelven a casarse más rápido todavía. Cuatro quintas partes de todas las personas que se divorcian vuelven a casarse durante el curso de cinco años, y la mayoría de ellos en menos de tres años después de su divorcio.

Desafortunadamente, ¡más de la mitad de esos nuevos matrimonios terminarán otra vez en divorcio! Obviamente tenemos un fuerte deseo de estar casados, pero no tenemos un concepto claro de lo que hace que un matrimonio funcione.[1]

Los últimos veinticinco años de mi vida han sido dedicados a la educación de la vida familiar, con énfasis en el matrimonio. Como Educadora de Vida Familiar, certificada por el Concilio Nacional de Relaciones Familiares, he impartido clases acerca del matrimonio a literalmente miles de parejas que han asistido a mis seminarios. He hablado con cientos de parejas cuyos matrimonios van desde desastrosos hasta fabulosos.

Más o menos un 10 por ciento de todos los matrimonios podrían considerarse como matrimonios altamente eficaces. Ya que otro 50 por ciento del total terminan en el divorcio, el restante 40 por ciento se clasifican desde malos a bastante buenos.

¿Por qué casarse?

Entonces, si el matrimonio a menudo resulta tan lleno de dificultades, ¿por qué nos seguimos casando? Las personas se casan porque buscan amor y compañerismo y desean tener una familia. Se casan buscando amistad e intimidad. ¡La promesa de amor y felicidad parece tan deseable que pensamos que podemos triunfar a pesar de los obstáculos. A pesar de que la mitad de todos los matrimonios terminan en divorcio –un hecho ampliamente publicado–, la gente sigue casándose.

Un comentario en cuanto a los segundos matrimonios: Después del divorcio, la gente se vuelve a meter en una relación, y estas nuevas relaciones tienen aún mayores probabilidades que las del primer matrimonio, de encontrar grandes dificultades. Si ya estás divorciado y estás pensando en casarte nuevamente, te ruego que leas mi libro *Amor Inteligente (Smart Love*[2]*)* para que obtengas una perspectiva

"El matrimonio no puede hacer feliz a nadie que no haya llegado a él trayendo los ingredientes de la felicidad". Sidney J. Harris.

mayor. Un matrimonio apresurado puede parecer una forma fácil de aliviar parte de tu dolor. Pero los matrimonios por despecho tienen un alto porcentaje de fracasos. Yo recomiendo que las personas no se casen hasta por lo menos dos años después del divorcio. Las personas que acaban de pasar por un proceso de divorcio necesitan tiempo para recuperarse del impacto psicológico de éste antes de meterse "a ojos cerrados" en otra relación, sin usar la cabeza.

Esto me trae al propósito de este libro: aumentar tus oportunidades de lograr un matrimonio altamente eficaz. Tal vez tú formes parte del 50 por ciento que logra el éxito, inclusive que estés entre el 10 por ciento de los que disfrutan de una felicidad matrimonial superior.

Este libro enseña, paso por paso, cómo lograr el éxito. Otros libros a menudo discuten el divorcio creativo y dan las razones de por qué las relaciones fracasan, en vez de hacerlas triunfar. Les enseñan a las parejas a "pelear en forma imparcial", en vez de enseñarles cómo no pelear. Señalan estrategias humanas para el éxito, donde este libro sugiere dirección divina junto con instrucción bíblica práctica.

En las páginas de esta obra hay dos recursos esenciales: **(1) un entendimiento a fondo de las relaciones y de cómo funcionan, y (2) cómo lograr, en forma creativa, los cambios necesarios.** Ninguno de los dos recursos es suficiente por sí solo.

Es posible que después de leer este libro con tu esposa/o, te des cuenta de que necesi-

tas más ayuda de la que puedes sacar de estas páginas. Es posible que reconozcas, tal vez por primera vez, que hay problemas más grandes de los que tú puedes manejar sin ayuda. En vez de darte por vencido, acepta el hecho de que es posible que tu matrimonio esté estancado en una fase de adversidad y de que necesitas ayuda externa para superar la crisis. Aún las parejas más fuertes ocasionalmente necesitan orientación para discernir un camino claro en medio de un problema difícil. Si esta es tu situación, definitivamente, busca la consejería profesional para matrimonios.

Otra razón por la cual escribí este libro es para darle un cumplido a los matrimonios verdaderamente sobresalientes, los matrimonios altamente eficaces, de parejas amantes y dedicadas que disfrutan juntos los goces y dolores de una vida de casados. Si ustedes son una de esas parejas, los felicito. Ustedes hacen que mi trabajo con las familias sea gratificante. Ustedes son ejemplos vivos de mi visión de lo que un matrimonio puede ser: parejas que se comprometen mutuamente "en las buenas y en las malas", y entonces se esfuerzan para lograr resultados óptimos.

Referencias

1. Harvey L. Rube, *Super Marriage (Super matrimonio)*. **Toronto: Bantam Books,** 1986, pp. 11, 12.
2. Nancy L. Van Pelt, *Smart Love – A Field Guide for Single Adults (Amor sensato – Una guía para los adultos solteros)*. **Grand Rapids, MI: Fleming H. Revell, 1997**

El MATRIMONIO

*E*l matrimonio no es algo que uno prueba a ver si le sirve, para entonces decidir si quedarse con él o no; es más bien algo que uno decide con una promesa, y entonces se doblega haciendo todo esfuerzo posible por mantenerlo.

Leon R. Kass.

Secretos del amor
que dura
para siempre

NOLAN RYAN, el legendario lanzador ["pícher"] de los *Texas Rangers*, tuvo una impresionante carrera en el béisbol. Algunas de sus hazañas rompieron récords. Entre ellas se destacan la gloria de ponchar a quinientos bateadores, lanzar en siete juegos sin hits, y ganar además 314 juegos. Su biografía se titula, *El hombre milagroso* (*Miracle Man*). Pero el aspecto más sobresaliente de la vida de Nolan Ryan es que no sólo tiene éxito en el campo de juego, sino que también lo tiene en la vida: como esposo, padre y hombre de negocios. ¿Cuáles son sus secretos para vivir sabiamente?

"Cuando un sabio sale en busca de una esposa, debería llevar un ignorante con él para que le sirva de experto". — Talmud.

Nolan dice que el número más importante en su vida es el "uno". Sólo ha habido una mujer en su vida –Ruth–, la única chica con quien ha querido estar desde que era un adolescente. A lo largo de su vida esto nunca ha cambiado. Él considera a Ruth como su amiga número uno. Nolan dice que, como la mayoría de los hombres, especialmente los atletas, él tuvo que aprender en la escuela de los golpes duros cómo tratar bien a Ruth. Antes que tuvieran hijos, Ruth se quedaba en Nueva York mientras que Nolan viajaba con los Mets. Cuando llegaba de viaje, él prefería quedar en la casa; pero Ruth deseaba salir. Ambos tuvieron que aprender a hacer concesiones y a ser sensibles a las necesidades de cada uno.

El mayor ajuste que se vieron obligados a hacer ocurrió cuando llegaron los hijos. Nolan no tenía la más mínima idea de cuán drásticamente los niños afectarían a su matrimonio, y considera que la mayoría de los esposos tampoco la tienen. Él opina que la generalidad de los hombres continúa haciendo lo que es importante para ellos, mientras que sus esposas quedan a cargo de todo el trabajo. Él no fue la excepción. Los jugadores de pelota son especialmente culpables de dejar todas las obligaciones de la crianza de los hijos a sus esposas, porque andan viajando y fuera de la casa la mayor parte del tiempo. A pesar de ello, según Nolan, tarde o temprano todos los hombres tienen que aprender que se requiere una enorme cantidad de tiempo y esfuerzo para criar responsablemente a los niños. Cuando el padre abandona este deber para que la esposa lo haga por sí sola, esta responsabilidad restringe su vida en gran manera. **Nolan tuvo que aprender que él no era el único en su matrimonio que tenía sueños y metas; Ruth también tenía los suyos.** Fue una lección difícil de aceptar para alguien que dondequiera que iba se convertía inmediatamente en el centro de atención tan sólo porque podía lanzar diestramente una pelota de béisbol.

Nolan es el primero en admitir que su matrimonio no es perfecto. Como toda otra pareja, él y Ruth han tenido sus altibajos. Pero los dos han luchado unidos contra los bajos y juntos han celebrado los altos. Muchos atletas profesionales parecían pensar que están por encima de la leyes de la nación o de cualquier otro reglamento. Consideran que tienen el derecho de hacer lo que se les antoje sin tener que dar cuentas a nadie. Según la forma de pensar de Nolan, cuando un superatleta con SIDA se convierte en un héroe, esto dice algo acerca de los valores de la sociedad. Pero si una mujer atleta anunciara que ha tenido relaciones sexuales con más de docientos hombres y sufre de SIDA, no se la vería como una superestrella. Se la consideraría una mujer de la calle.

> *El éxito en el matrimonio es más que encontrar la persona apropiada; consiste más bien en ser la persona apropiada.*

Nolan está entregado a su matrimonio, comprometido a permanecer casado y a dormir únicamente con una persona que a su vez está entregada a él. A pesar de todos sus esfuerzos por mantenerse en óptima condición física, de continuar jugando y de ganar los juegos, Nolan dice que su familia es su más importante prioridad. Durante la temporada de pelota, él viaja a su casa en los días libres para estar con su familia. En invierno también se queda cerca de la casa. Nolan y Ruth a menudo hacen ejercicios juntos. Cuando tienen tiempo para ir de vacaciones entre el béisbol y la administración de sus cuatro ranchos y dos bancos, ambos comparten actividades como esquiar y bucear con sus tres hijos. **Los dos creen que un estilo de vida saludable beneficia a sus tres hijos.**

Han trabajado duro para inculcarles los valores correctos acerca de la vida y dejarles saber que hay recompensas por vivir de acuerdo con ellos, aunque las recompensas no sean inmediatas.

Puesto que el padre viaja durante gran parte del año y los hijos ahora estudian en la universidad, la familia Ryan podría dar la apariencia de estar un poco desarticulada. ¡Nada más lejos de la realidad! Ellos planean su programa semanal tomando en cuenta el agitado horario de todos. Ya que Nolan y Ruth han alcanzado el nivel de la fama, puede ser que asistan a una fiesta de caridad o a algún banquete cada noche de la semana. Pero reconocen que dentro de pocos años sus hijos habrán salido del nido. Muchas presiones luchan por separarlos, pero los Ryan trabajan duro para mantenerse unidos.

Si uno insiste, puede conseguir que Nolan relate historias acerca del más grandioso juego que él jamás haya lanzado o de otros momentos admirables en su profesión. Sin embargo, no necesita que se le pida que cuente historias acerca de su familia. Una de sus favoritas es de cuando él y Ruth estaban de viaje, y Reese —que se había quedado a cargo de la casa— accidentalmente dejó uno de los tres perros encerrado. El perro cogió pánico, destruyó una de las cortinas, y causó más de $1,000 dólares de daños tratando de encontrar la forma de salir. Reese llamó a un decorador de interiores y usó dinero de sus propios ahorros para reparar los daños; en ningún momento les pidió ayuda a sus padres. Ruth estaba asombradísima, pero Nolan se dio cuenta de que el tiempo, el esfuerzo y los valores que ellos les habían inculcado a sus hijos estaban dando resultados. Tenía confianza en que sus hijos se com-

En todo momento de nuestra relación sentimental y convivencia conyugal debemos estar convencidos de que nuestros cónyuges también tienen metas y sueños atesorados en lo más profundo de su ser, lo que nos lleva a tener una actitud de respeto y apoyo frente a ellos.

portarían de manera responsable.

Después de lanzar su séptimo juego sin permitir un hit en 1991, Ryan apareció en los titulares de los periódicos de toda la nación. Recibió más atención por ese juego que la que obtuvo cuando, siendo mucho más joven en 1973, lanzó 2 juegos sin hits en una misma temporada. **Él siente que ya no tiene nada que probarle a nadie. Actualmente no es el deporte lo que más le importa a Nolan; su matrimonio y su familia toman el primer lugar. Y la persona número uno en su vida todavía sigue siendo Ruth.**

Nolan reconoce que sus hijos pronto dejarán la casa y que influencias de todos lados se esforzarán por atraer a su familia tratando de romperla. "Nunca lo permitiremos —afirma Ryan—. Hemos trabajado mucho para mantenernos unidos". No en vano lo llaman el "Hombre Milagroso". Es muy importante que todos nosotros revisemos las priorides de nuestra vida. Puede ayudarnos un examen de la forma en que Nolan ha ordenado las prioridades de la suya: su sentir acerca de su esposa, cuáles son sus valores y su razón de buscar un estilo de vida saludable.[1]

Los beneficios de mantener el compromiso matrimonial

Los Ryan admiten sin reserva que su matrimonio no es perfecto y que han tenido que luchar a través de sus altibajos. En efecto, si hablas con cualquier pareja que hayan estado casados por treinta o cuarenta años, si son honestos, les oirás reconocer que hubo malos ratos, como también les oirás referirse a los ratos buenos. Pero cuando una pareja convive exitosamente por largo tiempo, te encontrarás a dos personas fortalecidas mutuamente que han trabajado duro para honrar la promesa que se hicieron el uno al otro el día de su boda.

El matrimonio es un maratón, no una carrera corta a toda velocidad.

Tal vez puedas preguntarle alguna vez a una pareja que han estado casados por tres o cuatro décadas si en algún momento pensaron en abandonar el barco. ¿Qué en cuanto a los períodos de crisis –los asuntos grandes–, los cambios de trabajo, los fracasos en los negocios, la bancarrota, la muerte de un hijo o hija, o de alguna otra persona cercana en la familia; la pérdida de la salud física o mental, el estrés financiero, los litigios legales, un embarazo de una adolescente que no está casada, el momento cuando hay que hacer decisiones en cuanto al cuidado de padres ancianos, o en cuanto a sus dificultades después de jubilarse, cuando empezaron a tropezar el uno con el otro? La lista de los estreses puede continuar y continuar interminablemente. Sin una entrega completa del uno al otro, ¿qué mantendría unida a la pareja?

El logro de sobrevivir a todas las crisis del matrimonio a lo largo de treinta, cuarenta, inclusive cincuenta años o más requiere un compromiso. **Los sentimientos románticos fallan durante los tiempos difíciles. Las relaciones sexuales tampoco parecen ser muy importantes. Las posesiones materiales dejan de tener mucho valor. Ahora se trata solamente de los dos contra el mundo entero, con todo valor, poniendo a prueba todos sus recursos. ¿Lo lograrán?**

Durante los primeros años, puede ser que la pareja no sobreviva a menos que tengan un fuerte sentido de compromiso mutuo. Algunos estudios indican que la mitad de todos los divorcios ocurre en los primeros dos años.[2] Durante los primeros años, hay la tendencia a dramatizar la importancia de cada problema y la palabra "divorcio" levanta su fea cabeza. Después de treinta años de buenos ratos mezclados con ratos malos, la pareja aprende que cada experiencia negativa no señala al divorcio. Sobrevivirán la nueva crisis, igual como sobrevivieron muchas crisis anteriores. Su compromiso con la superación los lleva al éxito.

Toda relación parece padecer de sequías: períodos secos durante los cuales el crecimiento se detiene y el aburrimiento se arraiga. Este tiempo puede ser peligroso para las parejas, especialmente si un miembro del otro sexo llega a la escena durante ese tiempo de sequía y el deseo romántico y/o sexual es activado. En tales circunstancias el compromiso mutuo juega un papel importante ¿Puede una pareja sobrevivir las sequías?

Es el tipo de pacto que hacemos en el matrimonio lo que nos permite experimentar la confianza, el respeto y la intimidad. **En una relación pasajera, cuando la persona sabe que fácilmente puede ser reemplazada, es casi imposible desarrollar la franqueza y la confianza que vienen con el compromiso.** Pero cuando tú sabes en lo más profundo de tu alma que tu pareja está completamente comprometida contigo para siempre, ¡qué importante diferencia hace eso en la relación mutua! Tú ahora puedes revelarle a tu cónyuge cosas acerca de ti mismo/a de las cuales ninguna otra persona se ha percatado. Todos los sentimientos celosamente protegidos, los recuerdos y las experiencias que has mantenido escondidos dentro de ti, pueden ahora ser compartidos con alguien que te comprenderá, que te amará y que nunca te rechazará. Este tipo de confianza los captura y los une en amor para siempre.

Los votos matrimoniales comprenden la devoción y el amor. Saber que tienes un compañero en la vida que está dedicado a ti y que te ama, es uno de los sentimientos más satisfacientes de la existencia. Conocer un tipo de amor que dura para siempre concede una seguridad interior profunda que te permite superar las luchas de la vida.

Cuando los dos miembros de la pareja están 100 por ciento entregados el uno al otro, y su compromiso ha sido probado y ha perdurado, los inquietantes temores del abandono se alivian significativamente. Ya sea que se verbalice o no, este temor perturba a incontables matrimonios, tanto a mujeres como a hombres. Temblamos ante la idea de enfrentar el futuro solos sin alguien a nuestro lado que nos ayude a pasar los tiempos difíciles.

Es por esto que los votos matrimoniales son tan importantes. Las promesas expresadas el día de la boda significan mucho. Significan que tu esposo/a estará junto a ti en "las buenas y en las malas". Él —o ella— será leal sólo a ti, aún cuando estén lejos el uno del otro. Es una promesa que dice que siempre tendrás a alguien en el mejor tiempo y en el peor, en la salud y en la enfermedad, hasta que la muerte los separe. Siempre y para siempre.

GRANDES EXPECTATIVAS

ES CLARO que las personas tienen grandes expectativas en cuanto al matrimonio. Cuando estas expectativas no se cumplen, a menudo surgen la desilusión y el desencanto. El alto porcentaje de divorcios puede ser en sí mismo el resultado parcial de las expectativas excesivamente altas que tenemos en cuanto al matrimonio, y no una indicación de que a las personas ya no les interese el matrimonio. Es obvio que el deseo de estar casado ha cambiado poco con el paso de los años, pero las expectativas en cuanto a lo que el matrimonio puede proveer han cambiado en gran manera.

Las parejas modernas demandan una relación emocionalmente gratificante, que provea seguridad, contentamiento y felicidad.

CUALIDADES PRINCIPALES EN LAS FAMILIAS SÓLIDAS

FACTORES DE UNIDAD FAMILIAR

1 Entregados a la vida familiar

2 Pasan tiempo juntos

3 Buena comunicación familiar

4 Expresan afecto unos por otros

5 Tienen compromiso espiritual

6 Pueden resolver problemas

El común denominador constituye la comunicación y su integridad

Estudio realizado por el departamento de desarrollo humano y familiar de la Universidad de Nebraska, en un universo de 3,000 familias encuestadas.

Como sin duda te habrás dado cuenta al analizar estos seis resultados de los estudios aludidos más arriba, los matrimonios altamente eficaces son el resultado de la comunicación eficaz. Siempre habrá diferencias de opinión en cuanto a lo que le gusta o no le gusta a una persona, los deseos y la forma de hacer las cosas.

La formación de un hogar siempre proporciona tierra fértil para que surjan desacuerdos. Durante este período la pareja tendrá que encontrar el modo de ganar y gastar el dinero, manejar una casa, criar a los hijos y utilizar el tiempo libre, al igual que suplir las necesidades mutuas. En las décadas anteriores la sociedad tenía normas claramente definidas. La mayoría de las parejas cabían dentro de esas normas y había potencial limitado para el conflicto. Hoy en día las normas han cambiado, y toda pareja tiene que encontrar sus acomodos específicos. **Y la única forma de lograr estos acomodos es** mediante el uso de la comunicación eficaz y la aplicación de los métodos de control de conflictos.

No hay garantías

Es verdad que no hay un lugar donde se pueda obtener un título que garantice el conocimiento de cómo vivir casados, ni un establecimiento donde podamos comprar una garantía que nos asegure un matrimonio exitoso y feliz. El matrimonio no funciona de esa manera. Pero hace varios años el Departamento de Desarrollo Humano y Familiar de la Universidad de Nebraska comenzó una investigación fascinante. El propósito del estudio era descubrir qué cualidades se necesitan específicamente para lograr familias sólidas.

Se seleccionaron familias reconocidamente sólidas, con antecedentes variados en lo que se refiere a raza y nacionalidad y se les hicieron preguntas tales como: "¿Cómo manejan los conflictos?" "¿Pasan ustedes por luchas de control?" "¿Cómo se comunican?"

El doctor Nick Stinnett escribe en cuanto a sus conclusiones: "En total hemos estudiado 3,000 familias y recolectado una gran cantidad de información. Pero cuando la analizamos toda, encontramos seis cualidades principales en las familias sólidas. Estas familias están (1) entregadas a la vida familiar; (2) pasan tiempo juntos; (3) tienen buena comunicación familiar; (4) expresan afecto los unos por los otros; (5) tienen un compromiso espiritual; y (6) pueden resolver los problemas en una crisis".[3]

El propósito de este libro es mostrar el funcionamiento de esos seis factores en el matrimonio. Cada lector necesita considerar cómo aplicarlos a su propia vida.

El éxito viene acompañado con una etiqueta de precio: el tiempo. El hecho de dedicar tiempo resulta en una atención indivisa y la inversión de energía.

No, el compromiso no es algo que se asume frente al ministro durante la ceremonia de bodas. Puede ser que comience allí, pero el cometido es un procedimiento que continúa día tras día. **Tiene que ver con el establecimiento de prioridades y la eliminación de los elementos que compiten con la prioridad número uno: el cónyuge.** El

cometido después de la boda no se puede expresar bien con palabras. Es más fácil observarlo y medirlo en unidades de tiempo y atención; en el grado de energía y disposición de cambiar; en la voluntad de hacer concesiones y de decir "lo siento".

"Con sabiduría se edifica la casa y con prudencia se afirma. Con conocimiento se llenan los cuartos de todo bien preciado y agradable" (Proverbios 24:3,4).

Construir este tipo de matrimonio y establecerlo en conocimiento, llenar los cuartos de "todo bien preciado y agradable", no se logra automáticamente. Es el resultado del compromiso o la entrega del uno para el otro y también de la entrega de ambos a Dios, además de acogerse a ciertos principios de felicidad bien definidos.

¿Suena fácil? ¡Trátalo y verás!

Referencias

1. **Nolan Ryan y Jerry Jenkins**, *Miracle Man* (El hombre milagroso). **Waco, TX: Word Publishing, 1992.**
2. **Karen Kayser**, *When Love Dies: The Process of Marital Disaffection* (Cuando el amor muere: El proceso del desafecto matrimonial). **New York, NY: Guilford Press, 1993.**
3. **Nick Stinnett**, *Secrets of Strong Families* (Secretos de las familias fuertes). **Boston, MA: Little Brown, 1985.**

Descubriendo
EL MISTERIO

Casarse es el punto principal en la vida cuando uno dice, "He escogido; desde ahora en adelante mi meta no será buscar a alguien que me complazca, sino complacer a la persona que he escogido".

André Maurois.

2

El arte de satisfacer las necesidades emocionales:
Privilegio
de ella y de él

A PAREJA se había acomodado en un estrecho abrazo en la cama, cuando la pasión comenzó a arder entre ellos. De repente la esposa interrumpió al esposo diciéndole:

—Querido, no siento deseos. Sólo necesito que me abraces.

El esposo, que ya estaba excitado, respondió confundido:

—¿Que qué?

La esposa se embarcó en una larga perorata, explicando que él sencillamente no estaba en sintonía con sus necesidades emocionales de mujer. El esposo comprendió que no iba a pasar nada esa noche y que sencillamente le convenía aceptarlo.

"Sentir que alguien se preocupa por uno es una necesidad tan aguda en este mundo despersonalizado, que algunas personas se arrastrarían a través de miles de kilómetros de desierto para encontrar a alguien capaz de satisfacerla". — Wilber Sutherland.

Al día siguiente el hombre decidió llevar a su esposa de compras a su tienda favorita. Se paseó con ella por la sección de ropa y escogió tres vestidos muy caros para que ella se los probara. Asombrada por los esfuerzos del esposo por agradarla, la mujer se probó los tres vestidos; sin embargo, no podía decidir cuál le gustaba más. Magnánimamente él le dijo que llevara los tres.

A continuación él sugirió que posiblemente ella necesitaría zapatos que hicieran juego con los vestidos. Ella eligió tres pares de zapatos de $200 dólares cada uno. Entonces fueron al departamento de joyas, donde ella escogió un collar y un par de aretes. La mujer comenzó a pensar que el esposo se había vuelto loco; pero como estaba tan excitada, no le dio mucha importancia al asunto. Vio un brazalete de tenis en otro mostrador y se lo pidió al esposo.

—Querida, tú no juegas tenis —le advirtió su marido—, pero si te gusta, entonces vamos a tomarlo también.

Para entonces la esposa estaba delirante de gozo, y no podía imaginar lo que estaba pasando por la mente de su esposo.

—Muy bien —exlamó ella finalmente—, vamos a la caja registradora.

—Ay, mi amor, no me entendiste bien —se quejó el esposo—. No vamos a *comprar* todas estas cosas. —La cara de la esposa se quedó en blanco—. No, querida, yo sólo quería que tú *aguantaras* todas estas cosas por un rato. —Los ojos de la esposa se entrecerraron mientras empezaba a enojarse lentamente. Estaba por estallar cuando el esposo le explicó: —Tú simplemente no estás en sintonía con las necesidades sexuales o financieras que yo tengo como hombre.

Los hombres y las mujeres tienen necesidades emocionales diferentes; sin embargo, ambos sexos tienen tan sólo una vaga idea en cuanto a la naturaleza de ellas. Cuando por medio de encuestas se les pregunta si están satisfaciendo las necesidades de la otra persona, ambos cónyuges sienten que están ofreciéndole atención adecuada a su contraparte. Sin embargo, esas mismas personas sienten que su compañero no reconoce ni aprecia lo que está recibiendo. Lo más probable es que la verdad se encuentre en el hecho de que ambas personas han estado dando, pero dando lo que ellos quieren, ¡no lo que su consorte desea! Como resultado, ambos terminan sintiendo frustración y resentimiento.

Por ejemplo, **la mujer piensa que está siendo amorosa cuando hace preguntas atentas o expresa interés. Para un hombre, esto puede ser muy enfadoso. Es posible que él sienta que ella está tratando de controlarlo o de manipularlo en alguna forma.** Esto confunde a la mujer, porque si él le ofreciera a ella el mismo tipo de interés, ella lo apreciaría y sentiría que él la ama. En el mejor de los casos en esta trama, los esfuerzos de ella por mostrarle a él que sí lo ama, se convierten en una molestia.

Por otro lado, cuando una mujer está alterada, el hombre a menudo subestima la situación diciéndole que no se preocupe o que no se deje alterar tanto por las cosas. Él reacciona hacia ella tal como trata de reaccionar consigo mismo; sin darse cuenta de que sus esfuerzos anulan los sentimientos de ella y hacen que crea que él no la ama y que se sienta hambrienta por un poco de interés y atención. La reacción de ella seguramente confunde al hombre, que no entiende por qué sus esfuerzos han fracasado.

La mayoría de los hombres son incapaces de definir cuáles son sus necesidades más importantes, y son menos capaces aun de determinar cuáles son las necesidades de su esposa. Observemos, por ejemplo, al ejecutivo atareado, empeñado en ascender los peldaños del éxito en los negocios. Mientras que su esposa batalla valientemente con cuartos desarreglados y juguetes

desparramados, con pellizcos, quejas y serios gritos de "¡No! ¡No!", él sale a almorzar con algún cliente. O tal vez ella ha estado trabajando en la computadora o atendiendo las exigencias de algún paciente bajo su cuidado. No importa cuál sea el caso, ella ha estado hambrienta de tener una conversación inteligente y un rato íntimo con su esposo. Cuando por fin él llega a casa, todo lo que ella recibe de parte de él son unos cuantos gruñidos, mientras se dirige a la sala para relajarse mirando su deporte favorito en la televisión.

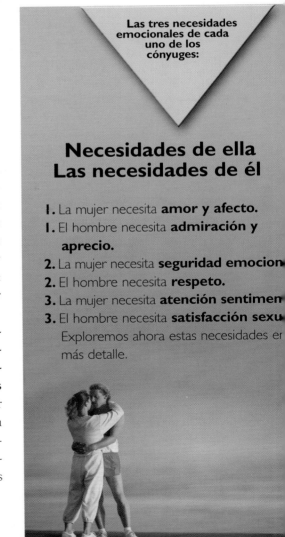

Las tres necesidades emocionales de cada uno de los cónyuges:

Necesidades de ella
Las necesidades de él

1. La mujer necesita **amor y afecto.**
1. El hombre necesita **admiración y aprecio.**
2. La mujer necesita **seguridad emocion**
2. El hombre necesita **respeto.**
3. La mujer necesita **atención sentimen**
3. El hombre necesita **satisfacción sexu**
   Exploremos ahora estas necesidades er más detalle.

Se espera que ella comprenda que, en ese momento, él tiene otras prioridades y que a ella le corresponde seguir siendo su fiel y siempre amante esposa.

1. La mujer necesita amor y afecto

El amor es necesario para la supervivencia de todo ser humano que desea formar parte de una relación adulta saludable. **Sin embargo, la mujer tiene una necesidad mayor de sentirse amada por su esposo. No sólo son capaces las mujeres de compartir grandes cantidades de afecto, sino que también tienen una capacidad enorme de absorber el amor que se les brinda.**

A menudo, antes del matrimonio, cuando un joven trata de ganarse el corazón de la mujer a quien adora, él persiste noche y día en usar palabras amorosas y gestos románticos. Pero después que la mujer se convierte en su esposa, él a menudo falla en reconocer la intensa necesidad que ella tiene de sentirse amada, día-tras-día, por el resto de su vida.

Debido a su capacidad de absorber afecto, las expresiones diarias de amor romántico son vitales para la existencia de la mujer. Estas expresiones son claves para su autoestima, su satisfacción referente a su vida de casada y para su sensibilidad sexual. Si un hombre se siente atrapado en un matrimonio tedioso y cansador, caracterizado por una vida sexual insulsa, debería mirarse en el espejo para encontrar parte de la respuesta. **Al expresar amor romántico en forma consistente y considerada, muchos hombres podrían ablandar hasta el corazón de la esposa más frígida.**

Un esposo, perplejo, se quejó de que no podía entender a su esposa. "Le he dado todo lo que quiere y necesita. Tenemos una casa construida a nuestro gusto en la mejor área de la ciudad, con nuestra propia antena parabólica y una televisión de pantalla gigante. Tiene más joyas y abrigos de piel de los que puede usar. Somos miembros del mejor club recreativo y hace poco nos fuimos en un crucero por el Caribe. Soy un esposo fiel, no tomo, ni soy abusivo con los niños. Sin embargo, ella dice que es una desgraciada; ¡no puedo comprender por qué!" Este esposo no se da cuenta de que su esposa cambiaría la casa hecha a la medida y las comodidades que hay en ella, al igual que trocaría el club recreativo y los cruceros, por unas palabras de cariño provenientes de él y por recibir su atención completa. Las antenas parabólicas, los televisores de pantalla gigante y la afiliación a un club recreativo no hacen que la mujer se sienta apreciada; pero ser el amor de alguien sí lo hace.

> *No hay más grande amor que aquel que permanece cuando parece que no queda nada por lo cual permanecer".* G. W. C. Thomas

Muchos hombres están completamente ajenos a la necesidad constante que tiene la mujer por recibir amor romántico y manifestaciones de cariño. Cuando una pareja solicita mis servicios de consejera matrimonial, frecuentemente les pido que evalúen su matrimonio en una escala del uno al diez, siendo el diez la calificación más alta y el uno la más baja. Pido la evaluación del hombre primero. El típico hombre (no importa el estado "actual" de su matrimonio) generalmente evalúa el matrimonio en el número ocho, siete como mínimo. ¿Dónde lo evalúa la esposa? Tres, o tal vez cuatro. Una esposa evaluó su matrimonio en menos dos. ¿Y su esposo? ¡Diez! Él dijo que eran perfectos el uno para el otro y que no entendía cuál era el problema.

> *La libertad de ser uno mismo en el matrimonio no significa tener libertad para descuidar a la otra persona".*
>
> Margaret J. Hess.

¿Por qué los hombres perciben su matrimonio en una forma tan diferente a como lo perciben las mujeres? Porque cuando los hombres llegan al matrimonio están dispuestos a contentarse con un arreglo tipo negocio. Mientras tengan las comidas a su hora, ropa limpia para ponerse en la mañana cuando la necesitan y sexo cuando lo pidan, su tendencia es de encogerse de hombros y decir: "Aquí todo está bien". Sus necesidades básicas están siendo satisfechas. Pero para las mujeres no es así. **Para un hombre el romance es un beneficio adicional; pero para la mujer, es una necesidad absoluta.** Las mujeres en un matrimonio tipo "negocio" están volviéndose locas por causa de la situación, y sus esposos ni siquiera se dan cuenta.

En mi colección de caricaturas tengo un recorte que muestra una esposa preguntándole vez tras vez a su esposo: —¿Me amas?— El esposo no contesta hasta el último cuadro, cuando grita exasperado: —¡Claro que te

amo! ¡Te dije que te amaba cuando nos casamos; no he cambiado mi forma de pensar. Si alguna vez cambio, te lo haré saber!

En vez de proporcionarle seguridad a la mujer, este tipo de respuesta sólo la enfurece.

Unas pocas semanas después de su boda, una joven esposa sentía que ya tenía problemas en su matrimonio. Un domingo de tarde ella y su esposo estaban acostados en la cama y ella descansaba su cabeza sobre el hombro de él. Después de un largo rato de silencio ella le preguntó: —¿En qué piensas? [Hombre, si tú y tu esposa están acostados en la cama y su cabeza descansa en tu hombro y ella te pregunta en qué estás pensando, ¡POR FAVOR ESTATE PENSANDO EN ELLA!] Sin embargo, este esposo no estaba pensando en su esposa.

—Estaba pensando en qué debería contestarle a mi jefe cuando me pregunte acerca del trabajo que he estado haciendo.

—Oh —dijo ella. Entonces esperó. Por supuesto, cualquier hombre con un grano de conocimiento acerca de las necesidades de una mujer, habría comprendido que ella esperaba que él le preguntara en qué estaba pensando *ella*. Pero este esposo no. En vez preguntó:

—¿Vas a preparar la cena pronto?

Ella apretó los dientes y replicó desganadamente que la prepararía en un ratito:

—Bueno —contestó él alegremente—, me gustaría enseñarte a cocinar una comida que hace mi mamá.

¡Eso fue más que suficiente! Ella puso el grito en el cielo. Él estaba confundido y herido. No entendía por qué su esposa estaba tan enojada. Sentía que se estaba comportando en forma irracional. ¡Pero este esposo no tenía ni siquiera la sensibilidad de una rana!

La esposa anhela ser alguien especial para

La comunicación permanente, así como la comprensión entre dos personas que se aman, permitirán evitar los malos momentos; practicarlas produce atención y acercamiento que fortalecen la convivencia conyugal.

su esposo – sentirse amada, estimada y halagada. **Lo cual explica por qué para ella los aniversarios son más importantes que para él y por qué ella se siente tan frustrada cuando él olvida estas cortesías. También explica por qué la mujer constantemente se apega a su esposo, no tanto en forma física, sino emocionalmente.** Ella necesita relacionarse con él, sentirse cerca de él e íntima con él, de formas que él tal vez no comprenda por completo.

Un famoso ministro y consejero familiar ha observado que la necesidad de la mujer por el amor y el cariño de su esposo es tan grande que si no lo obtiene de una forma, instintivamente lo trata de obtener de otra forma. **Si sus esfuerzos por comunicarse con él son saboteados por el silencio de su esposo, ella tiene muchas otras alternativas.** Puede ser que se enoje por asuntos insignificantes, o puede tornarse beligerante, o puede deprimirse. En un esfuerzo casi frenético por lograr la comunicación, ella oprimirá cualquier botón en el tablero de control de él. Cuando el hombre llega al punto de saturación y finalmente revienta enojado, la esposa siente que por lo menos ha logrado algún tipo de reacción. En un nivel

La buena voluntad del hombre en cumplir con lo pedido sirve como una medida de su amor y devoción por ella. La mujer no quiere tener que competir con ninguna otra persona ni ninguna otra cosa por el tiempo o la atención de su esposo.

totalmente inconsciente esta esposa está diciendo, "Me gustaría recibir amor de primera clase de parte tuya. Si no lo puedo obtener, me conformo con atención. Si no puedo obtener tu atención, quiero tu simpatía. Si eso no funciona, te voy a dar donde duele: tendré un accidente o algún síntoma de enfermedad".[2]

Muchas más mujeres que hombres van al doctor, y por síntomas imaginarios. Puede ser que cueste mucho, pero por lo menos tienen la atención de un hombre, si tan sólo por unos minutos. **Muchos esposos** se podrían ahorrar un montón de dinero prestándoles un poco de atención a sus esposas que están hambrientas de ella.

La necesidad de una mujer de recibir atención sentimental y cariño puede ser comparada con un recipiente vacío de doscientos litros. La primera cosa que hace el hombre inteligente en la mañana es empezar a llenar el recipiente. Antes de levantarse de la cama abraza a su mujer y le susurra cositas dulces al oído (quince litros). Durante el desayuno la felicita por algo (otros quince). Antes de salir corriendo por la puerta le da un abrazo y un beso (quince más). Durante un ratito libre de la mañana la llama por teléfono para decirle que está pensando en ella (otros quince). En la noche cuando regresa y entra por la puerta, antes de saludar a los niños, o al perro, le da un caluroso abrazo, una sonrisa genuina y un beso con mucho sentimiento (cuarenta y cinco litros). La felicita por la cena (otros quince). A pesar de que lleva y trae a los niños a una reunión, paga las cuentas y trabaja en la computadora, le da diez minutos de atención completa para hablar de algo importante (sesenta y cinco litros) y la acaricia amorosamente cuando se cruzan en el pasillo (quince). Esa noche, cuando este hombre vaya a la cama, puede descansar seguro de que ha llenado el recipiente emocional de la esposa hasta la marca de doscientos (¡y sin gastar ni un centavo!).

Pregunta: ¿Por cuánto tiempo debería durar lleno el recipiente de amor y atención? Cuando ella se duerme esa noche al recipiente se le hace un hueco y se vacía por completo. **Un hombre inteligente entiende que el recipiente de amor de ella necesita entradas diarias para que ella pueda permanecer feliz.**

Los hombres tienen que hacer una decisión consciente de expresar el amor, y entonces tienen que ser amorosos de forma tangible. La mujer necesita ser endulzada con palabras. Aunque lo hayas dicho todo antes, dilo otra vez. Aunque pienses que ella ya sabe cuánto la quieres, díselo otra vez. Dile cuánto la amas. Dile que cocina muy bien. Dile cuán hermosas piernas tiene.

Yo recomiendo el cumplido de cinco segundos. ¿Qué le puedo decir a mi esposa en cinco segundos o menos, para que se sienta amada y especial? "Eres guapísima". Este comentario tiene más efecto y es cien veces mejor que decir "Te ves bien". En una escala del uno al diez, "Te ves bien", alcanza al uno. Tal vez sea mejor que no decir nada, pero a duras penas. Algunas otras ideas son:

Todos mis días son mejores porque te tengo a ti.

El día más feliz de mi vida fue cuando me

Las Mujeres NECESITAN

1. Necesitan **sentirse amadas por su esposo.**
2. Necesitan **afecto.**
3. Necesitan **ser halagadas.**
4. Necesitan **relacionarse con él e intimar con él.**
5. Necesitan **atención.**

* *Los hombres tienen que hacer una decisión consciente para expresar el amor a su esposa.*

casé contigo.

Te amo hoy más que el día en que nos casamos. Haces mi vida completa.

Jamás podré explicarte todo lo que significas para mí.

La mujer no quiere tener que preguntar si es amada. Ella quiere que se lo digan espontáneamente.

El cariño puede ser mostrado abiertamente por medio de los abrazos y los besos, pero también puede ser mostrado en forma sutil y moderada mediante actos serenos de ternura: tomarse de manos mientras miran la televisión o una palmadita cariñosa, correr los dedos por el cabello de tu esposa. Este tipo de muestras de cariño tienen una cualidad soñadora y de satisfacción; como estar sentados frente a un fuego acogedor y disfrutar del baile de las llamas. No hace falta decir nada. **Recordar un tiempo feliz que disfrutaron juntos, hacer alguna cosa considerada u** ofrecerse para hacer algo especial por el cónyuge; todas estas cosas muestran que a uno sí le importa la otra persona.

A los hombres que todavía necesitan un poco de ayuda en el departamento del amor, les recomiendo consultar mi lista de *21 formas de amar a tu esposa,* al final de este capítulo.

El ex presidente de Estados Unidos, Harry Truman, era un romántico incurable. Anduvo tras su esposa Bess por años antes que ella finalmente aceptara casarse con él. La primera vez que él le pidió que se casaran fue en 1911, pero no llegaron a casarse hasta el 1919. Sin embargo, su romance no terminó con la ceremonia de bodas. Cuando estaba lejos de Bess, Harry le escribía cartas de amor. Después de la muerte de Bess Truman, se encontraron más de 1,200 cartas que Harry le había escrito. Él nunca dejó de enamorar a su esposa ni dejó de mostrarle que la amaba, inclusive después de muchos años de estar casados.[3]

2. La mujer necesita seguridad emocional

La seguridad emocional es el objetivo fundamental en la vida de una mujer. Por esta razón muchas mujeres continuamente buscan seguridad con referencia al lugar que ocupan en el cariño de sus esposos, pidiéndoles que hagan por ellas cosas ("favores") que fácilmente podrían hacer ellas mismas. La buena voluntad del hombre en cumplir con lo pedido sirve como una medida de su amor y devoción por ella. **La mujer no quiere tener que competir con ninguna otra persona ni ninguna otra cosa por el tiempo o la atención de su esposo.**

A veces la mujer espera que el hombre haga lo que ella quiere sin pedírselo. ¿Por qué? Porque lo considera una evidencia aún mayor de su amor por ella. En consecuencia, no siempre le dice lo que realmente quiere que él haga. ¡Y si sus habilidades de adivinar lo que hay en la mente de ella fallan, y no hace lo que espera, se indigna!

Este fenómeno femenino muchas veces surge en nuestra casa. Yo me considero una mujer muy capaz y autosuficiente, pero a menudo prefiero no hacer ciertas tareas pequeñas, como echarle gasolina al carro, por ejemplo. Esto no tiene nada que ver con la creencia de si ponerle gasolina al carro sea una tarea para el hombre o para la mujer. En vez, está ligado a mi necesidad de seguridad emocional. Si Harry lleva a cabo esta responsabilidad, él me está asegurando mi lugar en su cariño.

A veces esto puede ir aún más lejos. En ocasiones la esposa puede negar lo que realmente quiere. Si el esposo la toma al pie de la letra, ella se molesta. En efecto, ella racionaliza que debiera ser tan importante para su esposo que, a pesar de todo, debería entender sus deseos y suplirlos. Por ejemplo, los malentendidos a menudo surgen en la habitación como resultado de esta conducta femenina. **El hombre hace insinuaciones sexuales, y la mujer se retrae.** Tratando de ser considerado con los deseos de ella, él se da vuelta y trata de dormirse. **En este momento, ella puede ser que llore o alimente sentimientos heridos o airados.** ¿Por qué? Ella considera que debería ser tan irresistiblemente atractiva para su esposo que él persistiría en sus esfuerzos a pesar de los obstáculos que ella le ponga. Si él no insiste, ella llega a la conclusión de que ya no le importa a él tanto

Debido a su capacidad de absorber afecto las expresiones diarias de cariño son vitales para la existencia de la mujer.

como antes. Su seguridad emocional, su lugar en el corazón de él, se ven amenazados.

Un hombre puede satisfacer las necesidades emocionales de su esposa dejándole saber lo que ella ha hecho por él, y que si tuviera la oportunidad otra vez, la escogería a ella nuevamente. Sin embargo, si él recorre todos los rincones con la mirada, por todos lados, ella notará la forma en que mira el cuerpo de las otras mujeres. Esto debilita su posición ante él. Nadie espera que un hombre se tape los ojos, pero la esposa no debiera poder darse cuenta de lo que él mira. En cualquier momento que él percibe que ella pueda sentirse incierta de su lugar en el cariño de él, puede ponerle su brazo alrededor y decirle, "Sin duda, mamacita, nadie se compara contigo!"

Harry se cerciora de que yo me sienta segura de su cariño. Entre la extensa colección de tarjetas que yo he recibido de parte de él a través de los años una dice, *"Antes de conocerte me atormentaban los pensamientos perversos.* Por adentro dice, *"¡Ahora los disfruto!"* Pero Harry le añadió, *"contigo",* cerciorándose así de que yo estuviera segura de su cariño.

A menudo un esposo, que nunca pensaría entrar en amoríos con otra mujer, se involucra en su trabajo, en el negocio, en los deportes, en la televisión, con los videos, en un pasatiempo, inclusive con su iglesia, hasta el punto de excluir a su esposa. Una mujer me dijo que su esposo estaba teniendo un amorío tórrido. ¡Todas las noches, después de la cena, él se desaparecía a otro cuarto y se

31

sentaba a usar la computadora! "Yo podría competir con otra mujer —agregó—, pero ¿cómo lucha uno contra una computadora?" **La esposa necesita que su esposo valore tanto su bienestar que esté dispuesto a ponerla a ella en primer lugar, por lo menos parte del tiempo.**

En su libro, *Cabalmente casados* (*Thoroughly Married*), el ya difunto Dennis Guernsey nos cuenta de una cena familiar que cambió su vida. Su esposa había preparado bistecs con pimienta —su plato preferido—, y colocó la bandeja de servir frente a él. Él se sirvió el bistec más grande y entonces le pasó el plato a sus hijos. La hija mayor le preguntó:

—Papá, ¿por qué siempre te sirves el pedazo más grande? —Él contestó algo entre dientes, pero después de la cena salió a caminar para pensar acerca de sus hábitos y preguntarse por qué él siempre se servía más y primero. La noche siguiente, él a propósito le sirvió a su esposa lo mejor de todo. Sus hijos inmediatamente se dieron cuenta y quisieron que también les sirviera a ellos. Él simplemente les dijo que mamá era su esposa y merecía que la atendiera primero. Continuó explicándoles que él no había estado haciendo muy buen trabajo referente a ello, pero que tenía planes de mejorar, comenzando en ese mismo momento.

Su esposa, que había estado en la cocina durante este intercambio, regresó al comedor y se dio cuenta de lo que estaba pasando. La sonrisa que iluminó su rostro podría haber iluminado la casa entera. Finalmente su esposo se estaba dando cuenta de lo que ella quería. Alguien se iba a ocupar de ella.[4]

Es fácil para una mujer empezar a sentirse más como una cosa que como una persona. Cualquier esposo puede evitar que suceda, al tratarla como una persona especial, apreciada y valorada. Cada día necesita hacer algo que la haga sentir como si él le acabara de decir: "Tú eres importante para mí". Una mujer necesita oír esto en palabras y en acción.

Bill Havens fue un campeón olímpico que nunca llegó a las Olimpiadas. En 1924 tuvo que decidir entre dejar a su esposa que estaba embarazada, y participar en las Olimpiadas, o quedarse al lado de su esposa y estar con ella cuando naciera el bebé. Bill era el favorito para ganar la medalla de oro en piragüismo. Él renunció al oro para poder estar con su esposa durante el nacimiento de su bebé. Aunque nunca se lamentó de su decisión, siempre se preguntó si había hecho la decisión correcta. Casi treinta años más tarde la pregunta insistente fue contestada sin dejar lugar a dudas. Su hijo le mandó un telegrama desde Helsinki, Finlandia, que decía: "Papá: Gracias por haberte quedado esperando que yo naciera en 1924. Estoy regresando a casa con la medalla de oro que tú debías haber ganado", el mismo oro que Bill podría haber ganado casi treinta años antes. Bill Havens nunca ganó el oro olímpico, pero siempre ha sido un campeón a la vista de su esposa. Él puso su matrimonio y las necesidades de su esposa por encima de sus metas personales.[5]

3. La mujer necesita atención sentimental

Algunos hombres saben exactamente lo que sus esposas desean en lo que atañe a su vida afectiva. Otros son un poco más lentos en aprender. Shirley había estado casada con Larry por dos años. Para el día de San Valentín [el día de los enamorados], e

ATENCIÓN *Sentimental*

AUNQUE ESTOY ARRIESGANDO repetir lo mismo, una vez más les diré lo siguiente a los esposos: **Llévale flores a tu esposa**, escríbele una nota, envíale una tarjeta. **Sé cariñoso cuando estés cansado** (después de un día cansador en el trabajo). **Sé cariñoso cuando estés bien cansado** (después de una semana de trabajo sin descansos). **Sé cariñoso cuando estés muy, pero muy cansado** (después del último programa de televisión en la noche). **Porque cuando ella crea que ya no eres suficientemente cariñoso, va a pensar que no la amas suficiente; y cuando ella crea eso,** *tú vas a pagar.*

primer año, él le regaló una calculadora. Ella se sintió dolida, pero lo perdonó. Él era tan maravilloso en otras áreas, que ella dejó pasar la ofensa. Pensó que Larry aprendería lo que una mujer quiere recibir de regalo el día de San Valentín.

Shirley estaba completamente equivocada. Siete años más tarde seguía recibiendo regalos prácticos, como un nuevo juego de ollas, una máquina de coser, un abridor de latas eléctrico y un horno microondas. El octavo año a él se le olvidó por completo el 14 de febrero. Después de pasar veinticuatro horas sin que su esposa le hablara, él sabía que ella estaba enojada, pero aún no entendía por qué. Desesperado, salió y compró una docena de rosas semi marchitas (*que estaban rebajadas*) y se quedó aún más confundido por la frustración de ella.

Steve, otro esposo enloquecido, llamó para decir que su esposa acababa de pedirle el divorcio. Él ni siquiera lo había sospechado y estaba completamente pasmado. Cuando le preguntó que *por qué* quería divorciarse de él, ella contestó:

—¿De qué color son las paredes de la cocina?— Él respondió defensivamente con su acostumbrada disculpa:

—¿Pero cómo puedo yo saber eso? —Ella se retiró enojadísima, sin decir nada más que: —¡Es por eso que me quiero divorciar de ti!

Steve comenzó a pensar. Él había vivido en esa casa por once años, y aún no tenía ni la más mínima idea del color de las paredes de la cocina. En ese momento comprendió que se había desentendido de todo aquello que no estuviera específicamente orientado a su trabajo. En el trabajo Steve le prestaba

Se requiere de talento por ambas partes para llevar una relación constructiva dentro del matrimonio; hombre y mujer tienen esta responsabilidad por igual que hace duradera esta convivencia.

atención a todos los detalles. En su casa le prestaba poca atención a cualquier cosa: poca atención a su esposa, poca atención a sus hijos y poca atención a la casa. Steve no entendía por qué su esposa quería dejar el matrimonio. Yo sí. Diana se sentía invisible, que no tenía importancia ni era amada. Le parecía que para Steve ella no era más que una cocinera, la persona que limpiaba la casa, una sirvienta, una compañera para el sexo o alguien para criar a sus hijos. Ya no se consideraba importante para él. Cuando esto sucede en una relación, **cuando un esposo ya no le demuestra a la esposa que ella es importante para él, la mujer puede**

sentirse enojada, resentida o francamente amargada y comenzará a distanciarse.

Diana trataba de arreglarse bonita para este hombre, pero él nunca se percataba. Ella cocinaba sus comidas favoritas, pero él nunca se daba cuenta. Ella se esmeraba por agradarle, pero él tampoco lo percibía. Desesperada ella se quejó entre dientes: "Yo podría afeitarme la cabeza y Steve no vería la diferencia. Él vive en otro planeta".

Durante nuestro noviazgo yo no podría haber pedido que Harry fuera más amable: flores, ramilletes de flores, llamadas de larga distancia, cartas todos los días, fotos, tarjetas, salidas a comer. Y aún continúa con estas atenciones. A lo largo de los años de nuestro matrimonio, él me ha colmado de regalos, recuerdos, dulces, flores, ropa interior y tarjetas. Yo podría tapizar la Gran Muralla China con las tarjetas que Harry me ha dado a través de los años.

Pero mi tarjeta favorita dice: "Te extraño tanto que cuando pienso en ti mis ojos se llenan de lágrimas... ¡y se escurren sobre el calor de mi piel y se convierten en vapor!" ¡Harry, Harry, Harry! Yo recibo tarjetas chistosas y tarjetas extravagantes. Pero la que más atesoro es la que me dio para nuestro aniversario de veinte años. La leí rápidamente y ya estaba por ponerla a un lado cuando vi las palabras que Harry había escrito y me dejaron sin respiración: "¡Y ojalá que los próximos veinte sean aún más felices!" ¡Vaya que hay hombres que saben derretir el corazón de una mujer! Harry entendía que yo no quería escuchar lo que decía la compañía de tarjetas (a pesar de que esta compañía se preocupa por "mandar lo mejor de lo mejor"). Los sentimientos de Harry fueron los que derritieron mi corazón, no lo que estaba escrito por la compañía de tarjetas.

Hombres, enamoren a sus esposa con pequeños regalos y recuerdos de vez en cuando. Y mujeres, no pisoteen los esfuerzos de sus esposos de dar regalos mostrando ingratitud por medio del disgusto o la crítica. Me tomó algún tiempo aprender a aceptar los regalos que Harry me daba. Yo soy práctica y ahorradora por naturaleza, y me preocupo por las finanzas cuando Harry me da regalos extravagantes. Hubo un aniversario cuando él me regaló un perfume muy caro. Yo puse en duda la prudencia de esto. Mi mamá, que estaba visitando, escuchó mi reacción y me llevó a un lado para enseñarme

una lección que aún no había aprendido.

Regresar un regalo, cambiarlo por otra cosa, o guardarlo sin usarlo son descortesías casi imperdonables. Sin embargo, si una pieza de ropa no te sirve, cámbiala por otra de otro tamaño. Si no te gusta, úsala por un tiempo y luego guárdala. El principio implicado en esto es el de apreciar al dador, más que lo que es dado. Escoge cuidadosamente las palabras que vas a usar para expresar aprecio por las atenciones que él te da.

1. El hombre necesita admiración y aprecio

La admiración y el aprecio suplen las necesidades emocionales primordiales del hombre. "Si usted quiere que un hombre la siga queriendo —le dice a las mujeres la esposa de un pastor de renombre—, usted tiene que hacer sólo una cosa: apreciarlo y dejárselo saber". Este pequeño cuento de viejas, chapado a la antigua, salvaría muchos matrimonios si tan sólo las mujeres lo practicaran.

Un hombre contaba que hacía poco había sido elegido presidente de una organización importante en la gran ciudad donde vivía. No recuerdo —se quejó— haber trabajado jamás en algo con tanto empeño como lo hice preparándome para el discurso de aceptación que pronuncié en el banquete de iniciación, al cual asistieron todos los miembros, sus esposas y otros invitados. Al finalizar el discurso, muchas amistades se acercaron a mí para saludarme y felicitarme por lo bien que había hecho las cosas. Naturalmente esto me complació mucho. Pero la persona de quien más quería los halagos, no dijo nada. Esa era mi esposa. Puede ser que esto suene como poca cosa, pero allí empezó mi búsqueda por el reconocimiento.

Sí, el hombre aprecia el honor y el reconocimiento de los demás, pero más que nada, necesita que su esposa piense que él es magnífico. Todo hombre necesita un club de admiradores y su esposa debería ser la presidente. Ella necesita vitorearlo, no sólo cuando está ganando, sino también en los inevitables momentos de desaliento. Lo que él realmente necesita es una porrista que le diga: "Puedes hacerlo; lo has hecho bien antes, lo puedes hacer una vez más. Tengo confianza en ti". Él necesita sentir que hay alguien en su equipo en quien siempre puede confiar. Esa persona tiene que ser su esposa.

> *La dirección del curso de tus pensamientos puede determinar el rumbo de tu matrimonio".*
>
> H. Norman Wright.

El refrán, "Detrás de cada gran hombre hay una gran mujer", debiera ser enmendado a decir: "Detrás de cada gran hombre hay una esposa que lo admira". Las biografías de los grandes hombres comprueban este aserto, y la vida de los grandes hombres lo demuestran. **El hombre prospera bajo la admiración de una mujer. Aunque no hay mucho escrito en cuanto a ello, muchos hombres le deben una gran deuda de gratitud a sus esposas por darles este tipo de apoyo emocional.** Sin esto, su confianza –un factor sobresaliente de su éxito– podría haberse derrumbado.

Un genio desconocido puso disponible por teléfono, veinticuatro horas al día, una grabación con mensajes tiernos para hombres hambrientos de admiración. Tales individuos pueden llamar a este número y escuchar la voz sensual de una mujer decir: "Eres el hombre más excitante que jamás he conocido. –Después de una pausa, para darle mayor efecto, la voz continúa susurrando–: Me pregunto si la mujer de tu vida reconoce lo dichosa que es. –Entonces suavemente añade–: Yo sí lo sé. En un seminario, después que la risa había menguado, tres hombres levantaron la mano y preguntaron: "¿Cuál dijo usted que era ese número telefónico?"

Ahora, ¿qué desea el hombre que le admires? Exploremos tres categorías:

1 *Su apariencia.* Muchos hombres consideran que la apariencia física es muy importante. Estos individuos quieren que ciertas características específicamente masculinas sean admiradas: su fuerza y su físico.

—¿Sabe usted lo que mi esposo hace a veces? —me confió una mujer en privado—. De vez en cuando —y se puso a reír— llega a la casa del trabajo, se quita toda la ropa hasta quedarse en calzoncillos, y entonces se pasea por la casa pegándose en el pecho y gritando como si fuera Tarzán. —Este esposo estaba rogando que se le diera atención.

En un seminario yo le pregunté a las mujeres:

—¿Cuál fue lo último que su esposo escuchó cuando salía para el trabajo esta mañana?

—Cuánto me duele la espalda —contestó una mujer abruptamente.

—¿Y qué va a escuchar en el trabajo hoy? —pregunté, mientras hacía hincapié sobre el asunto. La mujer tragó en seco al recordar que él trabajaba en un lugar donde muchas mujeres, atractivas y bien arregladas, a menudo le daban cumplidos acerca de su apariencia, en cuanto a su trabajo y por sus buenos modales.

—Nunca —les dije a estas mujeres— permitan que su esposo salga de la casa sin poner sus brazos alrededor de él y decirle al oído cuánto lo admiran. Esto será lo que él recordará de ti por el resto del día; estarás supliendo su necesidad de ser admirado, en lugar de dejarlo susceptible a que alguna mujercita pispireta en la oficina haga alarde de sus atributos físicos, pensando que tu esposo es un buen candidato para su próxima conquista. **Al darle un cumplido a tu esposo como primera cosa en la mañana, lo estás uniendo a ti por el resto del día.**

Se cuenta la historia de una joven esposa que había tenido una mañana terrible. Su esposo no encontraba una camisa que ponerse, se había quejado del desayuno y se le había

volcado la leche por toda la mesa y el piso. Después de finalmente terminar de alistar a los niños y despacharlos a la escuela, los dos tuvieron una tremenda pelea. El esposo, abatido, cuando salía para el trabajo le gritó:

—Bueno, y entonces ¿por qué te casaste conmigo? —Sin pensarlo ella le respondió a voz en cuello:

—¡Porque te pareces mucho a Tom Cruise! —Ella se quedó horrorizada por su respuesta. Se había casado con él porque lo amaba, claro, y su parecido a Cruise era parte de la fantasía que tenía acerca de su esposo. Después de pasar una media hora miserable, sonó el teléfono.

—¿Sabes lo que me gusta de ti? —preguntó el esposo, con una nueva confianza en la voz.

—No me lo puedo imaginar —le contestó ella.

—Tu buen juicio y tu

Reconócelo

TE ANIMA TU ESPOSO para que desarrolles tus talentos e intereses? ¿Prepara alguna comida? ¿Corta el césped? ¿Pinta la casa? ¿Comparte el cuidado de la casa? ¿Hace su parte en el cuidado de los niños? ¿Recuerda los aniversarios y cumpleaños sin que se lo insinúes? **Estas cortesías necesitan ser apreciadas.** ¿Dedica tiempo y energía a mejorar el matrimonio? ¿Es un padre responsable, amante y dedicado? **El reconocimiento fortalece su deseo de continuar haciéndolo.**

¡Anímense!

excelente gusto —dijo él—, sin mencionar nada de tu buen ojo para las buenas apariencias.

Observa a tu esposo la próxima vez que lo veas mirándose en el espejo. Él probablemente no se dé cuenta de que se le está cayendo el pelo o que está criando lonjas en la cintura, en lo más mínimo. Él cuadra los hombros, mete la barriga un poco, y le dice a su reflejo en el espejo, "¡Qué gran tigrazo eres!" **Cada vez que tu esposo se siente como un tigre, piensa que puede conquistar el mundo. Y si él se siente así, *tú* serás ricamente recompensada.**

2 *Sus destrezas, talentos y habilidades.* ¿Qué destrezas, talentos y habilidades tiene tu esposo? Harry es un artista de buena clase. Yo me detengo frente a uno de sus cuadros preferidos y le doy un cumplido, al igual que lo he hecho muchas veces, por ese cuadro tan exquisito. **Él se deleita con mi elogio.**

Felicita a tu esposo por los talentos y habilidades que demuestra con relación a su trabajo. Puede ser que tú nunca hayas ido a su lugar de trabajo, sin embargo, puedes escucharlo y admirar lo que te cuenta. Si quieres que él te confíe algo acerca de su empleo y sus logros, más vale que aprendas a animarlo y motivarlo con respecto a lo que hace. **Cuando él tenga una idea extraordinaria, díselo. Cuando le den una promoción y un aumento de sueldo, sé su más entusiasta admiradora.**

Unos amigos nuestros son propietarios de un terreno en *Fish Camp*, cinco kilómetros al sur de la entrada del Parque Nacional de Yosemite, y nos han invitado, a Harry y a mí, para que estacionemos nuestra casa-remolque allí. Algunos de nuestros recuerdos más gratos de las diversiones de verano en *Fish Camp* son las comidas cocinadas al aire libre. Leroy, otro invitado frecuente, es un excelente cocinero especializado. Leroy a menudo planea y prepara la comida para el grupo entero, que puede consistir hasta de veinte personas. Todo lo que él cocina, aun bajo condiciones de campamento, está sazonado en forma especial, cocinado a la perfección y tiene un sabor delicioso. Un talento como el suyo merece reconocimiento. **No importa si el hombre es un buen mecánico, un experto en computación, un genio en matemáticas, un lector ávido o bueno para contar chistes, la esposa debería ocuparse de satisfacer su necesidad de ser apreciado.**

Tan sólo ayer Harry arregló un problema en el motor del carro. En seguida me lo dijo y entonces me llevó a la cochera para enseñarme lo que había hecho. Ya que mi conocimiento en cuanto a carros es limitado, ganó muy poco enseñándome lo que había hecho. ¿Por qué lo hizo? Porque necesitaba una palmadita en la espalda y un poco de afirmación. ¡Y yo lo halagué en gran manera!

3 *Por sus rasgos de carácter.* Ya sea que tu hombre es honesto, o responsable, o puntual, o practica una moralidad escrupulosa, o es muy religioso, o tiene una integridad que no puede ser superada, menciónaselo. ¿Es dedicado a su trabajo? ¿Mostró valor en alguna experiencia asoladora? ¿Es fiel en traer un cheque a la casa para mantenerte a ti y a los hijos? Muchas mujeres aceptan por años el apoyo financiero sin ofrecer una palabra de aprecio. **No des por sentado el hecho de que tu esposo sabe cuánto tú admiras sus rasgos de carácter. Él necesita escucharte decirlo.** Esto lo inducirá a alcanzar niveles más altos de integridad y lo animará durante los malos ratos.

Recuerda, el hombre se enamora de la mujer que lo hace sentirse más fuerte, más capaz, más inteligente y más atractivo de lo que nunca antes se ha sentido. El hombre se enamora por la forma en que la mujer lo hace sentir acerca de sí mismo; y cuando un hombre ya no se siente bien cuando está con su esposa, se hace vulnerable a "la otra mujer". En esto consisten los amoríos. No es que él esté realmente "enamorado" de la otra mujer. Él sólo ansía experimentar los sen-

timientos que tiene acerca de sí mismo cuando está con la otra mujer.

Amiga, tú puedes volver a encender esas llamas que una vez caracterizaron tu relación con tu esposo. Pero para lograrlo tienes que hacer que él se sienta bien acerca de sí mismo cuando está contigo. **Debes alimentar sus necesidades diariamente para que él quiera quedarse en la casa y no prefiera ir a otro lugar.**

Algunas mujeres tienen una necesidad extrema de reprogramar sus pensamientos y su comportamiento. Muchas mujeres responden automáticamente a las necesidades de sus hijos, pero descuidan a sus esposos. Recuerda que el matrimonio, porque dura una vida entera, es primordial. Una mujer admitió que había cometido un gran error: no decirle a su esposo cuánto admiraba su trabajo y cuán orgullosa estaba de sus habilidades. Así que comenzó a darle cumplidos de cinco segundos varias veces al día. Esto resultó tan bueno como una vitamina de ego, informó ella con gozo. La autoconfianza de su esposo aumentó, su libido se vigorizó, y se volvió mucho más cariñoso con ella. ¡Todo esto logrado en cinco segundos!

Si necesitas ayuda en expresar admiración, aquí hay algunas ideas de cómo decirlo:

Querido, eres muy inteligente. ¡La forma como manejaste ese negocio fue brillante!

Tu cuerpo hace que esa camisa se te vea muy bien.

Con un poco de prudencia las quejas descuidadas y la crítica pueden ser reemplazadas con aprecio sincero. **Cualquier persona puede aprender a salpicar muestras de aprecio sobre la interacción diaria.** Por ejemplo:

Gracias por arreglar ese desorden.

RECOMPENSA INMEDIATA

LA ADMIRACIÓN es lo opuesto a la crítica. Mientras que la crítica hace que el hombre se enoje y se ponga a la defensiva, la admiración lo vigoriza y lo motiva para seguir adelante y sobresalir. El hombre quiere y necesita la aprobación de su esposa. Una dieta constante de crítica es peligrosa para la salud mental de cualquiera. Pero la autoimagen del hombre puede ser mejorada dentro de un ambiente creado por alguien que valora y admira sus logros. Cuando un hombre es apreciado por una mujer que lo apoya y lo anima, se enciende la chispa del genio y el potencial.

Aprecio tu buena disposición de llevarme a ese lugar.

Fortalece a tu esposo en cada oportunidad. Cuando él se sienta bien consigo mismo, naturalmente te amará más y será más sensible a tus necesidades. Al principio esto requerirá un poco de esfuerzo. Pero hazlo un hábito y tendrás un esposo que te adora y que a cambio quiere satisfacer tus necesidades.

> *La imagen de sí mismo del hombre se define por medio de su habilidad de lograr resultados".*
>
> John Gray.

Si un hombre pudiera poner en palabras lo que quiere de su esposa, tal vez sería algo así:

Quiero saber por qué soy tan importante para ti. Y necesito oírlo todos los días, no sólo de vez en cuando.

Dime diariamente lo que admiras de mí. Dame cumplidos acerca de todas las cualidades admirables.

Quiero ser tu galán, tu héroe y tu protector.

Dime por qué te importo.

Para el hombre la admiración honesta es una gran necesidad. Cuando una esposa le dice a su esposo que admira algo que él ha hecho, esto lo inspira a esforzarse aún más. Él se percibe a sí mismo como alguien capaz de manejar las responsabilidades y mejorar sus habilidades más allá de lo que ahora está logrando. Esta inspiración lo anima a responder más positivamente a las responsabilidades y a los retos de la vida.

La admiración no sólo motiva al hombre a salir adelante, sino que también le provee recompensas inmediatas por sus logros. Cuando una esposa expresa aprecio por el sostenimiento que su marido le brinda, hace que las horas largas y cansadoras de trabajo valgan la pena. El hombre necesita ser apreciado por lo que es, no por lo que puede llegar a ser con la ayuda de la mujer.

La admiración también ayuda a que el hombre crea en sí mismo. Esto es especialmente necesario para un hombre con autoestima baja. La admiración le ayudará en los momentos de desánimo. A menos que la esposa ayude tiernamente a su esposo a crear una autoestima más positiva, él se pondrá más y más a la defensiva respecto de sus deficiencias. **Algunos hombres se niegan a ir a un seminario para matrimonios, a visitar a un consejero, a leer un libro acerca del matrimonio o a aceptar ayuda de cualquier tipo.** Hombres como ellos tienen una estima personal tan desmejorada que hasta la más leve crítica les resulta devastadora.

El hombre necesita respeto

Otra gran necesidad del hombre es el respeto. Las Sagradas Escrituras son claras en este punto: "Las casadas estén sujetas a sus propios esposos como al Señor" (Efesios 5:22). Las esposas deben reverenciar o respetar a sus esposos. La definición de la palabra *respeto* en el diccionario remite al lector a la palabra *admirar* y entonces da la siguiente definición: "Consideración y apreciación del valor, honor y estima". **La definición de la palabra *reverencia* es: "Un sentido de profundo respeto, a menudo entremezclado con admiración y cariño".**

¿Cómo se mide el respeto? Las palabras

Cuando un hombre siente que las cosas no andan bien en su vida, le es difícil sentirse feliz consigo mismo o con su esposa.

pueden dar a entender respeto o desdén. ¿Hablas con un tono de voz respetuoso? ¿Le dices a tu esposo que se calle y le das órdenes como si fuera uno de los niños? El respeto —o la falta de respeto— también se puede dar a entender por medio de comportamientos no verbales. Virar los ojos o un suspiro profundo pueden dar a entender un "¿Cómo puedes ser tan increíblemente estúpido?", sin que se diga ni una palabra.

La mujer impone el tono de respeto en la casa. Cuando una madre respeta a su esposo, los hijos aprenden la actitud de respeto hacia su padre. La esposa siempre debería respetar las ideas y opiniones de su esposo, pero esto es doblemente cierto cuando está en presencia de otros miembros de la familia y de amistades. **Ser irrespetuosa en privado es suficientemente malo; pero cuando una esposa le falta el respeto a su esposo frente a otros, siembra desprecio hacia sí misma, tanto en la mente de él como en la de los observadores.** Pero cuando una esposa edifica a su esposo en presencia de los demás, no tan sólo demuestra respeto, sino que los demás también respetan la lealtad de ella. Cuando los niños observan a la madre tratando al padre siempre con respeto, ellos desarrollarán las mismas actitudes respetuosas hacia él. **Es la mujer de la casa la que establece la atmósfera de respeto para la familia entera.**

Respetar significa tratar al hombre como un igual, no como a un niño. La mayoría de las mujeres están dispuestas a admitir que tratan a sus maridos como a niños. "Recuerda buscar a los niños cuando termine la escuela", o "No te olvides de llevar el paquete al

41

correo", o "¿Cuántas veces te tengo que pedir que vengas a la mesa a tiempo?" o "¿No crees que necesitas usar un suéter?" La impresión que se da es que el hombre es completamente incompetente y necesita que su esposa le maneje la vida y que le diga qué hacer.

> *Trata de elogiar a tu esposo, a pesar de que al hacerlo, al principio lo asustes.*

Cuando la mujer actúa como una madre y trata a su esposo como a un hijo, él va a vivir de acuerdo con esa expectativa de incompetencia. Cada vez que una mujer toma el control de las actividades porque supone que el hombre no lo puede hacer, lo regaña como si fuera un niño, le recuerda cosas que no debe olvidar, hace lo que él debiera realizar por sí mismo, o lo corrige y le da instrucciones de cómo hacer algo que cualquiera sabe hacer, le está faltando el respeto a sus habilidades de adulto.

Si actúas como la mamá de tu esposo destruirás tu relación con él. Tu marido llegará a resentirte y se rebelará contra ti cuando quiera obtener su independencia. **Si lo tratas como si fuera incompetente, él se hará cada vez más incompetente y dependiente de ti. Mientras más incompetente se sienta, más disminuirá su estima propia y más incompetente se encontrará.**

La esposa es la que pierde en todo esto y por lo general ni siquiera se da cuenta. Ella pierde, porque cuando un hombre no se sien-

te bien consigo mismo, es incapaz de amarla a ella del modo como ella quiere ser amada. Cuando un hombre siente que las cosas no andan bien en su vida, le es difícil sentirse feliz consigo mismo o con su esposa. Esto, al fin y al cabo, afecta los sentimientos de ella hacia él, porque ella sólo puede respetarlo, admirarlo y apreciarlo cuando él es competente.

El respeto también invade la cama matrimonial. Un hombre recién casado, cuyo matrimonio ya estaba en problemas debido a que su esposa se comportaba como si fuera su madre, se quejó amargamente conmigo: "¿Quién puede tener relaciones íntimas con su madre?" Su joven esposa recibió un golpe muy duro al darse cuenta que actuar como madre con el esposo mata la pasión rápidamente. Y también afecta el deseo de la mujer. ¿Cuán romántica y sensible puede ser una mujer con un hombre a quien ha tratado como a un niño todo el día?

Algunas mujeres caen en hábitos adictivos de tratar a sus esposos como niños. Esta adicción puede ser curada. Deja de hacer por él las cosas que él puede o debe hacer por sí mismo. Trátalo como persona competente y confiable, con el respeto que se merece. Cambia tu forma de hablarle. **Abandona el estilo de mamá cuando te dirijas a él.** Deja de rescatarlo o tomar el control cuando él comete un error o se olvida de algo. Si le resuelves el problema cuando a él se le olvida comprar el boleto de avión para un viaje, él nunca aprenderá.

Cuando estés tratando de dejar tu viejo estilo de mamá y cobrar un nuevo respeto por tu esposo, necesitarás ser consistente en tu disciplina propia. No es un hábito fácil de abandonar, pero vencerlo produce ricas recompensas.

El hombre necesita satisfacción sexual

DE LA MISMA FORMA en que muchos hombres no entienden las necesidades afectivas de la mujer, la mayoría de las mujeres no entienden cuán importante es la satisfacción sexual para el hombre. **Antes que el hombre pueda satisfacer las necesidades emocionales de la mujer, él debe saber que su esposa lo encuentra atractivo sexualmente.** Llámalo el doble compromiso o el máximo enredo, pero volvemos al viejo adagio: "El hombre da amor para recibir el sexo, y la mujer da el sexo para conseguir el amor". **La mujer necesita sentirse satisfecha emocionalmente antes de poder satisfacer las necesidades sexuales del hombre, y el hombre necesita satisfacción sexual antes de responder a las necesidades afectivas de la esposa:** la recepción de cariño y atención romántica. El sexo le da al hombre algo más que la satisfacción de sus necesidades sexuales urgentes. **El sexo es la confirmación del deseo y el amor de la esposa hacia él, al igual que es una reafirmación de su valor y masculinidad. Sólo cuando su valor ha sido afirmado él puede sentirse viril.** Tan grande es la necesidad del hombre de tener satisfacción sexual que Willard F. Harley la coloca en primer lugar en la lista de las cosas de las cuales el hombre no puede prescindir.[6]

El hombre tiene que sentirse deseado y necesitado, no simplemente tolerado. **Algunas mujeres llevan a cabo el acto sexual como si estuvieran pagándole deudas obligatorias a una organización profesional.** En una encuesta extensa referente a la sexualidad del hombre, se le preguntó a cientos de hombres por qué les gustaba el coito. **La razón que los hombres dieron con más frecuencia de por qué les gustaba o deseaban el coito fue el sentimiento de ser amado y aceptado por la esposa.** Sus respuestas fueron resumidas por un hombre que dijo: "El coito reafirma continuamente el estrecho vínculo con mi esposa. Me deja saber que ella me ama. Me da confianza. Me hace sentir deseado".

Hay una conexión vital entre la masculinidad del hombre y su sexualidad. Las mujeres tienden a juzgar las necesidades sexuales del esposo basándose en su propia necesidad. Cuando se le hace caso omiso a las necesidades sexuales de un hombre, cuando la iniciación del sexo es resistida o cuando una mujer tan sólo tolera la relación sexual, él siente que su masculinidad misma está siendo rechazada. **Esto debilita el sentido de sí mismo. Pero cuando él funciona como debiera funcionar el hombre, con ello reafirma su masculinidad. Al tener relaciones sexuales él le comprueba a su esposa (desde su punto de vista), que la ama.**

Los medios publicitarios pintan a los hombres como sexualmente incitantes y provocadores. **Pero en verdad, el hombre típico se preocupa mucho por su desempeño sexual.** Los hombres temen la incapacidad de mantener la erección, tienen miedo de volverse impotentes y de experimentar eyaculaciones prematuras. **La capacidad de funcionar adecuadamente como hombre tiene cierta cualidad competitiva que le hace poner en duda su habilidad de ser un amante suficientemente hábil como para satisfacer a su esposa.** Los hombres dudan acerca de si pueden desempeñarse tan bien como otros hombres y se preguntan si sus deseos son normales o perversos. Quieren saber si esperan demasiado o muy poco. Algunos hombres temen estar demasiado obsesionados con el sexo.

> *El secreto de un matrimonio feliz es simple: sigue siendo tan amable con tu cónyuge como lo eres con tus mejores amigos".*
> *Robert Quillén.*

Todos estos temores hacen que el hombre sea extremadamente vulnerable a la aceptación o el rechazo. Cuando se dirige a su esposa buscando relaciones sexuales, en realidad coloca su masculinidad en la línea. Si ella lo rechaza, en realidad ha rechazado una parte vital de él, su masculinidad. En su interior él se pregunta: "¿Qué tal soy como amante?" **Cuando la esposa anticipa y disfruta el sexo, aumenta la confianza del esposo en su propia masculinidad lo mismo como en su habilidad como amante. Él está listo para abordar el mundo con confianza. Su batería está completamente cargada.** Un buen encuentro sexual fomenta la autoestima del hombre, le da palmadas en la espalda y afirma su idoneidad. No dejes de satisfacer esta necesidad.

Esto también mantiene tu matrimonio a prueba de amoríos. Cuando un hombre se casa, promete mantenerse fiel sexualmente por el resto de su vida. Hace voluntariamente esta promesa porque confía que su esposa se mantendrá interesada en él sexualmente, igual como él se interesa en ella, y cree que estará accesible sexualmente cuando él la necesite. Algunos hombres descubren que desafortunadamente este es uno de los más grandes errores de su vida. Si las convicciones morales y espirituales del hombre son fuertes, puede ser que se mantenga fiel a la promesa que hizo y decida sacarle el mejor partido. Muchos no pueden o no quieren buscar satisfacción sexual en otra parte.

Al intentar saciar sus necesidades sexuales, algunos hombres pierden su capacidad de razonar. Algunos personajes de renombre parecen estar casi poseídos por su atracción hacia otras mujeres. La lista incluye hombres en posiciones de liderazgo: políticos, pastores y líderes de grandes iglesias, que están dispuestos a dañar su reputación, perder el trabajo, las riquezas, los éxitos, los hijos y la familia, todo con el fin de satisfacer una necesidad que tal vez ni ellos mismos entienden. Yo he escuchado las historias de tales líderes, perplejos, escandalizados por sus propias indiscreciones. En la mayoría de los casos, tales hombres se sienten tan motivados por su necesidad sexual y lo que su satisfacción implica para el fortalecimiento de su masculinidad, que su intelecto se anubla y destruye su influencia.

Las emociones se acumulan dentro del

Está comprobado que el hombre coloca su masculinidad en primer lugar. Para el mejor entendimiento: ambos deben estar convencidos que el sexo provee alivio temporal de las emociones reprimidas.

hombre. Puede ser que esté pre-ocupado por algún proyecto que no marcha bien en su trabajo. O puede encontrarse preocupado por la salud de sus padres. Ya que a los hombres se les enseña a esconder sus emociones, proba-blemente se siente impotente, con-fundido y temeroso. Cuando estos sentimientos se acumulan dentro de él, no sabe qué hacer con ellos; pero sí sabe que necesita alivio de algún tipo. De repente siente deseos de tener relaciones sexuales. **En consecuencia, hay hombres que a menudo usan el sexo como un desa-hogo para las emociones reprimidas.**

Cuando un hombre hace insinuaciones amorosas, está pidiendo más que sexo. Te pide que lo aceptes. En realidad, no es mera-mente sexo lo que él quiere o necesita, tam-bién desea intimidad emocional. Puede ser que el sexo sea la única forma de sentir intimidad que él conoce. Y puede ser que ni siquiera comprenda lo que realmente está pidiendo. **A veces el hombre busca satisfacción sexual cuando lo que necesi-ta es apoyo y consuelo. El sexo lo ha hecho sentirse mejor antes, y él espera** que una vez más lo calme y lo consuele.

En la mentalidad masculina la actividad sexual es otro lenguaje para comunicarle amor a la esposa. El sexo es una forma acep-table de comunicación mediante la cual el hombre puede dar salida a sus emociones íntimas cuando no sabe cómo verbalizarlas. **Cuando la esposa entiende este proceso, no surgen problemas. Pero ambos necesi-tan reconocer que el sexo sólo provee un alivio temporal para las emociones reprimidas. No resuelve realmente el pro-blema por el cual pasa ni le ayuda a verbalizar una situación estresante.**

El hombre se siente rechazado cuando sus avances sexuales son rehusados. La indiferen-cia o la mera tolerancia le duelen más que cualquier otra cosa. Es posible que aún así él tenga relaciones contigo y que las disfrute; pero si te muestras deseosa de que él te satisfaga sexualmente, su masculinidad se fortalecerá más que con ninguna otra cosa. El amor que te expresa como resultado se convierte en un verdadero placer para él. Tu esposo quiere que tú lo desees sexualmente.

> *La forma como la mujer se percibe a sí misma se define por medio de sus sentimientos y la calidad de sus relaciones".*
>
> John Gray.

Y finalmente

Una mujer a quien le gustaban mucho las aves compró una cotorra para que le hiciera compañía. Regresó a la tienda de mascotas al día siguiente quejándose de que la cotorrita no hablaba. El dueño de la tienda le preguntó si le había colocado un espejo en su jaula.

—A las cotorras les encantan los espejos y a menudo comienzan a hablar cuando ven su reflejo en él —la animó el dueño de la tienda. La mujer compró un espejo y se llevó su mascota de vuelta a la casa.

El próximo día la mujer regresó a la tienda reclamando firmemente que la cotorra aún no hablaba, y exigió una cotorra que hablara. El dueño de la tienda, como no quería perder la venta, la animó a que comprara una escalerita: —A las cotorras les encantan las escaleras —dijo—. Una cotorra feliz pronto se convierte en una cotorra que habla mucho. —La mujer le prestó atención a este nuevo consejo, compró una escalera

para la jaula y volvió a la casa.

Al día siguiente la dueña de la cotorrita regresó a la tienda quejándose de que su mascota todavía no hablaba. Esta vez el dueño de la tienda le aconsejó que comprara un columpio para la cotorra.

—Una vez que empiece a mecerse —canturreó el dueño de la tienda— va a hablar sin parar. —La mujer compró el columpio de mala gana, se lo llevó a la casa, y lo puso en la jaula de la cotorra.

Cuando la mujer regresó un día después, estaba aún más triste. —La cotorra se murió —le anunció al dueño de la tienda.

—Antes de morirse, ¿dijo algo la cotorra alguna vez? —preguntó el dueño, escandalizado.

—Sí —contestó la mujer—. Justo antes de morirse preguntó con un chillido débil: "En la tienda de mascotas, ¿no venden comida?"[7]

Del mismo modo, todo el bombo y platillo que suele acompañar al matrimonio —casas de fantasía, vacaciones exóticas, cabañas en la montaña, trabajos prestigiosos y grandes sueldos— no nos garantiza nada en el departamento de la felicidad si no hay "comida". Y la comida que alimenta el matrimonio es la satisfacción de las necesidades emocionales.

Aunque parezca complicado satisfacer las necesidades emocionales, no es tan complejo como suena. Vivimos en una sociedad muy compleja, con exigencias sobre nuestro tiempo que a menudo distraen la atención que necesitamos darle a nuestro matrimonio. Pero no podemos vivir sin comida. **De la misma manera, el matrimonio no puede funcionar sin comida emocional.** Pero sí necesitamos tener una imagen clara del alimento que nuestro cónyuge necesita para poder funcionar día a día.

Veintiuna formas de amar a tu esposa

1. Dale un abrazo y un beso antes de levantarte de la cama.

2. Sonríe cuando la mires.

3. Llámala durante el día para decirle que la extrañas.

4. Apaga las luces y cenen a la luz de las velas.

5. Pon a tocar la música preferida de ella e invítala a acurrucarse contigo en el sofá mientras la escuchan.

6. Pregúntale cómo pasó el día.

7. Lávale la espalda cuando estén en la regadera o en la bañera.

8. Sécale la espalda después del baño.

9. Ponle una notita de amor en su cartera o en su lonche.

10. Sorpréndela recogiéndola en el trabajo.

11. Dile cuánto disfrutas de conversar con ella.

12. Dile, frente a los hijos, cuán buena madre es.

13. Ponle el brazo alrededor mientras están sentados en una reunión social.

14. Tengan una cita para disfrutar de la compañía mutua sin que los hijos estén presentes.

15. Levántate 10 minutos antes de la hora acostumbrada y pídele que venga contigo para conversar mientras comparten una bebida caliente.

16. Antes de dormirse en la noche, abrázala y dile palabras de amor al oído.

17. Pídele su opinión acerca de los eventos anunciados en las noticias o sobre el sermón predicado en la iglesia.

18. Abrázala sin tener ningún motivo ulterior.

19. Dile un cumplido frente a alguna amistad.

20. Usa palabras cariñosas a menudo.

21. Cuando estén en un evento social, guíñale el ojo o tírale un beso.

Referencias

1. Adapted from Jack and Carole Mayhall, *Marriage Takes More Than Love* (El matrimonio requiere más que amor). **Colorado Springs, CO: Navpress, 1978**, págs. 37, 38.

2. Cecil Osborne, *The Art of Understanding Your Mate* (El arte de comprender a tu cónyuge). **Grand Rapids, MI: Zondervan Publishing House, 1970**, pág. 53.

3. H. Norman Wright, *Holding On to Romance* (Que se mantega el cariño). **Ventura, CA: Regal Books, 1992**, pág. 137.

4. Dennis Guernsey, *Thoroughly Married* (Bien casados). Waco, **TX: Word Books, 1975**, pág. 57.

5. Ken R. Canfield, *Seven Secrets of Effective Fathers* (Siete secretos de los padres de éxito). **Wheaton, IL: Tyndale House Publishers, 1992**.

6. Willard F. Harley, *His Needs, Her Needs* (Las necesidades de él, las necesidades de ella). **Grand Rapids, MI: Fleming H. Revell, 1994**, pág. 42.

7. Adaptado de Randy Fishell, "Simple Pictures Are Best" (Los dibujos sencillos son los mejores), *Adventist Review*, **18 de diciembre de 1997**, pág. 25.

Cómo convivir con un cónyuge IMPERFECTO

Ninguna cosa sino ver a Dios en todo puede hacernos amantes y pacientes con aquellos que nos molestan. Cuando nos demos cuenta de que ellos son tan sólo instrumentos para lograr Su propósito en nuestras vidas, podremos, de hecho, agradecerles internamente por las bendiciones que nos traen".

Hannah Whitall Smith

3

La autoestima y la capacidad para aceptar y comprender al cónyuge

Antes de criticar los defectos de tu esposa, deberías de recordar que es posible que estos mismos defectos sean los que le impidieron conseguir un mejor esposo que aquel con quien se casó.

UNA CARTA A LA COLUMNISTA popular de periódicos lo resume bastante bien:

"**Querida Ann Landers:** Mi esposo y yo acabamos de celebrar nuestro vigésimo aniversario. Él suple todas nuestras necesidades, no tiene malos hábitos, es un padre excelente para nuestros hijos y todos piensan que es buenísimo. Entonces, ¿por qué me quejo?

"Es que el hombre no se calla. Lo primero que oigo en la mañana es su voz. En la noche cuando apago las luces, todavía sigue hablando. Me hace una pregunta y entonces se la contesta él mismo. Me pide una opinión, y entonces me da una. Él repite una conversación y antes que yo pueda comentar algo, me dice lo que piensa acerca de ella.

"Lo difícil del matrimonio es el hecho de que nos enamoramos de una persona, pero entonces tenemos que vivir con un carácter" — *Peter Devries.*

Cuando asistimos a alguna función social, nunca tengo la oportunidad de abrir la boca. La gente ha de pensar que soy una tremenda idiota. Algunas de nuestras amistades ni siquiera saben si tengo cuerdas vocales. ¿Tiene algún consejo? *–Casada con un parlanchín".*

La respuesta de Ann:

"Querida Casada: Después de veinte años, acepte el hecho de que este hombre no va a cambiar. Esto le ahorrará desgaste a sus vasos sanguíneos. Y por favor, lea la siguiente carta."

"Querida Ann Landers: He estado casada por veintidós años con un hombre que no me habla. Se niega a dialogar en cuanto a los problemas familiares y no hace absolutamente ningún comentario cuando le presento problemas de la familia para cuya solución necesito ayuda.

"He tratado todos los enfoques imaginables, desde la tentativa indiferente y casual, "¿Qué piensas sobre esto, querido? —hasta el pedido apasionado de—: ¡Necesito tu ayuda desesperadamente!', y finalmente la plegaria angustiada dicha a voz en cuello: '¡Contéstame!' Su respuesta es una mirada sin expresión, acompañada por su silencio sepulcral. De vez en cuando musita, 'No había pensado en eso'.

"Mi esposo es un profesionista inteligente con muchas cosas que le ocupan, pero, en estos días ¿quién no? Pido muy poco de él. Estoy cansada de hacer yo sola todas las decisiones. Estoy a punto de pegarme un tiro por la cabeza. ¿Tiene alguna idea? *–La esposa del gran hombre de piedra."*

La respuesta de Ann:

"Querida Esposa: Después de veintidós años, acepte el hecho de que este hombre no va a cambiar. Esto le ahorrará desgaste a sus vasos sanguíneos."[1]

La aceptación. No hay otra cualidad tan vital o tan fundamental para el matrimonio. Y es ciertamente el fundamento de un *matrimonio altamente eficaz.* El amor y el reconocimiento son resultados de la aceptación. **El amor viene primero, pero la aceptación de la otra persona debe ser una práctica diaria o el amor no durará.**

La aceptación

Es una verdad sencilla. Cuando somos aceptados por nuestro cónyuge, nos sentimos apreciados, aprobados y finalmente animados a llegar a ser todo lo que podemos ser. Pero cuando el cónyuge trata de cambiar o mejorar alguno de nuestros hábitos o comportamientos, nos sentimos heridos.

Mi propio matrimonio es un ejemplo perfecto de esto. Cuando conocí a Harry, pensé que había encontrado al "Hombre Perfecto". En contraste con mi vida organizada y más estructurada, Harry se adaptaba con facilidad y era tolerante. Tenía buenos modales, era atento, solícito, guapo y me trataba como si fuera una reina. Disfrutábamos de muchas de las mismas actividades, nunca discutíamos ni estábamos en desacuerdo acerca de algo. En lo que todas las demás mujeres habían fracasado, yo había logrado el éxito: había encontrado al "Hombre Perfecto".

Durante parte de nuestro noviazgo estuvimos lejos el uno del otro. Mientras que Harry servía a su patria en el ejército, yo estudiaba en la universidad. Por esa razón nuestro noviazgo se llevó a cabo por medio de cartas y llamadas telefónicas. Él siguió siendo *perfecto*. (Aún conservo algunas cartas que verifican que durante esos años, esta era mi opinión de Harry).

Pero desde el momento cuando firmamos los votos matrimoniales (probablemente en camino a nuestra luna de miel) yo ya estaba en mi modalidad de "Mejorar al Esposo". Yo sabía lo que estaba haciendo, pero trataba de decirle las cosas de un modo muy dulce para que él no se diera cuenta de que le estaba dando sugerencias o tratando de cambiarlo. Decía las cosas con mucha cortesía; con una sonrisa en la cara. **Cuando le pedía que cambiara siempre empezaba lo que iba a decir con "Mi amor" o "Querido". Yo escogía muy bien el momento cuando le pedía que cambiara.** Yo creo en hacer las cosas "bien hechas". ¿Estaría él resistiendo mis sugerencias bien planeadas y oportunas? No podía ser. Yo seguí persistiendo. La reacción de Harry era ponerse tenso o ignorarme. Yo a veces pensaba que él insistía en repetir el comportamiento que yo detestaba simplemente para fastidiarme. En vez de abandonar mi empeño por mejorar lo que consideraba que podría llegar a ser un gran matrimonio (si tan sólo Harry cambiaba), redoblé mis esfuerzos. Las cosas empeoraron. Yo lo dejaba de fastidiar un poco y luego volvía a insistir. ¡Este hombre simplemente no entendía que yo deseaba ayudarlo a transformarse en lo máximo que podía llegar a ser! ¡Si tan sólo Harry me hacía caso no habría límite para lo que él podría lograr, y cuán dichosos llegaríamos a ser! Todos mis esfuerzos por ayudarle fracasaron. Y a pesar de que lo dejaba tranquilo por un tiempo, las cosas entre nosotros empeoraron.

Me tomó quince años aprender que Harry no necesitaba mis sugerencias ni mi plan de mejoramiento. Él necesitaba que yo lo aceptara y lo animara.

Todos tenemos puntos ciegos en las relaciones humanas, situaciones donde no nos damos cuenta claramente de lo que está sucediendo. Este es mi punto ciego; yo siempre voy a luchar con la aceptación. Tal vez ustedes ahora entiendan por qué considero que este capítulo es tan importante: porque ha surgido de mi experiencia propia. Es aquí donde estuve por perder mi matrimonio; pero fue esto mismo lo que le dio nueva vida. El hecho de que constantemente doy clases sobre este tema, y que

Significa que ves a tu esposo/esposa como una persona que tiene valor. Que te agrada como es.
Que respetas su derecho de ser diferente a ti.

también escribo acerca de él, me ha ayudado a crecer en una dirección positiva.

¿Qué es la aceptación?

¿Qué significa aceptar a tu cónyuge tal como es? ¿Cuáles son las implicaciones de la aceptación? **Significa que ves a tu esposo/esposa como una persona que tiene valor. Que te agrada como es. Que respetas su derecho de ser diferente a ti.** Que no te ofende que tenga sus propios sentimientos acerca de las cosas. Que aceptas sus opiniones y actitudes no importa cuán diferentes sean de las tuyas.

Aceptar a una persona tal como es, sin pensar cambiarla, es una experiencia que produce grandes recompensas; pero no es fácil hacerlo. Durante el proceso de aceptación tendrás que hacerte algunas preguntas amedrentadoras: ¿Puedo yo aceptar el hecho de que esta persona responde a los problemas de la vida en forma diferente a la mía? Por ejemplo, cuando yo me enfrento a un problema, lo quiero discutir *de inmediato*, buscar una solución rápida, implementar el plan, seguir adelante y olvidarlo. Harry resuelve los problemas de un modo muy diferente. Él quiere examinar todos los detalles, explorar todas las opciones, y analizar las cosas conversándolas con calma. Si sus emociones han estado muy comprometidas, se le hace difícil ponerlas de lado, seguir adelante y olvidar el problema, como lo hago yo. ¿Soy capaz de aceptar esta diferencia en su forma de resolver los problemas?

¿Puedo yo soportar que Harry tenga gustos diferentes a los míos? A Harry le encanta la leche agria y el requesón. Yo las considero comidas desagradables porque me dan la impresión de haberse podrido y dañado, sin que por eso sea así. A Harry le gusta la música clásica y tiene una colección de obras en discos compactos, entre ellas la "Quinta Sinfonía" de Beethoven y la "Obertura 1812" de Tchaikovsky. Mientras más pesada, escandalosa y con menos melodía (a mis oídos no entrenados) sea la música, más le gusta a él. Yo tengo muy poco aprecio por la música clásica (a pesar del hecho de que cuando éramos novios profesaba una gran preferencia por la música clásica para así mostrar mi aprecio y aceptación).

> *El matrimonio es un estado antes de entrar al cual uno debería mantener los ojos bien abiertos, y medio cerrados después".*
>
> Dicho común

¿Puedo yo respetar el derecho de mi esposo de escoger en qué creer y desarrollar sus propios valores? Esta pregunta tiene que ver con en el área de la política y la religión. Algunas mujeres están convencidas de que es su obligación convertir a sus esposos no creyentes. Por medio de las críticas constantes, la moralización, los sermoneos, los recordatorios o las súplicas, tratan de coaccionar o valerse de tretas para que sus esposos asistan a la iglesia. Usan cualquier método o táctica, a menudo en detrimento del bienestar del esposo. **Esta actitud demandante y farisaica es probablemente un pecado tan ofensivo como la alienación de la religión de parte del esposo.** Estas mujeres a menudo asumen el papel del Espíritu Santo, sintiéndose obligadas por un poder invisible a llevar, o arrastrar si es necesario, a su esposo a la iglesia.

la
aq
no
ac
lo
de
me
de
qu
co
ma
pe
y
y t

ac
ñamos activamente en aceptar a nuestros cónyuges, nos involucraremos en un proceso de inconsciente rechazo. Y en el matrimonio, ¿quién desea o necesita el rechazo? Sin embargo, esta individualidad de la persona, este derecho que cada cual tiene de usar su experiencia a su manera y descubrir su propio significado, es una de las prerrogativas más inestimables de la vida.

¿Quiere decir esto que debemos pretender que nuestro cónyuge es perfecto y que no tiene defectos? ¡Claro que no! **Tú puedes reconocer sus imperfecciones, pero también puedes escoger conscientemente concentrarte en todas las buenas cualidades, todas las posibilidades que hay en tu esposo o esposa.** Tú aceptas a la persona completa, con defectos y todo. Este concepto tiene una base bíblica que encontramos en Filipenses 4:8: "Todo lo que es verdadero, todo lo honorable, todo lo justo, todo lo puro, todo lo amable, todo lo que es de buen nombre; si hay virtud alguna, si algo digno de alabanza, en esto pensad".

Algunos consideran que han estado practicando la aceptación porque han logrado reunir fuerzas para no criticar. No dicen nada verbalmente, pero sus muecas, miradas sentimentales, suspiros largos, virar los ojos, y los silencios desagradables, comunican el mensaje con más claridad que las palabras.

La aceptación no es lo mismo que la tolerancia; tampoco es conformarse ni soportar los defectos. Aceptar no significa ser deshonestos y tener que forzarnos a creer que estamos casados con una persona perfecta. No significa resignarse: "Ya no hay nada más que pueda hacer; él se niega a cambiar. ¡Me doy por vencida!" Todos podemos darnos cuenta cuando somos meramente tolerados en vez de ser plenamente aceptados.

Cuando aceptas a tu cónyuge, tú ves a la persona completa, con sus defectos y buenas cualidades. Estás satisfecho con lo que ves. Y al no tratar de cambiar a tu esposo o esposa, compruebas tu contentamiento con él o ella.

La clave de la aceptación

Un prerrequisito importante para aceptar a un cónyuge tal como es, es la habilidad de aceptarte a *ti* mismo tal como *tú* eres. **En la misma medida en que eres capaz de aceptarte a ti mismo, podrás aceptar a tu cónyuge.**

El valor personal se basa en una valoración honesta de uno mismo. Tú no haces aseveraciones falsas. En lugar de ello, aceptas tus debilidades así como tus puntos fuertes y sientes que mereces el respeto de los demás. Has aprendido a edificar sobre tus fortalezas y compensar tus debilidades. Has aprendido a vivir con las limitaciones que no has podido

La aceptación debe considerar:

1. Ser **apreciados.**
2. Ser **aprobados.**
3. Ser **animados.**

Resumiendo:
• *Respetar* los derechos de la persona diferente a ti.
• *No te ofende* que tenga sus propios sentimientos acerca de las cosas.
• *Aceptar sus opiniones y aptitudes,* sin importarte cuán diferentes sean a las tuyas. *Significa que tu esposo/a tiene valor.*

superar. **De vez en cuando fracasas, pero eres capaz de recoger los pedazos y seguir adelante. Tratas de ser sincero y franco, y te consideras una persona valiosa.**

Estas actitudes saludables te permiten prestarle atención a los demás. Eres tan tolerante con las debilidades ajenas como eres con las tuyas. Aprecias las diferencias que percibes en los demás en vez de resentirlas, temerlas o ridiculizarlas. Te das cuenta de que estas diferencias son las que hacen única a cada persona. **Un autorrespeto saludable también te libera espiritualmente para que puedas apreciar más completamente la aceptación que Dios te concede a ti y a tu potencial para el bien.**

Una autoestima desmejorada hace que los patrones de comunicación sean inapropiados y defensivos, con lo cual la persona protege su débil imagen de sí misma.

Todos hemos sido creados con la necesidad de ser amados y aceptados; un anhelo casi insaciable de que alguien nos ame y nos acepte.

Cuando reaparecen los problemas, la desesperación abruma a este tipo de persona. Puesto que el individuo no posee un mecanismo que lo habilite para enfrentar los problemas y resolverlos, ni tampoco tiene la capacidad de aplicar nuevas técnicas a la situación, se hunde más y más en los patrones autodestructivos.

No hay mayor barrera para alcanzar la dicha conyugal que la convicción de que uno no puede inspirar amor en los demás. La primera aventura amorosa que debes manejar exitosamente es la de estar enamorado de ti mismo. Sólo entonces podrás amar completamente a otra persona y permitir que otra persona te ame a ti. Sin el conocimiento de que puedes ser amado, nunca aceptarás el amor de tu cónyuge como algo real o

convincente. Sin darte cuenta vas a tratar de socavarlo de diversas maneras insidiosas.

Para poder lograr un matrimonio exitoso, primeramente necesitas tener una relación de amor equilibrada contigo mismo. Como dijo Oscar Wilde una vez: "El amor de sí mismo es el principio de un romance de toda la vida".

Cuando nos casamos, esperamos que el tipo de relación que teníamos durante el noviazgo continúe en el matrimonio. Tomemos a Wanda. Poco después que se conocieron, ella sabía que se estaba enamorando de Fred . **Compartían los mismos valores y metas y disfrutaban de muchos gustos en común.** Pero era la atención de Fred a sus deseos lo que más la impresionaba. La más alta prioridad de Fred era considerar los sentimientos de ella. Él le ayudaba a resolver los problemas. Cuando sus horarios no armonizaban, él voluntariamente adaptaba el suyo al de ella. Constantemente la apoyaba y daba prioridad a la atención de los sentimientos de ella. Con el paso del tiempo, él le probó en cientos de formas diferentes que se preocupaba profundamente por ella y que era el hombre que le convenía.

Igualmente, Fred estaba seguro de que Wanda era la mejor mujer para él. Ella admiraba todo lo que él hacía y lo hacía sentir especial. Ella extremaba sus atenciones hacia él, nunca lo apuraba ni esperaba demasiado de él. Siempre estaba dispuesta a acoplarse a los planes de él y lo colmaba de amabilidad. Aún más, Wanda era excelente para escuchar, y Fred se podía franquear con ella como nunca antes lo había hecho con ninguna otra mujer. Pensar en pasarse una vida entera con una mujer que lo hacía sentir como un gigante era más de lo que Fred había soñado que le podría ocurrir. Después de ser novios durante un año, se casaron.

Poco tiempo después de casarse, las cosas empezaron a cambiar. Siendo que planeaban tener hijos y querían comprar una casa, Fred empezó a trabajar muchas horas para poder ahorrar algún dinero extra. **Debido a estas horas adicionales de trabajo tenían menos tiempo para estar juntos.** Ya que muchas veces Fred llegaba cansado, su modo de ser placentero y atento dio lugar a inesperados arranques de ira, a quejas e irritabilidad. Ya no trataba de cambiar su horario para acomodar el de Wanda. En vez, se quejaba y sugería que Wanda cambiara el de ella para acomodar el suyo, porque él estaba trabajando horas extras para beneficiarla a ella.

Wanda estaba pasmada al ver que lo que ella consideraba ser un matrimonio casi perfecto pudiera deteriorarse tan rápidamente. ¿Qué le había pasado a ese hombre cortés y considerado, que había sido tan atento y complaciente durante el noviazgo? Entonces empezó a sentir que su amor por ella casi había desaparecido. **El temor de que ya no era amada dominaba su mente y ahora se le hacía difícil —casi imposible— respetar y admirar a Fred como antes lo había hecho.** Además, por el alto nivel de estrés y la buena comida que ella cocinaba, Fred empezó a comer demasiado, subió de peso y comenzó a echar panza. Ella encontraba difícil admirar el físico de él, como antes lo había hecho. Esto también afectó sus relaciones íntimas. La falta de consideración del marido hacía que Wanda se sintiera usada, lo cual a su vez la hizo sentirse más herida. Ella comenzó a poner pretextos y a rechazar los encuentros sexuales. Para entonces, la frustración de Fred había aumentado hasta llegar a un punto crítico; lo que había comen-

zado como un problema pequeño, se había transformado en uno gigantesco.

No pasará mucho tiempo hasta que Wanda y Fred acudan a la corte en busca de un divorcio, indicando la "incompatibilidad" como el motivo de solicitarlo. Pero este no es un caso de incompatibilidad. **El problema de ellos es la ignorancia. No saben cuáles son los factores que destruyen una relación.** Todos hemos sido creados con la necesidad de ser amados y aceptados; un anhelo casi insaciable de que alguien nos ame y nos acepte por lo que somos, sin importar nuestra apariencia o cómo actuamos.

> *Dios mío, concédeme la serenidad para aceptar las cosas que no puedo cambiar, el valor para cambiar aquellas que puedo, y la sabiduría para reconocer la diferencia".*

En gran parte nos casamos con alguien que llena este ardiente deseo que tenemos dentro de nosotros de ser aceptados y amados. Este deseo está vigente veinticuatro horas al día. Cuando el cónyuge llena nuestra necesidad de amor y aceptación, nuestra intimidad se reafirma, nuestras necesidades primordiales se satisfacen, y nos sentimos bien con nosotros mismos, con nuestra esposa o marido y con nuestra relación. Pero cuando estas necesidades no son satisfechas, los sentimientos opuestos predominan. Nos sentimos rechazados, alienados de la persona a la cual amamos, y esto nos hiere profundamente. Esta persona nos empieza a caer mal y no queremos estar cerca de ella ni hablar con ella. Cualquier interacción adicional continúa siendo negativa.

Hábitos que destruyen las relaciones

CUALQUIER HÁBITO que hace que tu cónyuge se sienta desdichado amenaza el amor y la seguridad de la relación entre ambos. **Un acto aislado puede ser tolerado, pero cuando los hechos desconsiderados se repiten y llegan a ser previsibles, el daño a la relación se multiplica.**

Willard F. Harley en su libro *Love Busters* (Destructores del amor)[2] creó el término "Banco de amor" para describir cómo se crean y se destruyen los sentimientos de amor. Cada experiencia que tenemos con nuestro cónyuge afecta el saldo en nuestro "Banco de amor". A través del día hacemos depósitos o retiros a la cuenta. Cuando las cosas van bien y somos amorosos y amables, cuando apoyamos y comprendemos a nuestra esposa o marido, cientos de créditos fluyen a su Cuenta Bancaria Emocional (CBE) y crean en las personas el sentimiento de que son amados y aceptados tal como son. Cuando las cosas van mal, se hacen enormes retiros de la CBE. Hay ocasiones cuando la cuenta puede estar seriamente sobregirada, y la relación puede ser afectada por un déficit peligroso. **Si los sentimientos negativos continúan dominando, la pareja puede inclusive comenzar a odiarse mutuamente. Cada acción, aunque sea inocente o inconsciente, se interpreta como insensible y poco caritativa.**

Examinemos algunos de los hábitos más destructivos que hacen retiros de nuestra CBE. Cuando estas acciones se vuelven repetitivas, suelen amenazar hasta la misma solemnidad de nuestros votos matrimoniales.

HÁBITO DESTRUCTOR I

El regaño incisivo y persistente.

UNO DE LOS DESTRUCTORES más comunes del amor que usan las mujeres —aunque los hombres ciertamente no están exentos de él— son las quejas condenatorias o regaños constantes. El diccionario define la quejumbre como "atormentar mediante la queja persistente y el continuo encontrar defectos". El sabio Salomón dijo: "Gotera continua en tiempo de lluvia y la mujer rencillosa, son semejantes; pretender contenerla es como refrenar el viento, o sujetar el aceite en la mano derecha" (Proverbios 27:15, 16).

Un notable psicólogo hizo un estudio detallado de miles de matrimonios y encontró que la quejumbre —el regaño incisivo y persistente— era el peor defecto de las esposas. Una encuesta de la empresa Gallup confirmó que este mal ocupa el primer lugar en la lista de los defectos femeninos.

Una típica lista de quejas por parte del

género femenino podría leerse de la siguiente manera: Nunca arregla nada en la casa, nunca me lleva a ningún lugar, no se levanta a tiempo en la mañana, se queda mirando televisión hasta muy tarde, se levanta demasiado temprano, no va a la iglesia, gasta el dinero tontamente, vive más allá de las entradas, no habla conmigo, no entiende mis sentimientos, no le presta atención a los niños, se olvida de los cumpleaños y los aniversarios, no pasa suficiente tiempo en casa, nunca me dice una palabra amable a menos que quiera relaciones sexuales, es tacaño conmigo, es demasiado callado, deja la tapa del inodoro levantada, nunca recoge su ropa del piso, usa mala ortografía, tiene modales terribles en la mesa, maneja como un loco, cuenta los mismos chistes vez tras vez, es muy jactancioso, dice malas palabras en presencia de los hijos, se niega a hacer ejercicios, come demasiado, pasa demasiado tiempo jugando golf, no paga las cuentas a tiempo, cambia los canales de televisión constantemente, es demasiado dominante, o pasivo, o irresoluto. ¡Ay! ¿Dónde, dónde está el hombre perfecto?

Las mujeres muchas veces consideran que ofrecer un consejo o quejarse son gestos de amor. Los hombres no. Las mujeres deben aprender que hay un código tácito bajo el cual operan los hombres: un hombre le ofrece consejo a otro sólo cuando específicamente se le pide que lo haga. **Por respeto del uno hacia el otro, los hombres dejan que los demás resuelvan sus problemas ellos mismos a menos que se les pida ayuda.**

Una mujer estaba enojada con su esposo por algunas de las mismas razones que mencionamos anteriormente. Sin darse cuenta,

él la insultaba por su manera de ser y su personalidad. Por ejemplo, cada noche antes de acostarse, él le preguntaba:

—¿Le pusiste seguro a la puerta de atrás?

—Ella siempre contestaba afirmativamente:

—Sí, querido. Le acabo de poner el seguro.

Gotera continua en tiempo de lluvia y la mujer rencillosa, son semejantes; pretender contenerla es como refrenar el viento, o sujetar el aceite en la mano derecha"

(Proverbios 27:15, 16).

Entonces el esposo siempre iba a la puerta para verificar que en efecto estaba trancada. Había sólo dos formas como la esposa podía interpretar la conducta del esposo. O él creía que ella estaba mintiéndole acerca de haberle puesto el seguro a la puerta, o en su defecto no creía que ella tenía suficiente cerebro para recordar si lo había hecho o no. Ambas alternativas la enfurecían. Esta situación era simbólica de una docena de otras fuentes de conflicto entre ellos.

Entonces, una noche cuando el esposo procedió a verificar que el seguro de la puerta estaba puesto, inmediatamente después que ella le había asegurado que lo había hecho, Dios le habló a ella.

—Mira bien a tu esposo—, le dijo el Señor.

—¿A qué te refieres, Señor?— ella preguntó.

—Bueno —contestó el Señor—, Yo hice a tu esposo un revisor de puertas. Él es un hombre de detalles. Es por eso que es tan buen contador público. Él puede examinar una lista de números y localizar instantáneamente el error que otros no vieron. Yo le dí la habilidad de manejar los procedimientos de contaduría. Sí, yo hice a tu esposo un revisor de puertas, y quiero que lo aceptes tal cual es.

Dios no me habló exactamente de esta manera, aunque frecuentemente he deseado que lo hubiera hecho así para que me despertara más temprano, pero fue casi tan dramático como eso. En mi caso, el Señor me habló mediante un libro. ¿Está el Señor enviándote un mensaje? ¿Lo escucharás? **¿Estás dispuesta a hacer los cambios necesarios para ser una persona con mayor capacidad de aceptación?**

> *A pesar de que hay ocasiones cuando la ira sí se justifica, en la mayoría de los casos es deplorable y usualmente causa más problemas de los que soluciona.*

HÁBITO DESTRUCTOR 2

Los arranques de ira.

LOS ARRANQUES de ira rara vez son más que un intento por castigar a nuestro cónyuge por haber hecho algo que nos desagrada. En un momento de ira tratamos de "enseñarle" a la otra persona una lección diciéndole algo que la hiere. **Cada uno de nosotros tiene un arsenal de armas privadas que usamos cuando las necesitamos.** Estas armas pueden tomar la forma de gritos, humillaciones, críticas o apodos sarcásticos. Algunas parejas llegan a decirse malas palabras, a darse golpes, tirarse cosas, darse de puntapiés o halarse el cabello. Cualquiera sea la forma que tomen, estas acciones producen

enormes deducciones de nuestra CBE. Cada uno de nosotros tiene la capacidad de herir al cónyuge más profundamente que ninguna otra persona. **Nuestro cónyuge es extremadamente vulnerable a nuestra ira.**

Es posible que tú pienses que lo que tu cónyuge hizo justifica tu ira. A pesar de que hay ocasiones cuando la ira sí se justifica, en la mayoría de los casos es deplorable y usualmente causa más problemas de los que soluciona. **Aunque la ira resuelva el problema inmediato, en toda probabilidad crea más problemas de los que resuelve.** Mientras más enojado estés, más insultos proferirás durante el arranque de ira, y más devastadores serán los resultados para la relación. Los arranques de ira no sólo hieren al cónyuge al cual se dirigen, sino que igualmente ponen en ridículo al cónyuge que está enojado.

Por lo general los hombres pueden tolerar los arranques de ira mejor que las mujeres. **Ellas aguantan menos, ya que son más sensibles y emocionales.** No sólo es posible herir más fácilmente a la mujer mediante palabras airadas, sino que a ellas les toma más tiempo recuperarse. Recuerda, *cada vez que la ira triunfa en el matrimonio, lo hace a expensas del amor conyugal.*

Hay formas de controlar los arranques de ira. En el próximo capítulo, que habla de la comunicación, explicamos cómo darle salida a los sentimientos sin herir, sin amenazar y sin destruir al esposo o la esposa. Un recurso sencillo de comunicación, llamado "Mensajes-Yo", puede restablecer la armonía en un matrimonio averiado por los arranques de ira. Si los arranques de ira forman parte de tu matrimonio, no importa cuán insignificantes parezcan, tienen que ser eliminados si anhelas tener una relación marital saludable.

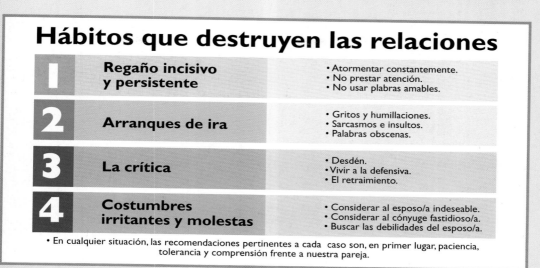

Hábitos que destruyen las relaciones

1	Regaño incisivo y persistente	• Atormentar constantemente. • No prestar atención. • No usar plabras amables.
2	Arranques de ira	• Gritos y humillaciones. • Sarcasmos e insultos. • Palabras obscenas.
3	La crítica	• Desdén. • Vivir a la defensiva. • El retraimiento.
4	Costumbres irritantes y molestas	• Considerar al esposo/a indeseable. • Considerar al cónyuge fastidioso/a. • Buscar las debilidades del esposo/a.

• En cualquier situación, las recomendaciones pertinentes a cada caso son, en primer lugar, paciencia, tolerancia y comprensión frente a nuestra pareja.

HÁBITO DESTRUCTOR 3

La crítica.

SI QUIERES que tu matrimonio se acabe, critica a tu cónyuge. Basada en investigaciones recientes, esta es la opinión de los consejeros matrimoniales y de toda clase de expertos en vida familiar. Estos estudios sugieren que los matrimonios con mayores probabilidades de fracasar son los que se han visto afectados por varios de cuatro comportamientos crónicos —y la crítica encabeza la lista—. Los otros siguen en rápida sucesión: el desdén, vivir a la defensiva y el retraimiento. El psicólogo John Gottman y otros investigadores respetados en el área de relaciones maritales, han descubierto que estos comportamientos son los más fuertes pronósticos de separación y divorcio.[3]

No es la cantidad de empatía, de comprensión, de amor, de apoyo o de respeto, lo que predice qué matrimonio va a perdurar o cuál terminará en divorcio. En realidad, con el paso del tiempo los comentarios mor-

daces y los comportamientos negativos son mucho más indicativos. Según la opinión de Howard Markham —investigador y profesor de psicología de la Universidad de Denver[4]—, un comentario mordaz borra veinte actos positivos de bondad. La ira por sí sola no es tan dañina para el matrimonio a menos que esté mezclada con la crítica, el desdén y una actitud defensiva.

La crítica constante o el desdén, por parte de cualquiera de los cónyuges, son anunciadores de naufragio matrimonial y hasta de divorcio, y crean un círculo vicioso. La esposa critica o acusa al esposo; el esposo se pone a la defensiva y se retrae de la discusión o se defiende atacando de vuelta. El resultado es una pelea sumamente destructiva que puede terminar en una batalla verbal o en abuso físico. Esto conduce a lo que los profesionales llaman "inundación"; es decir, cuando los cónyuges están tan saturados de emociones negativas que sus CBE están vastamente sobregiradas y aún los fondos de reserva se han agotado.

La crítica constante o el desdén, por parte de cualquiera de los cónyuges, son anunciadores de naufragio matrimonial y hasta de divorcio, y crean un círculo vicioso.

Una vez que esto ocurre, las discusiones adicionales son inútiles y los cónyuges deben detenerse hasta que se hayan calmado. **Es probable que se necesite la intervención de una tercera persona para ayudar a la pareja a controlar este ciclo negativo.**

HÁBITO DESTRUCTOR 4

Costumbres irritantes y conductas molestas.

POR ALGUNA RAZÓN, **hay más mujeres que encuentran a su esposo irritante, que maridos que consideran a sus esposas fastidiosas.** En un programa de televisión de medianoche, un comediante comentó: "Las mujeres siempre se casan con un hombre y tienen la esperanza de que cambie. Los hombres siempre se casan con una mujer y tienen la esperanza de que no cambie". Hay un poco de verdad en esta declaración. Las mujeres parecen entrar en una relación diciendo: "Hay unas pocas cosas que no me gustan de él. Pero cuando yo termine con él, casi no lo vas a reconocer".

Los hombres generalmente entran a la relación diciendo: "Me siento como un rey cuando estoy con ella. Es maravillosa. Espero que nunca cambie. Con ella siempre quiero sentirme así". Este sentimiento es el que empuja al hombre hacia el matrimonio. Él quiere ser el héroe de ella por el resto de su vida. **Pero una vez que la mujer se concentra en las debilidades del esposo y trata de cambiarlo, el amor comienza a morir.**

No importa si es el hombre o la mujer el que tiene la tendencia de cambiar a los demás, el resultado siempre será un efecto negativo sobre el matrimonio. Se produce un retiro en la "cuenta bancaria emocional" de la pareja. Y si se llegan a agotar todas las reservas, ya no habrá de dónde sacar más nada.

Una mujer se irritaba por varias costumbres de su esposo: su mala postura, sus hábitos de comer, el tono de su voz y su estilo de vestir. Nada de ello lo hacía él intencionalmente para irritarla, y ninguna era intrínsecamente mala. Todas estas cosas eran particularidades inocentes de su personalidad. Es posible que otra mujer, con una personalidad diferente, no se hubiera sentido irritada en lo más mínimo por estos hábitos y probablemente se hubiera sentido dichosa de que este hombre fuera su esposo.

Yo animé a esta mujer a aceptar a su marido como era, y también le sugerí al esposo que modificara esas costumbres que le resultaban tan molestas a su esposa. En vez de cooperar, él trató de convencerme de que tenía el derecho de hacer lo que él quisiera. **Si a su esposa no le gustaba, eso era problema de ella.** Ella necesitaba ser más adaptable, sugirió. **Cuando estamos molestos por la conducta de otros, consideramos que son fastidiosos, inconsiderados y egoístas. Pero cuando nuestra conducta molesta a otra persona, insistimos en que tenemos el derecho de actuar como queremos y que la otra persona debería aceptarnos como somos. ¡Una doble norma de conducta en realidad!**

Jorge y Juana tenían un problema diferente. Lo que le molestaba mucho a Juana no era la conducta de Jorge, sino sus actividades. Cuando eran novios, él siempre decidía lo que iban a hacer. Si ella no deseaba participar en la actividad que él había escogido, se iba sin ella. Durante los primeros años de su matrimonio él salía a jugar frontenis con sus amigos, frecuentaba eventos deportivos, o miraba deportes en la televisión. Aunque Juana trataba de disfrutar de los eventos deportivos con él, se cansaba de hacer lo mismo todo el tiempo. Los lunes por la noche, durante los juegos de fútbol, ella comenzó a mirar algo diferente en otra televisión de la casa. Para entretenerse durante los juegos de béisbol, ella comenzó a mantener un registro de todos los "hits", las carreras y los errores en una libreta. Jorge sabía que Juana resentía las actividades de él, pero de todos modos las continuaba. A pesar de que no tenía el propósito de herir a su esposa con la búsqueda de sus propios intereses, lo hacía al precio de la relación.

El interés en un evento deportivo no es malo; pero cuando esto molesta al cónyuge, uno debe considerar el costo. Jorge argüía que si a Juana no le gustaban los deportes eso era problema de ella. En realidad era problema *de los dos*. Jorge necesitaba aceptar responsabilidad por la forma como su conducta afectaba a su esposa. Le tomó algún tiempo entender cómo funciona el amor. Originalmente él había hecho suficientes depósitos en la CBE de ambos para mantener a Juana sintiéndose amada y satisfecha. Pero al hacer retiros continuamente, a pesar de lo que ella le pedía, había agotado las reservas. El saldo de la cuenta de ellos estaba en cero. Después que entendió la relación entre su conducta y los sentimientos de ella, y cómo su proceder afectaba el amor que ella sentía por él, estuvo de acuerdo en practicar por lo menos una actividad que ambos pudieran disfrutar, además de limitar su participación en otros deportes.

Algunos consejeros matrimoniales aconsejan que los cónyuges nunca planeen una actividad que no tenga el apoyo entusiasta del otro. Y el apoyo entusiasta no consiste en súplicas y ruegos o el acoso del cónyuge para que vaya a pescar o participe en un crucero, hasta que la persona ya no puede más y se rinde. Esto no es "apoyo entusiasta".

Los hábitos irritantes y las conductas molestas afectan al matrimonio en forma muy parecida a los otros comportamientos negativos. Representan enormes retiros de la CBE. Esta aseveración se aplica a los dos sexos. Todos anhelamos recibir aceptación en cantidades enormes. Pero al hombre le resulta particularmente hiriente que su esposa trate de cambiarlo, porque esto corroe su necesidad primordial de ser apreciado, admirado y aprobado. Es imposible que las necesidades básicas del hombre sean satisfechas mientras su esposa está tratando de cambiarlo.

Para la mujer este es un concepto extremadamente difícil de entender. En algunos casos pareciera casi como si un poder invisible obligara a la mujer a señalarle a su esposo sus errores o a tratar de cambiar algún comportamiento de él. Procurar cambios en la relación y mejorarla es una reacción natural para la mujer. **Aunque la relación sea buena, a menudo las mujeres ven formas en las cuales ellas creen que la relación podría mejorar si tan sólo su cónyuge hiciera esto o lo otro.** A pesar del hecho de que ella devotamente ama a su esposo y piensa que es "maravilloso", todavía siente la inclinación de mejorarlo.

Cuando se dedica a su "Plan de Mejorar al Esposo", la mujer está motivada por el amor. Pero su cónyuge no lo percibe como amor, sino como un rechazo y una manipulación. **Y parece que la reacción masculina más común a este tipo de falta de aceptación es la resistencia.**

Efectos que tienen los hábitos destructivos sobre la relación

Examinemos cómo los hábitos destructivos, los juicios irrespetuosos, los arranques de ira, las costumbres irritantes y las conductas molestas, afectan al matrimonio.

▌Los hábitos destructivos crean tensión. Digamos que tu cónyuge repite un comportamiento que te irrita tanto que estás a punto de estallar. Se lo mencionas una o dos veces. No hay reacción. Se lo mencionas por tercera vez. Él te dice que dejes de ser tan quejumbrosa. Pero esto te está volviendo loca. Tratas de no hacerle caso a este modo de proceder, pero es tan desagradable que no puedes dejar de mencionarlo. ¿Qué es lo más probable que suceda?

Aunque pienses que tus intenciones son buenas, los hábitos destructivos crean tensión en el hogar. Al principio puede ser que tu esposo se ponga a la defensiva o fustigue de vuelta: "No es cierto, yo no..." "Tú tampoco eres perfecto..." o una respuesta similar. Puede ser que la esposa ponga la cara larga, se deprima o castigue a su esposo dejándole de hablar. Puede ser que el esposo actúe abiertamente hostil o enojado. La esposa puede retraerse, deprimirse y hacerse distante. Probablemente habrá poca interacción. Puede ser que la pareja viva bajo un mismo techo, pero pocas veces hablan de algo significativo. Ya que la aceptación es una necesidad básica de los humanos, es posible que cada cual busque que su necesidad de ser aceptado sea satisfecha fuera de la relación matrimonial. Puede ser que él se absorba en su trabajo, en sus juegos de golf o en el Internet. Ella pueda ser que pase más tiempo con sus amistades, ayudando en la iglesia o yendo de compras. Todas

La constante crítica acerca de las actitudes, los moralizantes sermones para tratar de cambiar al cónyuge toman actitudes farisaicas, constituyéndose probablemente en un pecado tan ofensivo como la alienación de la religión de parte del esposo.

estas actividades son legítimas, pero en este caso se usan primordialmente para escapar de una atmósfera no placentera. La situación también se ha vuelto fértil para que una tercera persona comience a satisfacer las necesidades que no han sido llenadas. **Cualquiera de las dos personas fácilmente podría caer en una relación adúltera donde las necesidades de aceptación y aprobación a menudo son satisfechas.**

Los niños también sufren por las tensiones en el hogar. Aunque ellos no escuchen ni comprendan las palabras, la atmósfera de crítica y de enojo, los silencios incómodos y el profundo dolor que se manifiesta les proveen dolorosas evidencias de que no todo está bien. Cuando la seguridad de su hogar se trastorna, los niños se perturban.

2 **Los hábitos destructivos matan el amor.** Es casi imposible sentir amor tierno por alguien que te critica o muestra desaprobación por tu conducta. Una vez que estas cosas se expresan en palabras, los sentimientos de amor desaparecen. Quizás tú ni siquiera desees estar en la misma habitación con la persona que te ha criticado, y mucho menos vas a querer que esa persona te toque. **Y para entonces cualquier posibilidad de un encuentro sexual es imposible.** Un hombre me dijo una vez que su esposa lo había regañado por tantos años, había criticado todo lo que él hacía y lo había "castrado" en tantas formas insidiosas, que él no sentía absolutamente ningún deseo sexual hacia ella. Él tenía suficientes deseos sexuales hacia otras mujeres, a las que seguía vigorosamente, pero los

Requerimos de madurez emocional para aceptar a una persona diferente a nuestra forma de ser; más aún si ésta pretende modificar nuestra conducta.

sentimientos por su esposa estaban muertos y sin esperanzas de resurrección.

Es difícil que un hombre ame a una mujer quejumbrosa. Sus órdenes y quejas continuas le recuerdan su niñez cuando su madre le ordenaba: "ponte las botas, abotónate el abrigo, límpiate la nariz y no hables con la boca llena". Un psiquiatra una vez le preguntó a una esposa criticona: "Puesto que usted denigra a su esposo todo el tiempo, ¿cómo puede esperar que él la ame? Si él quiere enterarse de cuáles son sus defectos, deje que vaya con un consejero y deje que el consejero le caiga mal por decirle la verdad. Una esposa no puede darse el lujo de provocar el odio de su esposo".

La crítica también pisotea los senti-mientos tiernos de una mujer hacia su esposo. Bajo un bombardeo de críticas y de buscar defectos, ella se deprime, se enoja y se amarga. Es posible que no tenga la energía para atender todo su trabajo, los quehaceres de la casa, el cuidado de los niños o la preparación de las comidas, cuando todo lo que recibe a cambio de sus esfuerzos es la crítica. Ella, o se aleja del esposo, o busca alivio en un amorío, o en su relación con él se convierte en una mujer enojada, quejona y amargada.

Cada vez que criticas a tu pareja, pones en peligro tu relación matrimonial. Algunas veces uno de los miembros de la pareja le pide al otro que evalúe su desempeño (por ejemplo, cuando un pastor le pide a la esposa que evalúe su presentación del sermón). Pero una esposa que trata de dar sugerencias provechosas encontrará que su relación con su esposo está en peligro. Cada comentario negativo le quita algo a la relación. Los amantes no deberían criticarse.

3 *Los hábitos destructivos levantan las defensas.* Ser aceptados tal como somos es una necesidad humana básica. Idealmente, esta necesidad es suplida cuando nos casamos. Pero cuando recibimos censura y falta de aceptación de parte de la persona a quien amamos, esto hiere nuestra autoestima y despierta el resentimiento. La primera reacción ante un ataque como éste podría ser montar un contraataque. O puede ser que la reacción se manifieste siendo tacaño, porfiado, vago, poco cooperador, poco amante, callado, retraído, o mediante otros actos de hostilidad. Mientras más molesta una persona a la otra, mientras más se queja o critica, más aumenta el resentimiento de la otra persona. De hecho, una persona que se siente rechazada puede ir a parar a los brazos de otra persona que sí lo acepta y lo ama tal cual es. Una persona llena de resentimientos a menudo se promete a sí misma que algún día se vengará.

4 *Los hábitos destructivos no producen cambios.* Después de enseñar una clase en cuanto a la aceptación, yo hablé con una esposa que confesó que por treinta y cinco años había estado tratando de cambiar a su esposo. Ella admitió que dedicaba dos días de cada semana a este proyecto. Su "Plan de Mejorar al Esposo" había fracasado miserablemente, y ella se sentía solitaria, cansada y amargada. Con lágrimas se lamentó de los treinta y cinco años que había pasado en una labor inútil.

Considerando los problemas que se crean al tratar de reformar al cónyuge —la tensión que se crea en el hogar, el efecto sobre la comunicación entre ambos, al igual que el efecto que tiene sobre los hijos— uno bien se podría preguntar, "¿valdrá la pena?" ¿Es más importante cambiar a tu esposo/a para que se ajuste a tu idea de cómo él o ella debiera actuar, que lograr una relación sólida y emocionalmente segura para los hijos?

Las palabras de Pablo nos advierten: "Pero si os mordéis y os coméis los unos a los otros, mirad que no seáis consumidos los unos por los otros" (Gálatas 5:15).

Otra parte del problema: Tú

¿Has tratado de cambiar a tu compañero/a? ¿Por qué traté yo de cambiar a Harry? ¡Porque él necesitaba cambiar para llegar a ser una persona mejor! En segundo lugar, aunque odio admitirlo, si mi esposo cambiaba, yo me beneficiaría con su conduc-

ta mejorada, su personalidad más aceptable y sus actitudes más positivas. Tal vez tú también, mediante el discernimiento femenino o la lógica masculina, has detectado áreas en la vida de tu cónyuge que necesitan mejorar para que tú puedas ser más feliz. **O tal vez te has convencido de que estás tratando de ayudarle a vencer, por su propio bien, sus áreas débiles, y también los hábitos destructivos, para que llegue a cultivar una personalidad más aceptable.**

Inicialmente esto suena justificable y tal vez noble, inclusive; sin embargo se está violando un principio cristiano básico. **El corazón del mensaje cristiano se cimenta en el cambio de uno mismo, no en nuestra habilidad de cambiar a otra persona.** Jesús instruyó a los que se sienten impulsados a cambiar a otros a que saquen "primero la viga de tu propio ojo, y entonces podrás ver para sacar la brizna del ojo de tu hermano" (Mateo 7:5).

Detrás de la crítica, al igual que detrás de todas las intenciones por reformar a otra persona, yace un motivo insidioso. Rebajamos a otros para disimular nuestros propios sentimientos de inferioridad. Al minimizar el valor de los demás tratamos de enaltecer nuestra propia tambaleante autoestima.

Rebajar a otros y criticarlos no logra probar que nosotros tengamos valor. Cualquiera que realmente entiende las raíces de la autoestima sabe que las personas criticonas tienen grandes problemas de personalidad. Cada vez que criticamos a alguien, lo rebajamos. Esto automáticamente pone a la otra persona a la defensiva y la aleja.

Algo debería suceder con nuestras actitudes cuando escogemos un estilo de vida cristiano. Tenemos que ser más tolerantes con nuestro cónyuge. Siendo que reconocemos completamente la actitud de aceptación y de perdón que Dios le extiende a nuestras idiosincrasias personales y conductas imperfectas, deberíamos estar más dispuestos a extenderles la misma aceptación a los demás. Dios nos acepta por completo, con todas nuestras imperfecciones, defectos, fracasos y vidas enredadas. Él nos acepta pecadores, tal como somos. Nosotros no tenemos que probarle a él nuestro valor. ¿Por qué, entonces, demandamos más de nuestro esposo/a de lo que Dios nos pide a nosotros? Cristo es nuestro ejemplo en todas las cosas. Por lo tanto el conocimiento de que él nos acepta abiertamente con todas nuestras imperfecciones debería impartirnos la libertad de ser más receptivos con los demás, no menos acogedores. Cuando finalmente nos percatemos de esta verdad, estaremos listos para desarrollar una nueva apreciación por nosotros mismos al igual que por nuestro cónyuge.

Cómo señalar los errores si es necesario

No se requiere que ningún esposo o esposa se quede impasible mientras su cónyuge le ofende sin tacto mediante hábitos destructivos o acciones desagradables. **Hay veces cuando los errores y los actos ofensivos deben ser señalados, y puede ser que tú seas la única persona a quien le importa suficiente como para hacerlo.** ¿Cómo lo haces? De la misma forma en que los puercoespines se aparean: ¡con mucho cuidado!

❶ *Aprende hasta qué punto puedes llegar.* Digamos que tu cónyuge se niega a usar el cinturón de seguridad. Tú le recuerdas

amablemente que se ponga el cinturón, sin mostrar irritación en la voz. Pero te das cuenta de que él resiente hasta el más suave recordatorio. Entonces déjalo. **Tu esposo necesita poder decidir por su propia cuenta si usar o no el cinturón de seguridad, ¡inclusive aunque esté arriesgando su vida!** Cada vez que le sugieres que se ponga el cinturón de seguridad, él piensa que tú estás tratando de imponerle tus valores.

Las sugerencias sutiles, los juicios irrespetuosos y las indirectas con el fin de ayudar no le servirán de nada. Un enfoque mucho más efectivo consiste en comprender *por qué* tu cónyuge no quiere usar el cinturón de seguridad, y negociar con respeto una solución que también tome en cuenta tus reacciones emocionales. Un "Mensaje-Yo" sería una forma efectiva de plantear tus sentimientos: "Me asusta mucho cuando no usas el cinturón de seguridad, porque si tenemos un accidente podrías herirte gravemente". No se está acusando a nadie, no se está juzgando, ni se está humillando. Tú simplemente estás expresando tus sentimientos acerca del posible resultado después de un accidente.[5]

No le grites:

—¡Eres muy estúpido si no quieres usar el cinturón de seguridad! —No sólo es ésta una forma inefectiva de persuadir a tu esposo/a a que se ponga el cinturón de seguridad, sino que también hiciste un gran retiro de tu CBE.

Cuando algunas esposas critican a sus esposos —aunque lo hagan en la forma más mínima—, se inicia una guerra abierta. Otras pueden hacer una sugerencia ayudadora y se la recibe con la intención con que se hizo. Cada uno de nosotros tiene que conocer los límites de cuán lejos puede llegar con su cónyuge. Aprende a reconocer las áreas sensitivas que pueden desatar la "Tercera Guerra Mundial", al igual que la diferencia entre *incitar a la ira* y *discutir algo*. **Aún así, tratar de darle a nuestro esposo/a dosis más pequeñas de sugerencias constructivas nos haría bien a algunos de nosotros.**

2 ***Asegúrate de hacer las cosas en el momento oportuno.*** Los comediantes, los políticos y los amantes excelentes tienen muy presente la importancia del momento oportuno. **Tal vez tienes una queja legítima, pero el momento no es oportuno. La hora de dormir y la hora de comer son dos ocasiones de evitar.** La fatiga, el hambre y el estrés emocional bajan la eficiencia mental y aumentan la irritabilidad. Es mejor que decidas esperar hasta que el incidente haya pasado, porque muchas veces las dos personas están demasiado cerca de la situación como para poder verla con claridad. No tiene sentido y es contraproducente tratar de resolver un problema cuando las dos personas están alteradas. "Toma tiempo para calmarte y definir perspectivas primero" es buen consejo. Al permitir que las emociones del momento se calmen, ganas perspectiva y sabiduría. Pídele a una persona que cambie sus costumbres cuando él o ella puede hacer algo acerca del asunto.

3 ***Sé amable y cuida el tono de voz.*** Evita hablarle a tu cónyuge como un padre o madre que está castigando a un hijo por portarse mal. Las parejas siempre deberían hablarse como iguales, de adulto a adulto.

Aunque tu cónyuge te hable como si fuera tu padre o madre, tú no tienes por qué asumir el papel del pequeño. Tú puedes responder como adulto. La relación de ambos es más importante que cualquier relación que puedas tener con cualquier otra persona en el mundo, incluyendo los hijos. Cuídala celosamente.

Algo que debería traer consuelo a las personas que encuentran intolerables los hábitos, la conducta y las faltas de su esposo/a, especialmente cuando ocurren en público, es el hecho de que las demás personas, por lo general, son mucho más tolerables de las idiosincrasias de nuestros cónyuges que lo que nosotros somos. Al fin y al cabo, ellos no tienen que vivir con el defecto. El sólo conocimiento de este hecho debería restar una gran porción de nuestro ímpetu por reformar a nuestra esposa/marido.

En un matrimonio altamente eficaz tanto el esposo como la esposa debieran sentirse libres para discutir cualquier cosa que les moleste, pero nunca en forma de ataque. El modo más seguro de debilitar el afecto de una persona es decirle lo que hay de malo en ella. Nada destruye la cuenta bancaria emocional (CBE) más rápido que confeccionar una lista de los defectos. Para poder sentirnos amados, tenemos que sentirnos comprendidos, no criticados ni condenados.

Mas aún, puedes tratar de señalarle a tu cónyuge sus equivocaciones sólo cuando te has ganado ese derecho. **Primero tienes que demostrar un respeto inagotable por tu esposo/a como persona.** Siendo que aun la crítica constructiva produce estragos en la autoestima, el "consejo" sólo puede ser dado en una atmósfera de amor, bondad y respeto. Sólo entonces tendrás el derecho de

La autoestima y la voluntad de entender eleva el espíritu al grado de tener más comunión y confianza entre esposos. Esto permite abordar cualquier problema dentro y fuera del matrimonio para su solución.

discutir un tema controversial con tu marido/esposa, mientras al hacerlo mantienes en mente el hecho de que posiblemente él/ella también tenga una queja contra ti.

Cómo convertirte en una persona más receptiva, si realmente quieres serlo

Sandy estaba muy triste porque su esposo continuamente hacía comentarios despectivos acerca de ella. Su esposo era una persona de buen humor, pero su sarcasmo la hería. Sandy le pidió que no lo hiciera. Él le pedía disculpas, pero lo volvía a hacer. Nada de lo que ella le dijera lograba un cambio.

El consejero de Sandy le sugirió que la próxima vez que su esposo hiciera un comentario sarcástico ella tomara una libreta, mirara su reloj, apuntara la hora y escribiera lo que él había dicho. La primera vez que ella lo hizo, él le preguntó qué estaba haciendo. Ella le respondió dulcemente, sin ningún indicio de rencor en la voz:

—A veces tú dices cosas muy memorables. Nuestra relación es tan importante para mí que yo quiero apuntarlas y mantener un registro de ellas.

El consejero le había advertido que su respuesta no debía contener nada degradante ni de condena.

Al principio él le pedía disculpas o se reía y decía:

—Tu psiquiatra te dijo que hicieras eso, ¿verdad? —Pero Sandy rehusaba discutir acerca de lo que estaba haciendo. Ella no se enojaba, no explicaba por qué lo hacía, ni debatía con él. (¡Esto tomó bastante esfuerzo por parte de ella!)

Durante la segunda semana de este experimento no hubo incidentes. Pero para la tercera semana él volvió a su forma sarcástica de ser. Cuando lo hacía, Sandy simplemente tomaba su libreta sin ningún comentario. Durante la cuarta y quinta semanas no hubo incidentes sarcásticos. Entonces una vez más comenzó un comentario sarcástico, pero se detuvo y le pidió disculpas. **El esposo de Sandy había desarrollado un mal hábito del cual casi ni estaba consciente.** Lo único que Sandy estaba haciendo era elevar el nivel de su consciencia relativa a una situación específica. Ella estaba cambiando su situación al cambiar su reacción a ésta.

Eileen enfrentaba otro problema típico. Se quejaba de que su esposo no hablaba con ella lo suficiente como para satisfacer sus necesidades. Ella lo urgía, lo molestaba y se quejaba. Leyó varios libros sobre "Cómo conseguir que un hombre hable con usted"; asistió a seminarios de comunicación y programó un horario para conversar. Todo fue inútil. Al fin de cuentas, después que su tiempo, su energía y su paciencia se habían agotado, él no hablaba más que antes.

La realidad del asunto es que Eileen no es responsable por la conducta de su esposo, ni puede cambiarla. **La única persona sobre la cual ella tiene control y a quien puede cambiar es ella misma.** Cuando esta realidad por fin penetró en su materia gris, ella decidió hacer un gran cambio en sí misma, no en su esposo. Con esfuerzo, dejó de empujarlo para

que le hablara. Dejó de quejarse, ni lo molestó más en cuanto a eso; pero comenzó a cambiar en su forma de reaccionar ante el problema. Se hizo menos accesible a las conversaciones e incluso empezó a cortar en seco cualquier conversación con él. Cuando ella quería conversar, hablaba sin importarle las respuestas monosilábicas de él. Para ocupar su tiempo, se unió a un equipo femenil de boliche y empezó a tomar clases en la noche.

> *Toma tu propia vida en tus manos, y entonces, ¿qué pasa? Algo terrible: nadie a quien echarle la culpa".*
> Erica Jong

Funcionó bien —por lo menos por las primeras tres a cuatro semanas—. El esposo de Eileen parecía disfrutar de quedarse solo y sentirse desahogado cuando ella salía sola. Pero después de unas cuatro semanas, empezó a estar curioso acerca de la conducta de su esposa. ¿A dónde iba? ¿Qué estaba haciendo? ¿Con quién estaba? Cuando él le hacía preguntas, ella le respondía con brevedad y seguía en sus asuntos sin dar más explicaciones. Luego, él empezó a mostrarse un poco celoso de todo el tiempo que ella se pasaba en otros lados. Un día vino a ella con la increíble petición:

—Querida, pienso que deberíamos empezar a pasar más tiempo juntos, ¿no crees?

¡Misión cumplida! Sin embargo, mientras Eileen estuvo tratando de cambiarlo a él, la situación había seguido igual. **Fue sólo cuando ella cambió su propia conducta que logró el cambio que deseaba en su matrimonio.**

Una mujer con un esposo alcohólico le

RECUERDA:

1. No podemos cambiar a nadie por medio de la acción directa.
2. Sólo podemos cambiarnos a nosotros mismos.
3. Cuando nosotros cambiamos, los demás tienden a cambiar como reacción a nuestra actitud.

Yo espero que estés convencido de que debes convertirte en una persona más tolerante. Puede ser que tus actitudes y reacciones pasadas te avergüencen y no sepas por dónde empezar.

dio otro enfoque a este punto. Su esposo acostumbraba visitar una cantina del área después del trabajo y pasaba largas horas allí. Una noche, cuando él llegó a la casa a las diez, ella lo saludó agradablemente desde la mesa de la cocina. En vez de cuestionarlo o regañarlo, le preguntó en forma placentera si quería cenar. Él no estaba interesado en cenar y se fue a dormir. A las tres y media de la mañana sonó el despertador. Él se levantó apresuradamente y encendió la luz. Cuando vio la hora, le gritó a su esposa, exigiendo una explicación. "Bueno —con-

testó ella plácidamente—, como te tomó cuatro horas llegar a la casa después del trabajo, supuse que te tomaría cuatro horas regresar al trabajo y no quería que llegaras tarde.

Cada vez que cambias tu manera de reaccionar ante una situación, cambias la situación. Este punto es muy importante, sin embargo su significado escapa la atención de muchas personas. Cualquier situación puede ser cambiada cambiando tu reacción a ella.

Dos cosas suceden con este tipo de cambio. Primero, cuando uno de los miembros de la pareja inicia un cambio, el otro trata de forzar a la persona a volver a su antigua forma de hacer las cosas, para regresar a lo que le es familiar. Por lo tanto, la persona que ha hecho el cambio debe mantenerse firme. **Si la persona que ha cambiado se mantiene firme, entonces la otra persona tiene que cambiar.** Pero la acción debe repetirse en forma consistente de veintiún a cuarenta y cinco días para que el cambio se convierta en un hábito establecido y al final se logre una transformación efectiva y consistente. Si tú has estado reaccionando a algo de cierta forma durante veinte años, no puedes esperar que se produzca un cambio simplemente porque reaccionas en forma diferente dos veces.

En segundo lugar, el mismo hecho de hacer algo que normalmente no haces tiene un impacto constructivo. **Un cambio constructivo en una persona por lo general despeja el camino para que se realice un cambio constructivo en la otra persona.** Con algunos individuos, el cambio ocurre de forma rápida, fácil y abiertamente. Las barreras que se han construido durante años se derrumban rápidamente. Con otras personas, el cambio reactivo sucede más lento, mucho más lento, pero vendrá. El tipo de cambio no siempre se puede predecir, y puede ser que no siempre sea positivo. Si no lo es, ve nuevamente al tablero de dibujo y haz un nuevo plan. Pero un cambio en tu conducta siempre producirá un cambio en tu cónyuge.

Este plan da resultado: Un día Harry y yo llegamos a una situación infranqueable en nuestra relación. De repente comprendí que si quería salvar mi matrimonio y retener a mi esposo, *yo iba a tener que cambiar*. Era una cuestión de ahora o nunca. **Hice una revisión interna mental completa que comenzó a cambiar mi conducta inaceptable.** Abandoné totalmente todos mis esfuerzos por cambiar a Harry, por pulir las esquinas ásperas, dejé de sugerirle lo que debía hacer o cómo debía de actuar. **Él se convirtió en un nuevo esposo y yo en una nueva esposa.** Y nos convertimos en una nueva pareja. Harry no necesitaba mis consejos. **Él necesitaba que yo lo aceptara.** Y la cosa más asombrosa ocurrió cuando abandoné mi conducta de mamá: a medida que empecé a aceptarlo tal como era, Harry empezó a hacer grandes esfuerzos por mejorar ciertas áreas de su personalidad. ¿Por qué trató de mejorar entonces y no antes? Cuando yo lo presionaba para que cambiara, él automáticamente se ponía a la defensiva. Pero cuando dejé de presionarlo, él estaba libre para mirarse a sí mismo en forma objetiva en vez de tomar la defensiva. Y entonces cambió voluntariamente.

En lugar de esperar un cambio específico, usa los ejemplos de las historias mencionadas para que te inspiren reacciones creativas cuando tus demandas de que se produzcan cambios hayan fracasado.

Recuerda la definición de locura que da Einstein: *hacer lo mismo, vez tras vez, esperando lograr resultados distintos.*

Aquí hay cinco métodos repletos de poder que pueden levanta el cociente de aceptación de cualquier persona:

1 *Separa la acción de la persona que la está haciendo.* Aceptar no siempre significa que te "guste". Aún una conducta o situación desagradable puede ser considerada sin hostilidad abierta. **Durante el matrimonio, hay docenas de diferencias humanas con las cuales tenemos que aprender a vivir, aunque no nos gusten.** Mediante la oración y la práctica podemos separar la acción de la persona que la está haciendo y podemos aprender a elevar nuestro nivel de tolerancia y aceptar las diferencias básicas, ya se trate de un asunto de puntualidad, la asistencia a la iglesia, los modales cuando la persona está hablando o alguna otra preferencia de cualquier tipo.

No es humanamente posible sentir aceptación constante hacia nuestro cónyuge. Algunas acciones o comportamientos —como tomar bebidas alcohólicas, fumar, apostar, decir malas palabras, andar de vago, ser deshonesto o vulgar— pueden permanecer siendo inaceptables, a pesar de cuán tolerantes tratemos de ser. En muchos casos los esposos/esposas serán objetos de sentimientos reales de aceptación y no aceptación de parte de su cónyuge durante el transcurso del matrimonio.

Es crítica la habilidad de diferenciar entre la acción y la persona que la está haciendo. Probablemente tú haces grandes esfuerzos por no decirle a un niño: "¡Qué vergüenza!

Escribiste en la pared. Eres un niño malo. Dañaste la pared". (Escribir en la pared es malo, pero tu niño no.) De la misma forma, las personas en el matrimonio tienen que sentir que aunque no todo lo que hacen es digno de halagos, no obstante son amados y aceptados.

Cuando se nos trata injustamente es difícil actuar como Cristo lo haría, pero Dios quiere que seamos amorosos a pesar de que no nos amen primero. Debemos tratar de ver la conducta y las idiosincrasias inaceptables tal como Dios lo hace. Él odia el pecado en nosotros, pero nos ama —aunque somos pecadores—, con un amor imperecedero. Podemos esforzarnos por alcanzar este atributo divino: detestar la conducta inaceptable, y no obstante, amar a nuestro cónyuge.

2 Considera las diferencias de personalidad de tu cónyuge como complementarias a las tuyas. Uno de los rasgos que yo encuentro más difícil de aceptar en mi esposo es su completa inconsciencia referente al tiempo. ¡Él puede dar "una carrerita" al supermercado y demorarse tanto en regresar a casa que yo podría pedir el divorcio por motivo de abandono! Mi marido puede ir un momento a la casa de un vecino para pedir una herramienta prestada y no regresar por horas. Es capaz de llegar tarde a cenar aún cuando acaba de llamarme para decir que viene en camino. Yo he llegado a convencerme de que, para él, el tiempo es algo diferente de lo que significa para mí. En mi familia de "expertos en eficiencia" casi no se nos daba tiempo para ir al baño cuando estábamos viajando; y desde que nací se me ha entrenado a aprovechar cada minuto.

Harry y yo somos un ejemplo clásico de un acoplamiento imperfecto en el matrimo-

nio. Dadas nuestras diferencias radicales podríamos fácilmente volvernos locos uno al otro (y a veces lo hacemos). Pero hay una alternativa mucho mejor. **Hemos escogido reconocer nuestras diferencias y valorar la manera en que cada una de nuestras fortalezas compensa las deficiencias del otro**. Aunque me tomó algún tiempo reconocerlo, ahora aprecio cuando Harry crea oportunidades para que yo disfrute pequeños respiros de los apuros debidos a fechas de vencimiento y los estreses de la vida diaria.

La aceptación me ha enseñado a apreciar la naturaleza tranquila y llevadera de Harry que le permite a él (y a mí) disfrutar con frecuencia de experiencias del momento, que yo perdería en mi afán por ser productiva. ¿Es mi temperamento "productivo" superior a su temperamento tolerante y despreocupado? ¿Debería yo forzar a Harry para que se acople a mi molde, sabiendo que su sistema entero está ajustado para funcionar a otra velocidad? **¿Soy yo superior a él porque en un día cualquiera yo produzco más trabajo que él? Mediante la aceptación, finalmente aprendí que diferente no significa malo.** Esto me liberó para aceptar su manera de ser más apacible y lenta como una cualidad que complementa mi empuje más presionado por producir. **Algunos logros en la vida no se pueden medir en términos de productividad.** Y afortunadamente para ambos, no somos coléricos los dos o podríamos matarnos uno al otro procurando producir y "ganar" más. Por otro lado, si los dos fuéramos de temperamento flemático, seríamos tan lentos y relajados que no llegaríamos a ningún lugar ni lograríamos nada.

La realidad es que Harry y Nancy se complementan mutuamente de una manera hermosa. Harry necesita que Nancy lo apure un poco. Y Nancy necesita que Harry la aguante un poco. Harry y Nancy son más completos como pareja debido a las diferencias que cada uno aporta a la relación.

Uno de los peores errores que puedes cometer es tratar de rehacer a tu cónyuge a tu imagen. Nunca lo lograrás, excepto amargarlo y disgustarlo contigo. Sin embargo, considerar las diferencias entre ustedes como complementarias es una medida que suaviza las esquinas ásperas. En vez de resentir la personalidad de tu esposa/a, empezarás a apreciarla.

En gran manera, el enfoque con el cual miras a tu marido/esposa determina tu perspectiva de él o ella. Si miras a tu cónyuge como una persona inaceptable, que posee una gran cantidad de características indeseables y negativas, seguramente eso verás. Si decides tomar una perspectiva diferente y ver solamente lo mejor de tu cónyuge, también puedes hacerlo. **Nosotros reconocemos que nuestras amistades tienen debilidades y hábitos peculiares, sin embargo los respetamos y los admiramos. Lo mismo debiera ser cierto en el matrimonio.**

3 *Expresa la aceptación en voz alta.* La mayoría de nosotros tendemos a pensar que la aceptación es una actitud que no puede ser verbalizada. Ya que amas a tu cónyuge la tendencia es pensar que él o ella automáticamente sabe y entiende que es aceptado o aceptada. A pesar de que la aceptación se origina en nuestros procesos mentales y en cómo miramos a nuestro cónyuge, también tiene que ser demostrada por medio de acciones y palabras. **La aceptación necesita ser verbalizada. Dile a tu esposo/a que lo aceptas y que te cae bien tal como es.**

Una expresión acogedora podría ser: "Me gustas tal como eres". Otra expresión de aceptación incluiría: "Eres una linda persona (y entonces menciona una cualidad que te gusta de tu cónyuge)", o "Me gusta como haces las cosas," o "Eres todo lo que había esperado y soñado que serías como persona". Menciona áreas específicas en las cuales tu marido/esposa ha satisfecho tus sueños y esperanzas.

El ejemplo de tolerancia más impresionante es un aniversario de bodas de oro.

Tales demostraciones verbales de aceptación son una parte necesaria de la vida diaria cuando las cosas andan bien, pero se necesitan más desesperadamente cuando tu pareja se siente mal. En esos momentos él necesita oír palabras significativas de aceptación, no sólo por lo que ha hecho, sino que también por sí mismo como persona. Quizá lo más grande que le puedas decir a tu cónyuge (además de "Te amo") es "Me gustas tal como eres".

Tal vez que al principio encuentres difícil expresar la aceptación en palabras; puede ser que tus palabras no suenen sinceras. **Sin embargo, mientras todavía te hallas en el proceso de convertirte en una persona más receptiva, el acto de expresar tu aceptación en voz alta es un elemento importante en la práctica de la aceptación.** En vez de rechazar este paso porque te hace sentir incómodo/a, actúa por principio, reconociendo que ello satisface una necesidad humana. Tu cónyuge necesita desesperadamente escuchar que tú le aceptas, especialmente si la relación de ustedes está colmada de hábitos destructivos. Al final, encontrarás que mientras más expreses la aceptación en voz alta, más te ayudará a crecer hasta saber que has alcanzado la aceptación completa.

4 *Añádele humor a las situaciones irritantes.* Es probable que esto aparente ser una táctica ridícula en medio de un tema tan serio como la aceptación. Sin embargo, no se puede exagerar la importancia de introducir el buen humor en medio del esfuerzo por aceptar los hábitos fastidiosos y los defectos irritantes. **La habilidad de reírte, de ti mismo y con tu esposo/a, hará más por quitarle el filo a la discordia matrimonial que cualquier otra cosa que puedas hacer.** La risa es un excelente calmante frente a los problemas. Charlie Shedd comenta que cuando una pareja aprende a reír entre ellos y a minimizar sus errores y defectos, ocurre una maravillosa transformación en el hogar. "El cielo tiene escuadrones de limpieza especiales —escribe él—, que responden a estas señales. Ellos vienen y barren y eliminan los pedazos rotos y le dan al matrimonio un nuevo comienzo".

La próxima vez que tu cónyuge repita un hábito fastidioso que te saca de quicio, haz un comentario ridículo referente a ello y ríete hasta que las lágrimas te broten. Es posible ver el lado cómico de los defectos irritantes. La risa disminuye la punzada y alivia la irritación del momento.

5 *Recuerda los sentimientos románticos que tenían entre ustedes.* Las molestias e irritaciones diarias a veces nos hacen perder de vista cómo nos mirábamos mutuamente antes de casarnos. Por eso es tan importante recordar los sentimientos originales que ambos se profesaban cuando eran novios; para practicar mentalmente la forma como se veían en ese tiempo. **Sin duda la infatuación y la pasión intensificaban y exageraban esos sentimientos; sin embargo, éstos contenían un núcleo central de verdad emocional y de querer.**

Para recobrar ese sentimiento, planea una noche frente al fuego de la chimenea para mirar las viejas fotos, escuchar la música que significaba tanto para ustedes en ese entonces, o para visitar de nuevo algún lugar a donde fueron cuando eran novios. Recordar tales cosas les ayudará a capturar nuevamente la frescura, la emoción y el gozo experimentado cuando se encontraron por primera vez.

Se cuenta la historia de un escritor francés que se sentó a la mesa y sumergió un pan dulce en su té. El aroma familiar desencadenó un diluvio de recuerdos acerca de la cocina de su mamá. Como resultado, escribió una autobiografía de mil páginas contando las experiencias de su niñez, que se convirtió en una obra literaria clásica. **De la misma forma, tú puedes recordar cómo al comienzo veías a tu cónyuge a través de los ojos del amor sentimental.** Esto no es ser deshonesto ni implica un rechazo de la verdad. Es un hecho de aceptación honesta.

¿Debo aceptar cualquier cosa?

¿Deberías convertirte en un trapo de piso? ¿Tienes que aceptar todas las cosas? ¿Todas las cosas ruines, degradantes, feas y maliciosas que tu cónyuge hace? ¿Sólo aceptar y aceptar? ¿Debería una persona permitir que su esposo/a pisotee sus derechos y su dignidad, sin decir nada, para preservar el concepto de la aceptación? ¡No! ¡No! ¡No! **Esto negaría el hecho de que tú eres un individuo, una persona que tiene el derecho de ser respetada, un ser humano con una voluntad propia.**

Por ejemplo, tú no tienes que aceptar la infidelidad. Los compañeros en el matrimonio tienen el derecho de contar con fidelidad estricta, aún en estos tiempos cuando los valores morales están cambiando. La Palabra de Dios, al igual que las leyes humanas, apoyan este punto de vista. Los esposos y las esposas están dentro de sus

Pero no hay nada más bello que una relación amorosa en la cual cada uno se adapta y acepta a la otra persona tal como es.

derechos cristianos al obtener el divorcio en casos de adulterio. Pero podría ser sabio hacer un inventario propio completo antes de buscar el divorcio. ¿Hay alguna conducta dentro de ti que haya alejado a tu cónyuge o le haya dado una excusa para cometer el adulterio? Si así fuera, con algunos cambios grandes de tu lado tal vez puedas salvar tu matrimonio. A menudo es posible que una persona logre salvar su matrimonio si se lo propone, aún si tiene justificación bíblica para divorciarse. **Recuerda que las Escrituras permiten, pero no exigen, el divor-** cio por causa de adulterio.

Otros casos pueden involucrar ofensas serias tales como el incesto, la homosexualidad, el lesbianismo, el abandono, la falta de apoyo, la incapacidad mental, el abuso físico, las apuestas y juegos de azar, el alcoholismo, la drogadicción, o adicciones de cualquier otro tipo. **Ninguna de estas situaciones puede, ni debe, ser manejada culpándose uno mismo o completando un autoinventario.** La vergüenza y la humillación a menudo hacen que el individuo no comparta su dolor personal con otra persona. Pero cada

Mantener una visión definida de lo que se quiere y la perspectiva de poseer un matrimonio altamente eficaz nos permitirán tomar un rumbo estable.

una de estas situaciones necesita atención individual e intervención inmediata por un profesional.

¡Cuán desagradable es ver a una pareja que ha prometido amarse y honrarse recíprocamente por toda la vida, atacarse y humillarse despiadadamente! **Pero no hay nada más bello que una relación amorosa en la cual cada uno se adapta y acepta a la otra persona tal como es.** La siguiente historia fue escrita por un cirujano que experimentó el tipo de aceptación divinamente inspirada acerca de la cual yo he estado escribiendo. Sus palabras son poderosas:

"Estoy de pie junto a una cama donde yace una mujer joven, con el rostro recién operado; su boca parece la de un payaso, torcida por la parálisis. Una pequeña ramificación del nervio facial, que va a los músculos de la boca, ha sido cortada. Así será su apariencia de ahora en adelante. Mi bisturí siguió fielmente el contorno de su piel; eso les aseguro. Sin embargo, para sacar el tumor de la mejilla, tuve que cortar ese pequeño nervio.

"El joven esposo de la mujer está en el cuarto. Está de pie al lado opuesto de la cama, y juntos parecen morar bajo la luz de la lámpara, apartados de mí, en privado. ¿Quiénes son —me pregunto— él y esta boca torcida que yo he creado? ¿Quiénes son, que se miran y se tocan tan generosamente, tan vorazmente? La joven mujer habla:

"—¿Mi boca se verá siempre así? —pregunta.

"—Sí —le respondo—, así será siempre. Es porque tuve que cortar el nervio.

"Ella asiente con la cabeza y se queda en silencio. Pero el joven sonríe.

"—Me gusta —le asegura—, se ve monísima.

"De una vez sé quién es. Yo comprendo, y bajo la mirada. Uno no es osado cuando está ante un dios. Sin importarle, él se agacha para besar esa boca torcida, y yo estoy tan cerca que puedo ver cómo él tuerce sus propios labios para acomodarlos a los de ella y mostrarle que sus besos todavía funcionan. Yo recuerdo que los dioses se aparecían en Grecia como si fueran mortales, y sin respirar permito que me inunde el prodigio".[6]

Este es el llanto del corazón de la mayoría de nosotros: anhelamos tan sólo una persona en la faz de la tierra que nos acepte y nos ame tal como somos, hasta con la boca torcida . Este debería ser nuestro objetivo en el matrimonio.

Una palabra final

Nuestro más elevado propósito en el matrimonio debería ser la creación de la mejor relación posible entre dos seres humanos diferentes y únicos que fusionan las características divergentes de sus personalidades. Cada uno debería tratar de cambiar en sí mismo lo que puede ser alterado y mejorar lo que puede ser corregido. Aún así, surgirán constantemente muchas imperfecciones. Después de realizar todos los esfuerzos posibles por resolver tales dificultades, cada persona debería proponerse aceptar la realidad mediante la perspectiva más positiva que le sea posible. **La salud mental y la estabilidad emocional de cada uno dependen de su habilidad de aceptar las circunstancias que no pueden ser cambiadas.** Si no lo permitimos, corremos el riesgo de despedazarnos ante las situaciones negativas que pasan más allá de nuestra posibilidad de controlar. De lo contrario podemos usar nuestra fuerza de voluntad y proponernos sacar el mejor partido de las circunstancias difíciles.

Nadie tiene la posibilidad de satisfacer cada una de sus necesidades o sueños. En consecuencia, los cónyuges deben conformarse con una unión en la cual se acepte la realidad. **Un matrimonio altamente eficaz, entonces, no es aquel donde reina la perfección, sino uno en el que la pareja mantenga perspectivas saludables al considerar las diferencias personales para las cuales no puedan hallar solución.**

Referencias

1. **Ann Landers**

3. **Willard F. Harley, Jr.,** *Love Busters* (Destructores del amor), Grand Rapids, MI: Fleming H. Revell, 1992.

4. **John Gottman, Ph.D.,** *Why Marriages Succeed or Fail* (Por qué los matrimonios tienen éxito o fracasan). New York, NY: Simon and Schuster, 1994, págs. 20, 21.

5. **Alison Bass,** "Experts Hone In on Why Marriages Fail" (Los expertos determinan por qué los matrimonios fracasan), *Boston Globe* citado en *The Fresno Bee*, 5 de diciembre, 1993).

6. Vea mi libro *How to Talk Heart to Heart so Your Mate Will Listen and Listen So Your Mate Will Talk* (Cómo hablar de corazón a corazón para que tu cónyuge escuche y escuchar para que tu cónyuge hable), (Grand Rapids, MI: Fleming H. Revell, 1989), capítulo 4, para una explicación completa de cómo usar los "Mensajes-Yo" de forma eficaz.

7. **Richard Selzer, M.D.,** *Mortal Lessons: Notes in the Art of Surgery* (Lecciones mortales: Notas acerca del arte de la cirugía). New York, NY: Simon & Schuster, 1976, págs. 45, 46.

El valor de la comunicación
EFICAZ

*P*ara que la comunicación sea efectiva: presenta tu mensaje de tal forma que esté de acuerdo con la forma en que tu cónyuge responde a la vida y procesa la información.

H. Norman Wright

4

El poder de la comunicación para lograr la intimidad mental, física y espiritual

PATRICIA HABLA mientras aprieta nerviosamente el Kleenex que usa para secarse las lágrimas.

"Nuestra primera cita fue muy romántica e inolvidable. Fuimos a comer a un restaurante, pero nunca probamos la comida. Estábamos tan prendados el uno del otro, que hablamos por horas y perdimos cuenta del tiempo. Yo sentía que lo había conocido toda mi vida. Había tenido amistad con varios otros hombres, pero esta era diferente. Cuando por fin Juan me pidió que me casara con él, era inevitable. Al principio, nuestro matrimonio fue muy similar a nuestro noviazgo. Compartíamos todo y nos considerábamos los mejores amigos; compartíamos cosas que nunca le hubiéramos dicho a ninguna otra persona.

"¿Cómo reconoces a una persona tonta? Aquella que habla demasiado" — El Zoha

"A veces nos acostábamos en la cama abrazados, y hablábamos hasta la madrugada.

"Gradualmente, con el pasar de los años, los dos nos hemos retraído y nos hemos vuelto introvertidos. Tenemos muy poco de qué hablar entre nosotros. A veces siento muy poco por este hombre a quien una vez adoraba. Yo creo que él se siente de la misma forma.

"¿Qué pasó? No fue nada dramático. **Estábamos tan ocupados en nuestros mundos respectivos que casi no nos dimos cuenta de que ya no éramos amigos.** Todos los indicios estaban allí, pero no quisimos reconocerlos. Él se dedicaba por completo al carro antiguo que estaba reconstruyendo. Yo empecé a resentirlo mucho y comencé a excluirlo, sólo por despecho.

"La pareja que no hallaba suficientes horas en el día para hablar acerca de la vida, ya no existía. ¡Nuestros amigos nos hacían bromas porque solíamos estar tan entretenidos hablando entre nosotros, que ellos no nos querían interrumpir!

"Pareciera que eso sucedió hace mucho tiempo. **Ahora estamos juntos sólo por los niños. Hemos vivido de este modo por tanto tiempo, que sería muy difícil que nuevamente nos comunicáramos en forma abierta.** Dudo que podríamos hablar de manera que no nos hiciera sentir amenazados o sin violar los límites de comodidad que cada uno ha establecido. **Nuestra relación no es maravillosa, pero es funcional, y hay un cierto sentido de seguridad en nuestra miseria.** Ahora somos extraños. Hemos perdido la habilidad de preocuparnos recíprocamente o de ver las cosas desde el punto de vista de la otra persona."

Las personas se casan soñando con el amor, pero el matrimonio afectuoso es alimentado por una amistad íntima. En vez de eso, la mayoría de los matrimonios son "funcionales". Las personas desempeñan sus papeles de proveedor, de sostenedor, de padre o madre, de compañero sexual, y de cocinera. El matrimonio funcional no llena, es incompleto y no da satisfacción, particularmente para la mujer. Las buenas noticias son que un matrimonio funcional puede ser transformado en un *matrimonio altamente eficaz* mediante el establecimiento de un sistema de comunicación íntima.

Se les pidió a un grupo grande de consejeros matrimoniales que hicieran una lista de los problemas más comunes que llevaban a la separación y al divorcio.[1] "El fracaso en la comunicación" encabezaba la lista. La comunicación está en primer lugar en la lista de todos porque es básica para una relación íntima. **La comunicación es lo que le da la chispa al cariño, al ofrecer, al compartir y al afirmar.**

Por qué las parejas no se pueden comunicar

Existen diversas razones por las cuales la comunicación se interrumpe. **Tal vez la más obvia sea el desconocimiento de los métodos de comunicación efectiva.** Cuando no hemos aprendido los métodos apropiados, continuamos funcionando conforme a los patrones rutinarios e inefectivos que hemos creado nosotros mismos.

Otra razón por la cual las parejas fracasan en comunicarse adecuadamente es el temor de compartir sus verdaderos pensamientos y sentimientos entre ellos. Y ese temor se justifica. ¿Quién no se ha franqueado con su cónyuge, únicamente para verse rechazado? Algunos resultan heridos tan severamente que se encierran dentro de una coraza en forma permanente y rehúsan salir de ella.

Una tercera razón es que resulta más fácil evadir la confrontación y reprimir los sentimientos, que aprender a procesarlos correctamente. Cuando tu esposo/a te echa

abajo, es más fácil enojarte y tomar represalias (a veces crueles), o retraerte completamente, tratando de no involucrarte otra vez para evitar nuevas heridas.

Toda conversación entre una pareja está influenciada por el deseo de establecer una comunicación; pero el presente también se ve muy afectado por los malentendidos y los problemas pasados que no han sido resueltos.

Mientras más dolor y enojo haya habido en el pasado, menos probabilidades habrá de que la pareja pueda cambiar sin la intervención de una tercera persona.

Por qué nos comunicamos como lo hacemos

1 *Los patrones aprendidos en el pasado.* Lo que aprendiste cuando crecías influye poderosamente sobre la manera como hablas y escuchas hoy. Tú observabas cuidadosamente cómo hablaban los miembros de la familia, cómo escuchaban y de qué modo respondían. Puede ser que hayas observado patrones positivos —respeto, el pedir las cosas en forma clara y directa y el buen humor— o tal vez observaste patrones destructivos: la hostilidad, tratar de adivinar lo que está en la mente del otro, no de hablar a los demás a los gritos. **Empezaste a experimentar lo que funcionaría para ti, y seguramente has traído esos mismos patrones a tu matrimonio.** Es posible que des por entendido que los patrones que aprendiste, de discusiones calmadas y respetuosas, son los correctos. Pero esto está en conflicto abierto con tu consorte, que aprendió a resolver las cosas por medio de negociaciones alteradas y peleas.

2 *El condicionamiento social.* Los niños y las niñas aprenden a comunicarse como lo hacen dentro de su grupo de compañeros, especialmente entre las edades de cinco a quince años. **Según lo confirman numerosos estudios, las niñas juegan con más frecuencia en parejas, con una serie de "mejores amigas".** La relación entre las niñas se fortalece mediante las conversaciones privadas y el compartimiento de secretos. La información en sí no es importante; lo que sí importa es la experiencia de compartir dicha información con una mejor amiga.

En cambio los varoncitos juegan más frecuentemente en grupos, a menudo al aire libre. **Las investigaciones indican que, cuando los niños varones se juntan, hay menos conversación y más actividad.** Un grupo fácilmente acepta a un niño nuevo, pero una vez que el muchachito forma parte del grupo, tiene que esforzarse para lograr una posición y categoría dentro del conjunto. Estas posturas se refuerzan a través de los años de crecimiento. Cuando una mujer se casa, ella piensa que ha encontrado en el hombre una versión óptima de su mejor amiga y le muestra su confianza mediante conversaciones privadas y compartiendo "secretos" con él. **Es probable que muchos de estos secretos tengan algo que ver con el arte de mejorar el matrimonio.** ¡El esposo nunca ha escuchado tantos secretos en su vida y llega a la conclusión de que algo anda terriblemente mal con la relación! Esto lo pone a la defensiva. Él no necesita conversaciones íntimas tanto como hacer cosas con sus amigos varones, con quienes las actividades jugaban un papel más importante.

La mujer siente una enorme satisfacción interna cuando está hablando. ¡El esposo presiente que hay problemas serios, ya que tienen que seguir discutiendo las cosas! A medida que ella hace presión por tener más conversaciones íntimas acerca de lo que ella siente que está mal, y él trata de evitar estas conversaciones, la relación se puede debilitar. Una cosa es segura, los hombres y las mujeres tienen ideas muy diferentes en cuanto a cómo comunicarse y llegar a ser los mejores amigos.

3 *El tipo de temperamento.* Es posible que nada tenga una influencia más penetrante sobre tu estilo de comunicación que tu temperamento. El temperamento es una combinación de rasgos de carácter heredados que afectan tu conducta en forma subconsciente. Estos rasgos de carácter se heredan a través de los genes y son responsables, en gran medida, por tu estilo de comunicación, así como por tus acciones, reacciones y respuestas emocionales.

Hacemos a continuación una breve descripción de los cuatro temperamentos, que sin duda te ayudará a comprender los patrones de comunicación que con mayor probabilidad usa cada cual:

Sanguíneo. **La persona sanguínea es extrovertida, un conversador exuberante a quien le encanta hablar y puede fácilmente dominar las conversaciones. Su carácter compulsivo lo incita a contar historias largas, dramáticas y llenas de detalles que lo hacen un favorito en las reuniones sociales.** Este apremio por hablar lo transforma en una persona inepta para escuchar. La habilidad de mantener la atención sólo por un corto lapso sumada al hecho de que fácilmente se distrae, complica más aún su dificultad para escuchar. El individuo sanguíneo tiende a ser una persona bullanguera que estalla fácilmente.

Colérico. **El colérico habla libremente, pero es más deliberado que el sanguíneo. Al colérico le disgustan las historias largas y detalladas del sanguíneo.** El contaría la misma historia, pero pasaría por alto los detalles insignificantes, iría al grano y entonces seguiría al nuevo punto de interés. Al colérico le resulta fácil decidir por sí mismo y por los demás; pero a menudo puede ser testarudo, dominante y mandón. Los coléricos generalmente piensan que están en lo cierto: y debido a sus mentes prácticas y sagaces, ¡generalmente lo están! **Los coléricos son buenos para los debates, pero en el matrimonio son cónyuges argumentativos y sarcásticos.**

Melancólicos. **El melancólico, que es introvertido, es excepcionalmente analítico en su manera de pensar.** Habla sólo después de hacer un análisis cuidadoso del asunto. **Al melancólico le encantan los detalles y es dominado por una disposición caprichosa.** A veces es sociable, amigable y extrovertido, pero también suele irse al otro extremo, hasta el punto de ser retraído, deprimido e irritable. Es extremadamente sensible y tiende a tomar todas las cosas en forma personal. **De todos los temperamentos, este tipo de persona tiene la mayor dificultad para expresar sus verdaderos sentimientos.**

Flemático. **El flemático habla de manera callada, lenta, deliberada y no combativa. Rara vez se enoja y va casi a cualquier extremo con el fin de evitar las confrontaciones desagradables.** Nunca se ríe ruidosamente ni llora muy fuerte, y la mayor parte del tiempo es poco expresivo, por lo cual es difícil comprenderlo. **El flemático siempre es igual: estable y cumplidor. Su sentido del humor**

seco puede ser divertido, excepto para su cónyuge. Es fácil vivir con él, a menos que su forma de ser lenta y metódica sea una fuente de irritación para un cónyuge más agresivo.

Ningún temperamento es superior a otro. Cada persona se comunica de un modo diferente y único. No hay una forma que sea "correcta" y las otras "incorrectas". Por lo general somos una mezcla de los cuatro tipos, con uno o dos tipos que predominan. Yo soy colérica/sanguínea, y nada puede cambiarlo. La comprensión de los cuatro temperamentos diferentes me ayuda a entender el estilo melancólico/sanguíneo de mi esposo y por qué él habla y habla y habla de las cosas. Nuestros temperamentos inherentes juegan un papel muy importante en la determinación de cómo nos comunicamos como esposos.[2]

¿Hay esperanzas de lograr una mejor comunicación?

La felicidad de una pareja se puede medir, en gran manera, por la efectividad de su comunicación. **El factor más importante que determina el éxito o el fracaso de un matrimonio es su habilidad de comunicarse.** Los patrones eficaces de la comunicación le permiten a la pareja resolver las áreas problemáticas, satisfacer necesidades, evitar los malentendidos y con el paso de los años desarrollar la intimidad. Cuando una relación está repleta de patrones de comunicación ineficaces, la pareja interpreta los motivos equivocadamente, las necesidades siguen sin ser satisfechas, los problemas continúan sin resolverse y la hostilidad aumenta. A medida que pasan los años, la posibilidad de solucionar los problemas disminuye debido a los patrones de hábitos que se han establecido y los resentimientos que se han arraigado.

Muchas personas se enredan tanto en los hábitos de comunicación inadecuada que se llegan a dar por vencidas. Otros dicen que quieren mejorar la comunicación, pero carecen del conocimiento y la voluntad para romper los hábitos negativos y establecer otros nuevos en su lugar. Es posible que el lector esté consciente —o tal vez no lo esté— de lo que debería hacer, o de lo que necesitaría evitar. Sin embargo, si mejora su comprensión de los patrones de comunicación que su cónyuge y usted están usando, pueden evitar los errores típicos que atrapan a miles de personas, y pueden aumentar las oportunidades de aprender a entenderse mejor y a comunicarse entre ambos en niveles nuevos y más profundos.

Escuchar:
una forma de demostrar que sí te importa

LOS INVESTIGADORES estiman que el 70 por ciento del tiempo que pasamos despiertos lo hacemos comunicándonos con los demás: hablando, escuchando, leyendo o escribiendo. Treinta y tres por ciento de ese tiempo lo dedicamos a hablar y 42 por ciento a escuchar. Puesto que una enorme porción de nuestro tiempo la pasamos escuchando, este hecho cobra una importancia primordial en nuestra vida.[3]

Errores que se cometen al escuchar

La habilidad mediocre de escuchar surge de los malos hábitos. De éstos destacaremos dos de los más irritantes:

Interrumpir. Este mal hábito —cuando se trata de escuchar— es el más detestable. **Las personas que interrumpen no prestan atención pues se pasan el tiempo ideando su respuesta, esperando la fracción de segundo cuando puedan interrumpir.** Es posible que la interrupción, cuando surge una idea, sea una tendencia humana. Pero tienes que aprender a permitirle a tu cónyuge que termine de decir lo que está diciendo, no importa cuán aburridor sea. Los sanguíneos, en particular, tienen problemas con esta cuestión de interrumpir, ya que cualquier cosa que se diga les recuerda una historia que "tienen" que contar de inmediato, ¡inclusive en medio de la tuya!

No mirar a los ojos. Este es el segundo desatino más desagradable de parte de la persona que debe escuchar. Por lo general Harry es bueno para escuchar. Sin embargo, hace poco lo detuve en el pasillo para compartir con él algo de importancia. Mientras le hablaba, él miró más allá de mí y cerró un ojo un poco, obviamente tratando de ver si algo en su línea de visión no estaba torcido. Yo dejé de hablar a mitad de la oración. No podía, ni quería seguir hablando sin que me mirara a los ojos.

No mirar a los ojos indica falta de interés, falta de confianza y produce la impresión de que a la persona no le importa lo que su cónyuge le está diciendo. En una relación que se está deteriorando, la pareja raramente se mira a la cara. La magia de mirarse a los ojos ha desaparecido. Algunas parejas se pasan semanas y hasta meses completos evitando el contacto de los ojos. **No mirarse a los ojos se usa como un castigo y para mostrar desagrado.** Es cruel rehusar conscientemente mantener el contacto visual con el esposo/a. Los que están envueltos en una relación que ha comenzado a deteriorarse y los que desean convertirse en personas que saben escuchar, harían bien en empezar a restablecer la intimidad mediante el contacto de la mirada. Ambos lo apreciarán.

Otros hábitos repulsivos al escuchar son:

- **Aparentar aburrimiento.**
- **Escuchar selectivamente.**
- **Ponerse a la defensiva.**
- **Escuchar sin sensibilidad.**
- Hacer sentir que uno **le está haciendo perder el tiempo.**
- **Caminar de aquí para allá** como si estuviera apurado y se quiere ir.
- **Interrumpir** para completar lo que la otra persona está diciendo.
- **Repetir** lo que la otra persona ha dicho, poniéndole palabras en la boca.
- **Contradecir** lo que la persona está diciendo, antes que termine de dar su opinión.
- **Usar los teléfonos con bocinas.**
- **Pararse demasiado cerca de la otra persona.**

Escuchar bien es asunto serio

Escuchar parece sencillo, pero es sumamente más difícil que hablar. **Es un asunto serio, ya que involucra discernimiento, percatarse de las señales no verbales, el cariño, el contacto visual, prestarle atención a los motivos subyacentes, hacer preguntas pertinentes, dar respuestas apropiadas y a veces quedarse callado.** Es trabajo difícil, pero la recompensa —desarrollar una relación más íntima— lo justifica. Escuchar es la técnica de comunicación más descuidada y menos entendida. Aprender a escuchar no requiere un título, pero sí requiere entrenamiento. Aprendamos a hacerlo bien.

¿En sintonía o desconectado?

La mayoría de nosotros hablamos a un promedio de 100 a 150 palabras por minuto. Una persona que habla lento puede utilizar de 80 a 90 palabras por minuto, mientras que los que hablan rápido emplean más o menos 170 palabras por minuto. (¡Yo alcanzo ráfagas de 200 palabras por minuto!) Pero podemos *escuchar* a un promedio de 450 a 600 palabras por minuto. **Esto quiere decir que tenemos la capacidad de pensar cinco veces más rápido de lo que podemos hablar.** Escuchar a alguien hablando 100 palabras por minuto mientras que tu mente podría estar recibiendo 600, significa que puede permitir que la imaginación divague. "Tiempo de retraso" se llama a la diferencia entre estas dos velocidades.

¿Le has pedido a tu esposo alguna vez que haga algo y luego observas que no está hecho? Cuando le preguntas por qué no lo hizo, te dice encogiéndose de hombros: "No te oí". Te quedas pasmada.

—Bueno, pero te lo dije.

—No, no me lo dijiste —contesta él—. ¿Cuándo me lo dijiste?

Esto sucede a menudo debido al tiempo de retraso. La atención de tu esposo estaba en otra cosa, y sólo captó una porción de lo que estabas diciendo. **Otras personas utilizan el tiempo de retraso para formular su respuesta, sin reconocer que al hacerlo descuidan parte de la información, muestran desinterés y pierden señales que pueden indicar problemas más serios.**

Escuchar bien y usar el tiempo de retraso productivamente significa evaluar lo que se está diciendo y procesar la información. También significa observar las señales no verbales y mostrar interés.

Lenguaje corporal – ¿Hablan las acciones siempre más alto que las palabras?

Todas las reacciones del cuerpo y las

Es común entre las parejas tener situaciones beligerantes debido a la falta de comunicación. Estas situaciones pueden producir finalmente un rompimiento matrimonial.

expresiones emocionales son parte de la comunicación no verbal: una persuasión silenciosa que cuenta la verdadera historia. Pocas personas captan la importancia del lenguaje corporal. En la comunicación normal, las palabras usadas —el contenido en sí— son responsables únicamente por el 7 por ciento de lo que es transmitido; el tono de la voz y los ademanes suman otro 38 por ciento; por sí sola la expresión facial equi-vale a un sorprendente 55 por ciento.

Ya que el 93 por ciento de la comunicación se lleva a cabo sin palabras, la comprensión del lenguaje corporal es probablemente más importante que cualquier otra técnica usada para escuchar. Si estuvieras muy enojado con tu cónyuge, ¿podrías disimular este enojo en tu rostro o por medio de tu postura, tus ademanes o el tono de la voz? Sería muy difícil, prácticamente imposible.

Algunas personas, especialmente las de temperamento flemático, se vuelven muy hábiles para esconder las expresiones faciales, los ademanes o las posturas que puedan revelar sus sentimientos. Esto pone en severa desventaja a la persona que escucha ya que sólo dispone del 7 por ciento de la comunicación —la porción hablada—, para hacer un análisis.

La postura del cuerpo apoya o niega el mensaje verbal. Los hombros encogidos pueden comunicar desánimo; el cuerpo desplomado en un sillón, desinterés; la cabeza entre las manos, desesperación; un encogimiento de los hombros dice "yo no sé", etc.

Las expresiones faciales son parte del lenguaje corporal y envían los mensajes no verbales más fuertes. Los ojos pueden ser la parte más expresiva del rostro: al mirar para todas partes, al entrecerrarlos o abrirlos demasiado, al ponerlos en blanco o lanzar miradas de aburrimiento, y también por el número de parpadeos que den por minuto. Un simple alzar de cejas, fruncir el ceño, una barbilla levantada: todos estos gestos transmiten mensajes importantes. **Sonreír significa felicidad y simpatía; fruncir el ceño indica tristeza y disgusto.**

Después de ganar una discusión con su esposa, lo más sabio que puede hacer un hombre es pedir perdón.

Los ademanes también son parte del lenguaje corporal. Los brazos extendidos con las palmas de las manos hacia arriba indican franqueza y aceptación; los brazos extendidos con las palmas de las manos hacia abajo indican limitación y distanciamiento. **Un saludo de mano, un abrazo, un puño cerrado, un portazo, objetos arrojados, las manos apretadas, un pulgar levantado y una palmada en la espalda: todos envían mensajes claros cuando se unen con la palabra hablada.**

Los mensajes no verbales son más expresivos, pero sus alcances son más limitados. Son más intensos y poderosos que la comunicación verbal, sin embargo, tienen un alcance más limitado para expresar conceptos e ideas. **Debido a su naturaleza ambigua, la comunicación no verbal puede malentenderse más fácilmente.** La persona que escucha, si basa su interpretación únicamente en las comunicaciones no verbales, sería sabia si le da sólo una interpretación cautelosa y tentativa a lo que ha inferido. Las percepciones deberían ser verificadas con la persona que habla para certificar su precisión.

Escuchar activamente: una excelente pauta para lograr la intimidad

"La acción de escuchar deliberadamente" es la habilidad de procesar información, analizarla, recordarla en otro momento y sacar conclusiones de ella. "Escuchar activamente" significa escuchar primero los *sentimientos* de la persona que habla, y procesar la información en segundo lugar. Ambas técnicas, escuchar *deliberadamente* y escuchar *activamente,* son necesarias en la comunicación efectiva; pero en el matrimonio es mucho más importante escuchar con sentimiento.

Tenemos la tendencia a pensar que escuchar es una actividad pasiva. Sin embargo, cuando la palabra *activa* se aplica a escuchar, se infiere que la persona que escucha está participando y está interesada. **Cuando se escucha activamente, el que escucha tiene la responsabilidad de tratar de captar las emociones que a menudo están ocultas tras las palabras.** Además, el que escucha activamente va un poco más allá y trata de ayudar a la persona que está hablando a expresar sus emociones más íntimas. En principio esto parece ser suficientemente sencillo; sin embargo, puede ser extremadamente difícil cuando lo que se está oyendo es una crítica, una emoción negativa o algo que nos amenaza personalmente o que se opone a nuestros valores y creencias.

El mejor uso de escuchar activamente se manifiesta cuando la pareja ha experimentado algún problema: ira, frustración, resentimiento, soledad, desánimo o dolor. Puede ser que tu primera reacción a esos sentimientos sea negativa. Es posible que quieras discutir, defenderte, retraerte o pelear de vuelta. Sin embargo, cuando escuchas activamente, pones de lado tus sentimientos personales; de este modo logras ayudar a tu cónyuge a exponer los suyos.

Es mediante este tipo de desahogo de las emociones como resulta más probable encontrar una solución al problema. El hecho de que permitas y animes a tu esposo/a para que ventile esos sentimientos reprimidos y que los recibas con comprensión, en vez de ponerte a la defensiva o a censurar, es dar un gigantesco paso hacia la intimidad.

Escuchar activamente requiere aceptación total de tu cónyuge y de la forma como se siente en el momento. Tú pones de lado todas las ideas preconcebidas de cómo tu pareja se debiera sentir. Sus emociones no son ni correctas, ni incorrectas. Son simplemente sentimientos transitorios que vienen y van. Si en cualquier momento tu esposo/a siente la falta de aceptación de tu parte, él o ella probablemente se enojará y se cerrará.

Hay que ponerlo en práctica

1 *Repite los sentimientos que has escuchado.* Digamos que una esposa está resentida porque su esposo no pasa suficiente tiempo con ella. Es menos probable que el esposo levante las defensas si ella expone sus sentimientos usando una "Declaración-Yo". (Las Declaraciones-Yo se explican en la siguiente sección). "Estoy resentida porque estás fuera de casa casi todas las noches de la semana. Cuando llegas estás tan cansado que te pones a mirar televisión o te duermes. Me siento muy sola y también siento que no me amas. Necesito recibir más de tu compañía de lo que me das". El esposo escucha para captar los sentimientos de ella y los repite en sus propias palabras. "Te escucho decir que sientes que no te atiendo porque paso demasiado tiempo en el

trabajo y no estoy suficiente tiempo contigo".

Es importante que él repita la declaración de la esposa hasta que ella sienta que él la ha oído.

2 *Espera hasta que estén de acuerdo.* Es posible que él se sienta tentado a decir, "¿Qué quieres decir con eso de que no estoy en la casa suficiente tiempo? Yo llegué temprano a casa tres noches la semana pasada". Si él responde de esta manera, comprueba que no ha escuchado los sentimientos de ella.

La verdad del asunto es que la esposa de este hombre siente que él no la atiende. Ningún argumento contrario va a cambiar su modo de sentir; es más, un argumento probablemente sólo logre ponerla a ella a la defensiva. Puede ser que él piense que ella está actuando de modo irracional, pero a estas alturas nada será más efectivo que escuchar y comprender los sentimientos de ella.

Sin duda el esposo tendrá sus propias opiniones y sentimientos, y podrá expresarlos más tarde; pero ahora, no. **Escuchar activamente requiere también que el esposo ponga atención sin ofrecer soluciones. Demasiado a menudo se ofrece una solución antes de comprender el problema.**

3 *Reacciona en forma oportuna.* La forma más fácil de garantizar que has captado los sentimientos, en vez de los hechos, es responder diciendo, "Te sientes..." y entonces mencionar el sentimiento o la emoción que acabas de oír expresada. **Repetir los sentimientos te pondrá en condición de escuchar activamente.** Aquí hay algunos ejemplos:

Situación 1: La esposa está alterada porque siente que la tratan injustamente en el trabajo. "Estoy muy enojada por esto. Ellos

91

no me pueden hacer esto. Tengo ganas de dejar el trabajo". La respuesta del esposo (ya sea que esté de acuerdo o no): "Estás muy alterada por lo que está pasando en esa oficina. Dime qué más". (Nota la invitación a que exprese más sentimientos).

> *Arregla los problemas antes de dormirte. De esta forma te levantarás sonriendo".*
> Louis Fromm

Situación 2: El esposo está deprimido acerca de la salud de su padre. Le cuesta verbalizar sus sentimientos; pero su esposa, alerta, se da cuenta de que él está desanimado y aborda el tema de la siguiente manera: "Querido, te ves preocupado. Cuéntame qué te sucede".

Esposo: "Estoy preocupado por papá. No mejora. Si continúa así lo tendremos que internar en un asilo de ancianos".

Esposa: "Te preocupa mucho lo que les está pasando a tus padres, ¿no es cierto? Me interesaría escuchar un poco más acerca de tu modo de sentir".

Adapta el tono de tu respuesta al estado de ánimo de tu cónyuge. Muestra empatía sin extralimitarte. Tiene que serle aparente a la otra persona que sí te importa su modo de sentir.

Pocas veces, cuando se escucha activamente, el incidente termina con una sola respuesta. Por lo general, cuando se verbaliza un problema grande, el asunto continúa durante una serie de intercambios. **Sigue escuchando los sentimientos de la otra persona y funge como una válvula de escape para la ventilación de los mismos.** A veces es necesario hacer un poco de presión suave para descubrir la verdadera emoción oculta detrás de las palabras. Cuando consideras que ya comprendiste el asunto, exprésalo de vuelta, y verifica que no haya ningún malentendido.[5]

Cuando Jan dice, "Estoy tan cansada que me muero", Jack podría replicar: "Deja de hablar de cuán cansada estás y tómate unas vitaminas". O podría sugerir: "Siempre te cansas a esta hora, cuando piensas que yo podría querer algo más que un beso de buenas noches". Pero cuando escucha activamente, Jack diría: "Estás muy agotada, ¿verdad? ¿Alguna razón en particular?" Así abre la puerta para que Jan busque la comprensión de su esposo referente a algún problema que ha tenido con los niños, un encuentro desagradable con el vecino, o por causa de preocupaciones acerca de su trabajo. Ella sabe que a Jack le interesa cómo pasó el día y qué hizo. Es más fácil para ella contar más, ahondar un poco más sobre sus problemas y ampliar sus pensamientos.

¡Cuidado!: Sin embargo, una vez que los sentimientos han sido expuestos, tendrás que reprimir tu instinto de dar consejo, de criticar, de asignar culpa o pasar juicio. Este no es el momento adecuado para ello.

Ella compartió; a él le interesó. ¡Un excelente patrón para la intimidad!

La forma de escuchar del hombre, ¿difiere del modo como escucha la mujer?

¿Quiénes escuchan mejor, los hombres o las mujeres? Según algunos estudios referentes a los hábitos de escuchar de los dos sexos, las mujeres tienden a revelar hábitos de escuchar más finos, tales como decir, "ah-ha", "mmhmm", y "qué interesante". Las mujeres también incluyen movimientos afirmativos de la cabeza y otros hábitos positivos de escuchar, más a menudo que los hombres.

Los hombres, en general, usan menos de estas acciones cuando están escuchando. Esto deja a las mujeres con la impresión de que los esposos no las escuchan, y a los hombres con la impresión de que las esposas escuchan más de la cuenta.

Como Archie Bunker —de la serie televisa *Todo en la familia*— solía decirle a su esposa Edith: "Yo te hablo en inglés, pero tú escuchas en idiota". No, simplemente ella escuchaba como mujer, que es diferente a como lo hace el hombre. **Además, lo que los hombres y las mujeres quieren decir por medio de su lenguaje corporal al escuchar, difiere en gran manera.** Cuando una mujer asiente con la cabeza y dice "ah- ha", lo hace para indicar que está escuchando y entendiendo lo que su esposo le dice. **Los hombres responden con sonidos al escuchar mayormente para indicar que están de acuerdo.**

Esto complica el proceso de escuchar. Si una mujer escucha con atención a su esposo, haciendo eco con muchos "ohs", "ahs" y "ah-has", indicando con ello que está escuchando bien y comprendiendo su punto de vista, y luego él descubre que ella no estaba de acuerdo con lo que él le decía, el marido podría enojarse y acusarla de estar engañándolo. Lo mismo es cierto en el caso de las mujeres. **Si ella comparte algo con su esposo y él no le contesta nada, verbalmente ni con ademanes, ella piensa que él no le está prestando atención.**

Ocasionalmente tengo la impresión de que Harry no me está escuchando. Yo comparto con él algo muy importante para mí. No hay respuesta, por lo cual le digo: "Tú no me estás escuchando", y entonces él repite,

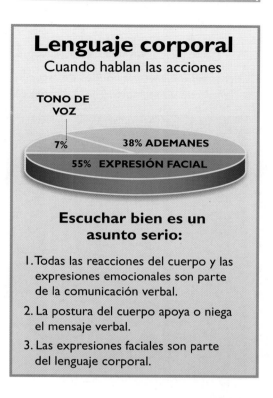

Lenguaje corporal
Cuando hablan las acciones

TONO DE VOZ

7%   **38% ADEMANES**

55% EXPRESIÓN FACIAL

Escuchar bien es un asunto serio:

1. Todas las reacciones del cuerpo y las expresiones emocionales son parte de la comunicación verbal.

2. La postura del cuerpo apoya o niega el mensaje verbal.

3. Las expresiones faciales son parte del lenguaje corporal.

palabra por palabra, lo que yo le acabo de decir. ¡Esto es bien fastidioso! Los hombres podrían mejorar su modo de escuchar con decir "Ya veo", "ah-ha", o asentir ocasionalmente con la cabeza.

La mujer necesita este tipo de reacción de parte del esposo para sentir que la están escuchando. Más que una solución, ella busca comprensión. Llegará el momento de hallar una solución; pero mientras esté alterada, sólo quiere que la escuchen. No es suficiente que el esposo la escuche con un ojo puesto en la televisión o le dé una lista de soluciones. **Y algo más importante aún: la mujer que siente que no la escuchan, también empieza a sentir que no la aman. Generalmente ella habla más fuerte y durante más tiempo en un esfuerzo por ser escuchada y sentirse amada.**

Seis poderosas reglas del arte de escuchar

Si necesitas mejorar tus hábitos de escuchar, la sola decisión de superarte no será suficiente. Tienes que disciplinarte y formular un compromiso firme de perfeccionar esta facultad.

Aquí hay seis pautas efectivas para escuchar con interés, que puedes practicar cada día.

1. Mantén buen contacto visual. Enfoca toda tu atención en tu esposo/a. (Apaga el televisor, cierra el periódico, deja de lavar los platos.)

2. Presta atención. Por unos pocos minutos, actúa como si nada más en el mundo importara excepto escuchar a tu cónyuge. Bloquea de tu mente todas las distracciones. Inclínate hacia adelante en tu silla, como si estuvieras pendiente de cada palabra.

3. Actúa interesado en lo que estás escuchando. Levanta las cejas, asiente con la cabeza cuando estés de acuerdo, sonríe o ríete cuando sea apropiado.

4. Salpica tu atención amable con frases apropiadas que muestren interés y entendimiento. "De acuerdo". "¿De veras?" "Excelente". "Entiendo". Tu cónyuge quiere saber que tú entiendes las ideas que te está presentando.

5. Haz preguntas bien formuladas. Anima a tu esposo/a con preguntas que demuestren tu interés. Sin embargo, evita las preguntas "y por qué". Las del tipo "y por qué" ponen a la otra persona a la defensiva.

6. Escucha algunos instantes más. Justo cuando pienses que ya has terminado de escuchar, ¡escucha treinta segundos más!

Cómo hablarle a la persona que amas

"Mientras éramos novios, pasábamos mucho tiempo hablando —dice Sharon—. Éramos los mejores amigos. Le podía decir cualquier cosa a Ed, y él compartía todo conmigo. Ahora casi nunca hablamos, y cuando lo hacemos, reñimos.

El consejo "conversen acerca del asunto" que se les da a las parejas con problemas de comunicación da por sentado que las dos personas pueden exponer lo que quieren decir y que la otra persona entiende lo que se está diciendo. **Pero si hay malentendidos, enojos escondidos y mensajes indirectos, hablar no va a resolver el problema.** Continuar la discusión sólo da lugar a mayores confusiones, lo que vuelve locas a las dos personas. Sin darse cuenta, Ed y Sharon se habían empeñado en un juego de exasperación mutua.

El verdadero culpable en el caso de Ed y Sharon —sin temor a equivocarnos— es el lenguaje corporal, el tono de la voz, las implicaciones no declaradas, lo que dan por sentado, los significados que le dan a las palabras o el resentimiento basado en experiencias previas. Cómo se habla mutuamente una pareja puede fortalecer o destruir la relación.

Asesinos de la conversación: Barreras que impiden la comunicación efectiva

Una gran parte de nuestra conversación diaria consiste de mensajes enajenantes aptamente denominados "asesinos de la conversación". **Nos acostumbramos tanto a usar estas frases que no nos damos cuenta de lo ofensivas que pueden ser.** Aquí hay algunos ejemplos de mensajes asesinos que garantizan

que tu cónyuge quiera irse de la casa:

El "Solucionador" recarga sus palabras con órdenes, directivas y mandatos: "Ven acá". "Apúrate"; y también de amenazas: "Si vuelves a hacer eso, yo voy a..."

Otro hábito asesino es moralizar: "Tú sabes que no debes..." La mayoría de nosotros resentimos que se nos diga que *tenemos*, que *debemos* o que *más vale que hagamos*.

Mucha gente recurre a la humillación, a pesar de que sabemos cómo se siente ser devaluado. Las humillaciones juzgan, critican y avergüenzan: "No es una mala idea, considerando que viene de ti". Estas personas usan apodos, ridiculizan y abochornan a los demás: "Eso fue estúpido". Interpretan, diagnostican y psicoanalizan: "Tú dices eso sólo porque..." También tratan de enseñar: "Querido, no deberías actuar así en público".

El doctor James Dobson cuenta de un juego en el que suelen participar los matrimonios. Él lo llama "Asesina a tu cónyuge". En este juego destructivo, el que participa (generalmente el esposo, dice Dobson) trata de castigar a su esposa ridiculizándola y avergonzándola frente a sus amistades. Él puede herirla cuando están solos, pero frente a las amistades realmente puede aniquilarla. Si quiere ser excepcionalmente cruel, le deja saber cuán estúpida y fea ella realmente es: las dos áreas en que la mujer es más vulnerable. **El hombre gana puntos adicionales si la puede hacer derramar lágrimas.**

La lista de estilos de hablar asesinos es casi infinita. Está el "corregidor", una persona con la compulsión de corregir a todo el mundo y de mantener los detalles exactos; el "juez", que trata de adivinar lo que viene; el "cambiador de tema", que altera el tema antes que pueda haber comunicación signi-

El "código del silencio" se ve interrumpido cuando la pareja emprende cualquier actividad.

ficativa; y el "pletórico", que habla excesivamente acerca de algo.

Tú no puedes controlar los mensajes asesinos que tu cónyuge envía, pero puedes dejar de mandar mensajes asesinos de parte tuya. Cuando lo hagas, notarás que tú y tu esposo/a se acercarán mutuamente sin hacer un esfuerzo consciente. Te sentirás más en consonancia con tu cónyuge cuando no tengas que lidiar con el dolor residual que se haya acumulado por la comunicación asesina.

El "tratamiento del silencio"

El titular "¡Hablemos acerca de un matrimonio callado!: doce años sin hablarse", captó mi atención. La historia en el periódico contaba de un hombre y su esposa que habían mantenido un código de silencio estricto por ¡doce años! Por despecho ninguno de los dos se rebajaba a hablar, pero sí se comunicaban por medio de notitas. Hubo una ocasión cuando el divorcio fue sugerido por medio de una nota. La otra persona respondió devolviendo la nota con la palabra "Adelante", escrita en ella.

Cerrarse como una ostra, retraerse y negarse a hablar acerca de un asunto obstaculiza más la comunicación que cualquier otro mensaje asesino. Tanto los hombres como las mujeres usan el "tratamiento del silencio" como un arma o un tipo de control, pero generalmente de distintas formas. Cuando el esposo guarda silencio, esto indica que hay emociones fuertes, como la ira o el temor, acumulándose adentro. **La mujer usa el silencio más a menudo para cobrárselas por algún dolor o injusticia o cuando ha llegado a un punto de desesperación total.**

Según los consejeros matrimoniales, el "esposo silencioso" se encuentra detrás de la mitad de todos los matrimonios que se hallan en problemas. **Muchas mujeres se quejan de que sus esposos no les hablan ni permiten que se los induzca a hablar.**

Varias actitudes explican el silencio del hombre. Algunos hombres, especialmente los adictos al trabajo, consideran que sólo la productividad tiene valor. Su respuesta a todos los problemas de la vida es acción, no hablar. Otros hombres son tan dogmáticos y autoritarios que rehúsan seguir hablando sobre un tema después que han anunciado el dictamen. Aún otros detestan discutir sobre temas que ellos llaman insustanciales.

Un hombre bajo estrés emocional generalmente se niega a hablar y se encierra dentro de sí mismo porque, desde el nacimiento, se lo ha entrenado a mantener un control rígido sobre sus emociones. Él se cohíbe de decir cualquier cosa que difiera de la vida lógica e indiferente a la cual se ha acostumbrado. A medida que pasan los años, se vuelve más duro, para que sus compañeros no vayan a detectar ninguna señal de emoción o debilidad. **Cada vez que los sentimientos empiezan a acumularse dentro de él, su reacción automática es apagarlos, especialmente en presencia de una mujer.** Si se enoja y va al ataque, no es un caballero. Si le llegaran a brotar las lágrimas, se podrían percibir como una debilidad. En consecuencia, se vale del silencio como un método para escapar de sus sentimientos sin darse cuenta cuán exasperante para su esposa es su actitud, puesto que lo que ella desea es que todo salga a relucir, para así poder hablar en cuanto a ello.

Al esconderse detrás del silencio demues-tra indiferencia y transmite un mensaje vital a su cónyuge: "Yo no tengo ninguna responsabilidad de hablar contigo acerca de este asunto". **Sin embargo, por el bien del matrimonio, cada persona casada tiene la responsabilidad de involucrarse. El matrimonio implica participación activa, no guardar silencio y ser indiferente. El silencio menoscaba seriamente la validez del cometido a la relación.** Al retraerse, el cónyuge silencioso actúa como si no tuviera ninguna obligación por mantener la relación. No hay mucho que tú puedas hacer en cuanto al silencio de tu cónyuge, pero sí puedes controlar tu reacción a su silencio. Las súplicas, el ruego, enojarse o responder de la misma forma no son el remedio. En lugar de ellos prueba este enfoque: "Hay veces cuando se te hace difícil hablar conmigo. Debe de haber algo que estoy haciendo que te lo dificulta. Quisiera que habláramos acerca de ello para que yo pueda hacer algunos cambios".

Si tu pregunta no recibe ninguna respuesta, trata: "¿Qué piensas de lo que te acabo de decir?" o "Tu silencio me indica que estás muy enojado/herido/alterado por algo. ¿Es esto lo que me estás tratando de decir?"

Noventa por ciento de la fricción de la vida diaria está causado por un tono de voz equivocado.

Si quieres que tu cónyuge se resienta contra ti y te abandone, ¡háblale únicamente cuando tengas el deseo, préstale poca atención cuando te dirija la palabra, y usa el silencio frecuentemente!

No hay mucho que puedas hacer en cuanto al silencio de tu cónyuge, pero sí puedes controlar tu reacción a su silencio. Las súplicas, el ruego, enojarse o responder de la misma forma no es el remedio.

Conversaciones que triunfan

Se ha dicho que la voz es la melodía de la conversación; puede ser fuerte, suave, áspera y enojada o tierna y tranquilizante. El tono de la voz, que representa el 38 por ciento del mensaje enviado, puede atraer a tu esposo/a hacia ti o apartarlo/a de ti. **Después de la comunicación no verbal, tiene la mayor cantidad de peso en un mensaje hablado.**

El volumen, el tono, la velocidad, el número y la duración de las pausas, el tartamudeo, la intensidad y la emoción transmitidas, le dan mucho más significado a nuestro hablar que las palabras solas. Un vocablo puede ser una palabra, pero cómo se recibe depende de cómo se dice. **Algunos mensajes están tan cargados de insinuaciones emocionales que niegan la realidad de lo que se está diciendo.**

A la hora de la cena Rich exclama: "¿Sabes lo que pasó hoy en el trabajo?" Su esposa responde "No". Esa respuesta de una sola palabra puede significar "No, y no me podría importar menos", o "No, pero realmente me interesa saber; cuéntame lo que pasó".

El volumen de la voz puede ser usado para aplacar o para irritar. Jennie fue criada en una familia de personas que hablaban muy suave. Se casó con Ken, cuya familia era exactamente lo opuesto: un grupo bullicioso y alborotado donde todo el mundo hablaba alto, ya fuera que estuvieran contentos o enojados. Jennie encontraba repugnante a la familia de Ken y no podía esperar a que llegara la paz y la soledad después de las visitas. Ken encontraba a la familia de Jennie cerrada y poco amigable.

Tu voz puede transmitir mensajes de indiferencia, fríos y faltos de sentimiento, o puede transmitir amor, interés y cordialidad. Cada uno de nosotros necesita poner una enorme cantidad de esfuerzo en romper los hábitos negativos y proseguir al cultivo de un tono de voz placentero, que sea apoyador y productivo.

Conversaciones de alto nivel

HASTA EL MOMENTO hemos hablado de los elementos de la comunicación aparte de las palabras solas. Ahora pongamos el enfoque en el mensaje mismo. John Powell, en su libro *¿Por qué temo decirte quién soy?* (*Why Am I Afraid to Tell You Who I Am?*) describe cinco niveles en los cuales nos comunicamos. Un entendimiento de estos niveles es esencial cuando conversamos.

Nivel 5: Charlar. En este nivel ocurren las conversaciones livianas: "¿Cómo estás?" "¿Qué has estado haciendo?" "¿Cómo van las cosas?" Tales conversaciones rayan en la insignificancia, pero son mejores que el silencio incómodo en situaciones sociales cuando estamos con aquellos a quienes no conocemos bien. **Sin embargo, si en el matrimonio la comunicación se mantiene en este nivel tan superficial, conducirá a un aburrimiento extremo y a la manifestación de sentimientos de hondo resentimiento.**

Nivel 4: Conversación basada en hechos. Este nivel es como si fuera el noticiero de la noche. **En estas conversaciones se comparte información, pero no hay comentarios personales que las acompañen.** Hablas acerca de los eventos del día, pero no dices qué sientes con referencia a ellos. Compartes las noticias, los hechos y la información, pero permaneces sin involucrarte. La conversación sobre hechos es fácil porque exige un riesgo mínimo. **Casi nada se revela en cuanto a la persona. Hay más probabilidades que los hombres, en vez de las mujeres, se comuniquen en este nivel.** Lo encuentran lógico, objetivo y seguro. Una pareja que sólo se comunica en este nivel nunca logra la intimidad.

Nivel 3: Ideas y opiniones. La verdadera conversación comienza aquí, cuando describes tus ideas y opiniones sintiendo la libertad de expresarte. **A medida que verbalizas tus ideas, tu cónyuge tiene una mejor oportunidad de conocerte.** En este nivel, revelas tus pensamientos personales. Si eres aceptado sin críticas, te sientes libre de seguir a un nivel más profundo. Si no es así, te quedas en este nivel o regresas al Nivel 4, donde la comunicación es nuevamente libre de riesgos. Cuando la conversación de Nivel 3 se encuentra con la aceptación, se pone un buen fundamento para la intimidad.

Nivel 2: Sentimientos y emociones. En este nivel te sientes suficientemente seguro como para compartir los sentimientos que están detrás de las ideas y opiniones expresadas en el Nivel 3. **Tú describes lo que está ocurriendo en tu interior: cómo te sientes acerca de tu cónyuge con referencia a alguna otra situación.** Una parte de ti permanece un poco cautelosa, manteniendo un ojo observador en la reacción de tu cónyuge. A menos que recibas la aceptación que necesitas, probablemente dirás sólo aquellas cosas con las que sabes que tu esposo/a puede estar de acuerdo y que puede manejar. Cuando una pareja es capaz de dialogar honestamente a este nivel, haciendo concesiones mutuas, cada uno respetando los sentimientos de la otra persona, su relación se enriquece en gran manera y se crea la intimidad. **Ganas vislumbres de discernimiento acerca de la personalidad de tu cónyuge lo cual provee una base para la comprensión y la intimidad.** Una buena combinación para la interacción diaria es alternar entre ideas/opiniones (Nivel 3) y sentimientos/

emociones (Nivel 2).

Nivel 1: Comunicación íntima. La comunicación más profunda y menos común es la íntima. **Es aquí donde sucede la autorrevelación emocional y personal.** Tú te sientes suficientemente seguro en la relación para abrir las puertas de par en par a la vista de la otra persona. Este tipo de autorrevelación es peligroso porque te hace vulnerable. Por lo general durante este intercambio se comparte alguna experiencia profundamente personal y emocional, tal vez algo que nunca antes habías compartido. **Usualmente la comunicación en este nivel hace una impresión duradera y profunda en ambas personas y enriquece la relación.**

El nivel de comprensión profundo es más difícil de aprender. Debido a los rechazos y temores acumulados es fácil mantenerse en los niveles superficiales 5, 4 y 3. **Sin embargo, antes que la pareja pueda comunicarse en el nivel de comprensión profunda tiene que haber un cierto grado de confianza entre ellos.** Cualquiera que descuida los niveles 1 y 2 y se comunica únicamente cuando no tiene que arriesgar nada, nunca llegará a tener con su cónyuge el grado de comunión que es su privilegio disfrutar.

Todos los cinco niveles son necesarios y útiles para las buenas relaciones. **Sin embargo, la comunicación íntima es una necesidad para los matrimonios relacionales de hoy, que requieren una profundidad más significativa que una simple funcionalidad.**

¿Qué nivel de comunicación practicas en tu matrimonio? ¿Eres capaz de conversar en los niveles 1 y 2? Si no, ¿por qué no? ¿No es tiempo de que busques un nivel más significativo?

La comunicación franca: aprende a expresarte

Uno de los grandes desafíos del matrimonio es cómo hablar con tu cónyuge acerca de algo que no te gusta o de alguna conducta que te irrita. Durante el transcurso de cualquier semana, surgen situaciones en las cuales las necesidades y las preferencias chocan. Cuando esto sucede y tú encuentras que la conducta de tu esposo/a es inaceptable, usa un "Mensaje-Yo" en vez de culpar o juzgar en forma defensiva.

Cuando estás alterado, irritado o molesto por la conducta de tu cónyuge, los "Mensajes-Yo" expresan tus sentimientos en forma directa. Los "Mensajes-Yo" permiten que la otra persona sepa que tienes sentimientos negativos acerca de su conducta, sin que lo estés atacando ni ridiculizando, y es más probable que te escuche porque estos mensajes son menos amenazadores. Estos mensajes comunican franqueza y honestidad y son un método excelente para ventilar los sentimientos de irritación.

Los "Mensajes-Yo" revelan tus sentimientos reales; los expresan a tu cónyuge en forma abierta y honesta; sin embargo, lo hacen bondadosamente. En vez de atacar, acusar o juzgar, di: "Me siento irritada cuando tú... porque..."

Compara las reacciones diferentes a estos dos mensajes que algunas esposas les dan a sus esposos después que ellos rehúsan llevarlas a cenar.

Esposa número 1: "¡Eres tan desconsiderado! Nunca piensas en nadie sino en ti. Lo único que quieres hacer es mirar televisión. ¡Me hartas!"

Esposa número 2: "Me siento herida cuando no me quieres llevar a cenar de vez en cuando, porque necesito algún tiempo a solas contigo para que conversemos en un nivel adulto y para sentirme más allegada a ti".

La esposa Número 2 declara cómo se siente, un hecho que el esposo no puede contradecir. **Ella escoge palabras que le dejan saber a su esposo, en forma adecuada, que sus sentimientos, en su opinión, están siendo ignorados.** La esposa número 1 acusa, juzga y humilla a su esposo. Esto le proporciona a él municiones para un argumento y probablemente lo vuelva más testarudo que antes y lo ponga más a la defensiva.

Además, para una mujer que quiere salir a cenar con el propósito de sentirse más cerca de su esposo, el uso de expresiones acusadoras tales como "¡Eres tan desconsiderado! Nunca piensas en nadie sino en ti... ¡Me hartas!", es una forma muy pobre de comunicar su deseo de acercamiento. Frases tales sólo servirán para que él se distancie más de ella.

Un "Mensaje-Yo" efectivo tiene tres partes:

1. Una declaración de cómo te hace sentir la conducta inaceptable de tu cónyuge. (Usa palabras que describan los sentimientos.) **"Me siento alterada/irritada/amenazada/enojada..."**

2. Una descripción de la conducta de tu cónyuge sin echarle la culpa. (Es apropiado usar la palabra *tú* en esta descripción.) **"Cuando tú..."**

3. Una explicación acerca del efecto tangible que tiene esa conducta sobre ti. (Describe lo que tienes que hacer como resultado de esa conducta.) **"... porque..."**

Aquí hay algunos ejemplos de cómo usar un "Mensaje-Yo" de manera efectiva:

•**El esposo prende el televisor durante la comida, a pesar de que han acordado no mirar la televisión durante las comidas.**
Esposa: "Me siento incómoda cuando tú ignoras el acuerdo que habíamos hecho de no mirar la televisión durante las comidas, porque es uno de los pocos ratos durante el día cuando podemos comunicarnos el uno con el otro".

•**La esposa le da el "tratamiento del silencio" a su esposo.** Esposo: "Me siento enojado cuando te cierras así, porque ni siquiera sé lo que he hecho para causarlo".

•**El esposo critica ásperamente a la esposa.** Esposa: "Me hiere cuando me criticas de ese modo tan injusto porque me hace sentir que no me respetas ni me amas".

Puesto que no son humillantes ni le dicen a la otra persona qué hacer, los "Mensajes-Yo" tienen muchas más posibilidades de efectuar un cambio de conducta positivo. Muchas personas, por amor y consideración hacia el cónyuge, cambian su conducta fastidiosa cuando entienden el impacto que produce sobre los fondos de la Cuenta Bancaria Emocional. Sin embargo, ese no es el propósito primordial de los "Mensajes-Yo". El fin más importante es darle salida a tus sentimientos de irritación. Es posible que tu esposo/a cambie o no su conducta; pero tú, en vez de reprimir tus sentimientos, te mantienes en contacto con ellos y les das salida por medio de la comunicación constructiva. **Los pequeños resentimientos e irritaciones que no se atienden pueden enconar el ánimo hasta el punto de propiciar pleitos grandes y amargos.** Si las personas aprenden a comunicarse con este método abierto y directo, se le puede dar escape todos los días a la "presión" que frecuentemente se forma entre las parejas.

Algo más acerca de los "Mensajes-Yo": **(1) Úsalos cuando comienzas a sentirte irritado.** No esperes hasta que estés furioso por el problema. (2) **Evita ofrecer la solución o decirle a tu cónyuge qué hacer.** Decirle a alguien qué hacer produce una reacción defensiva. (3) **Tu tono de voz debe de estar de acuerdo con la intensidad de tu mensaje.** Evita quedarte corto o excederte. (4) **Si tu consorte no responde a tu primer "Mensaje-Yo", mándale otro, expresado en una forma diferente, hasta que te escuche.**

Si realmente quieres que tus sentimientos sean reconocidos, tienes que comunicarlos siempre en forma directa, hasta que te entiendan. **No permitas que tu esposo/a te saque del tema.** Ni te des por vencido simplemente porque no recibiste la respuesta que deseabas. Es que sencillamente no tienes muchas opciones constructivas cuando estás irritado acerca de algo que tu cónyuge está haciendo. Aunque tu consorte te falle a *ti*, decide no fallarle tú.[6]

> *Las palabras amables pueden ser cortas y fáciles de hablar, pero su eco es verdaderamente eterno".*
>
> Madre Teresa

Los estilos de hablar de él y de ella, ¿son diferentes?

¿Sería posible que haya una gran diferencia entre la forma como hablan los hombres y cómo hablan las mujeres? Lo único que tienes que hacer es escuchar a un grupo de hombres y a un grupo de mujeres para notar algunas diferencias.

¿Es verdad que las mujeres hablan más que los hombres? Sí, estudios hechos en la Universidad de Harvard muestran que las niñas aprenden a hablar primero que los niños y articulan mejor. **Desde la infancia, las niñas hablan más que los niños.** Aun entre los adultos, los hombres parecen nunca alcanzar a las mujeres. Se estima que el típico hombre habla unas 12,500 palabras al día, mientras que la mujer típica duplica esa cifra con ¡más de 25,000! Esto podría explicar por qué los hombres no quieren hablar mucho cuando llegan a la casa en la noche. Ya han usado sus 12,500 palabras. Es posible que sus esposas hayan gastado 12,500 también, pero, ¡han guardado otro tanto para sus esposos!

¿Es verdad que los hombres y las mujeres hablan de temas diferentes? Sí. Ella frecuentemente se aburre mientras él habla y habla, acerca de los deportes, los carros o los negocios. Él se hace el sordo mientras que ella habla hasta por los codos acerca de amistades o personas que él ni siquiera conoce. **Para ella es natural hablar acerca de personas y relaciones; esto prueba que la mujer tiende a interesarse por los demás.** Cuando este tipo de comunicación es ignorado o apagado, un elemento vital de ella se cierra hacia su esposo. Los hombres consideran normal hablar de los deportes, la política, los carros, el trabajo, el mercado de valores o de cómo funcionan las cosas. Las mujeres frecuentemente perciben esto como aburrido o inclusive como una clase: "Yo soy el maestro, tú la estudiante. ¡Ahora aprende!"

¿Es verdad que la conversación de las mujeres y la de los hombres funcionan en canales diferentes? Sí. Ciertas investigaciones médicas confirman que el feto masculino recibe cierta descarga hormonal en su cerebro, que prepara el escenario para que los hombres se diferencien de las mujeres y ambos se "especialicen" en dos formas de

La mujer tiende a dramatizar la historia por medio de su tono de voz y los ademanes que emplea en un esfuerzo por recrear la experiencia.

pensar diferentes. Entre los hombres predomina la actividad dirigida por la parte izquierda del cerebro, lo cual promueve la especialización en un forma de pensar más lógica, objetiva, analítica y agresiva. **Las mujeres tienden a usar la porción derecha del cerebro, que es el centro de los sentimientos, el lenguaje y las habilidades de comunicación.** El lado derecho es, de los dos, el más inclinado a las relaciones.

Como resultado, las mujeres tienden a funcionar en el Canal E de Emoción, mientras que los hombres tienden a funcionar en el Canal L de Lógica. Cuando Lisa comparte un problema con Hugo, ella está buscando simpatía y apoyo. Hugo no entiende esto y le contesta con un consejo lógico, sin darse cuenta que eso no es lo que ella quiere.

¿Es diferente el estilo de hablar de los hombres y las mujeres? Sí. La mujer tiende a dramatizar la historia por medio de su tono de voz y los ademanes que emplea en un

esfuerzo por recrear la experiencia. **Ella lo revive a medida que lo cuenta. El hombre, más probablemente, dará una versión reducida del evento.** En forma escueta, desprovista de emociones y detalles, se limitará a dar un informe de los hechos. Si ella insiste en que él le dé detalles, él considerará que lo están interrogando y, de todos modos, probablemente no recuerde más de lo que le acaba de contar.

¿Tienen los hombres y las mujeres necesidades diferentes en cuanto a comentar los asuntos? Sí. Las mujeres lo necesitan mucho más, especialmente si se trata de sus propias relaciones. Los hombres parecen quedarse perplejos por esta necesidad y hacen comentarios como: "Yo quiero que hagamos algo juntos, y lo único que ella quiere hacer es *hablar*". Esta tendencia no surge hasta después de la boda, porque mientras son novios, los hombres están dispuestos a pasar tiempo hablando con el fin de establecer la

relación. Después de la boda, la tendencia del hombre es dedicarle más tiempo al trabajo. **Las mujeres quieren hablar acerca de los problemas y resolver las diferencias para poder sentirse más cerca del esposo, mientras que los esposos hacen casi cualquier cosa por evitar una contienda.** Los hombres no ven la discusión de diferencias como una oportunidad para aumentar la intimidad; tampoco experimentan obligación alguna por compartir constantemente lo que piensan, sienten y necesitan. Cada miembro de la pareja obtiene su sentimiento de estar unidos en forma diferente.

¿Producen las mujeres, más que los hombres, señales de indecisión y subordinación? ¡Sí, una vez más! Por ejemplo, es posible que en un restaurante, el hombre diga, "Esta comida está malísima", una aseveración declarativa y sencilla. Es más probable que la mujer diga: "Esta comida está malísima, ¿no crees?", añadiendo una pregunta al final, que busca apoyo para su opinión. Se trata de una tentativa para agradar y ser cortés. **En general, las mujeres son más finas en casi todas las situaciones. Su gramática es mejor y su uso de obscenidades es más restringido. Pero los hombres controlan más las conversaciones.**

Es posible que los hombres y las mujeres simplemente marchen al ritmo de diferentes tambores. Los malentendidos se producen por desconocimiento de los estilos de comunicación de los hombres y las mujeres, y llevan a la frustración y la miseria. En vez de considerar que algo anda mal con tu consorte cuando llegan a conclusiones diferentes, ¿por qué no aceptas estas diferencias como una parte del maravilloso plan de Dios para los hombres y las mujeres? Un cambio de actitud puede traer ricas recompensas.[7]

Frente a los conflictos

LOS ESTUDIOS LLEVADOS a cabo sobre el tema muestran que la mayoría de las parejas riñen sobre los mismos asuntos: el dinero, los hijos, la recreación, las personalidades, los familiares de ambos, el desempeño de los roles, la religión, la política y el sexo; en ese orden.[8] Pero la frecuencia de los conflictos y los problemas no se mantiene constante con el paso de los años. **Los recién casados tienden a estar en desacuerdo principalmente acerca de las diferencias de personalidad y las conductas irritantes a las cuales les es difícil ajustarse.** En esta etapa, también argumentan en cuanto a qué hacer durante el tiempo libre. Los de mediana edad pelean más con relación al dinero, pero con el tiempo, estos conflictos disminuyen. La menor cantidad de conflictos se encuentra entre las parejas de ancianos.

¿Está bien pelear entre casados?

ES POSIBLE que tú seas uno de los muchos que creen que es malo discutir o entrar en conflictos en el matrimonio. Esta idea casi se ha derrumbado por completo bajo un bombardeo de información contraria. **Las parejas que dicen que nunca riñen se engañan ellas mismas o están completamente desconectadas de sus emociones.** Quienes rehúsen reconocer la necesidad de discutir sufrirán los efectos de la ira desplazada, tales como la hostilidad, la inestabilidad emocional, la depresión y una larga lista de problemas y/o la falta de intimidad.

Muchos psicólogos consideran el conflicto ocasional como señal de una relación

"Realmente nos amamos mucho, pero peleamos y discutimos tanto —suspiró una esposa casada por catorce años, cansada de las batallas—. Hemos tratado muchas veces de solucionar nuestros conflictos, pero parece que somos incapaces de hacerlo".

saludable y satisfactoria. Demuestra simpatía e interés. George R. Bach y Pete Wyden, en su libro clásico, *El enemigo íntimo: cómo pelear razonablemente en el amor y el matrimonio,*[9] comentan: "Hemos descubierto que las parejas que pelean son parejas que se quedan juntas, siempre que sepan pelear en forma apropiada".

Aprender a reñir de manera objetiva puede ser la técnica más importante de la comunicación efectiva que jamás aprendas. **Un altercado entre dos personas que realmente se interesan el uno por el otro no tiene que ser destructivo.** Significa que ustedes se interesan tanto el uno por el otro que van a negociar y lidiar con el problema hasta que encuentren una solución mutuamente satisfactoria. **El grado de aceptabilidad de que una pareja cristiana riña, depende del método y estilo que se use durante el conflicto, y del resultado final.**

Los estilos de discutir de él y de ella, ¿son diferentes?

A JUZGAR por las evidencias, y por razones fisiológicas, los hombres tienden a evitar los pleitos más que las mujeres. Según Robert Levenson, quien ha estudiado la reacción de las parejas mientras discuten algún problema marital, el estrés provocado por el altercado hace que los hombres reaccionen con un aumento mayor del ritmo cardíaco del que experimentan las mujeres.

Los hombres también tienden a retra- erse cuando el conflicto es prolongado, y suelen liberar su enojo en explosiones bruscas en vez de hacerlo mediante negociaciones que se mueven a paso lento. Es posible que cuando la esposa piensa que su esposo está retrayéndose de una discusión, él simplemente esté reaccionando a un mecanismo inherente de protección de la salud. ¡Argumentar es nocivo para la salud del hombre![10]

Según otro investigador, el Dr. H. G. Whittington,[11] el hombre piensa que la solución se debe buscar en forma similar a como se planea la estrategia de un juego deportivo. Este plan dicta que la discusión debe tomar lugar dentro de ciertos parámetros, debe de durar cierta cantidad de tiempo y que oportunamente terminará. El juego es regido por reglas que todos los jugadores respetan y se mantiene limpio, ya que el árbitro limita los juegos sucios.

Enfocado desde la perspectiva masculina, el objetivo del juego es mostrar habilidad y alcanzar la victoria, y si conviene, probablemente haya otras oportunidades para un partido de desquite. La etiqueta deportiva exige que la conducta agresiva y las opiniones personales se limiten al juego y no se trasladen del campo a las amistades y los familiares. **En consecuencia, después del juego se favorece la sociabilidad entre los equipos contrarios.**

Las mujeres también tienen una estrategia, pero debe de pasar por el filtro emocional femenino. **La agresividad y la destreza se pueden mostrar, pero hay que modularlas para que se adapten a la ocasión, especialmente si hay hombres presentes.** La mujer tiene menos tendencia a reconocer los límites, ya que los "reglamentos" que rigen en su estilo de juego gobiernan también su trabajo, el hogar, los hijos y las relaciones. Puesto que los sentimientos de la mujer se involucran en el plan femenino del juego, ella no puede apagarlos cuando termina el partido. Para las mujeres, que tienden a ver toda la vida como una unidad, la idea de un bloque de tiempo por lo general es extraña. A ellas se les hace más difícil reconocer un árbitro invisible.

Cuando atraviesan por un conflicto, las mujeres encuentran difícil ser sociables con la persona con quien sostienen el altercado, inclusive cuando están en un grupo. Sus emociones se quedan más cerca de la superficie todo el tiempo, y tienen acceso más fácil a esas emociones. Tal vez les cueste aceptar el concepto de que pueda haber una oportunidad de repetir el juego, es decir, de jugar un partido de desquite.

Si mantenemos estas observaciones en mente, se hace más fácil entender por qué una pareja, inclusive una pareja cuyos miembros realmente se interesan el uno por el otro, puede experimentar serias frustraciones frente al estancamiento del progreso para resolver sus desacuerdos.

Mientras haya hombres y mujeres comprometidos en relacionarse, habrá desacuerdos entre ellos. Las emociones estarán a flor de piel. A veces será difícil encontrar soluciones a problemas y diferencias. La ira, el dolor y el sentimiento de culpabilidad estarán entretejidos en la vida diaria.

Nota: No aparecerá mágicamente ningu-

na fuerza exterior para vigilar la conducta o marcar "falta". Al fin de cuentas serán las dos personas solas, vulnerables, necesitándose pero odiándose mutuamente. **Tratan de encontrar una solución al conflicto, pero tienen que arreglárselas solos para hallarla, al mismo tiempo que se esfuerzan por mantener el afecto uno por el otro.** A menos que los dos hayan aprendido las técnicas correctas para que la victoria sea alcanzada sin "ganar" o "perder", el conflicto continuará. **Las buenas noticias son que se puede evitar el odio.** Si descubres que no puedes resolver el conflicto por ti mismo, en vez de permitir que se encone, busca la opinión de un consejero que te ayudará a encontrar una solución.

Aprovecha bien el tiempo de hablar

HASTA AQUÍ, este capítulo ha presentado mejores técnicas para hablar y escuchar, y para lidiar con los conflictos. Pero tú podrías seguir todas estas sugerencias y ni así tener tiempo para hablar con tu esposo/a o continuar el cultivo de la amistad con tu cónyuge.

Las investigaciones realizadas sobre este tema indican que la máxima cantidad de comunicación entre la pareja se produce durante el primer año de casados, mientras cada uno explora los sentimientos íntimos de su cónyuge y establece metas para el futuro. **Pero después que llegan los hijos, la atención se desvía del esposo y de la esposa a la casa y a los hijos.** El enamoramiento disminuye, y la relación toma la apariencia de una asociación de negocios. Las conversaciones giran en torno a los problemas financieros, la administración de los quehaceres domésticos, etc.

Mientras tanto, el esposo y la esposa se

Dediquen tiempo a la conversación e ideen temas acerca de los cuales platicar. Ideen temas en los cuales tanto el esposo como la esposa tengan interés particular.

han estado dedicando a diferentes intereses. Él ha estado expandiendo su negocio y protegiendo el futuro de la familia. **La vida de ella se ha centrado en los hijos, el hogar y su profesión, si es que tiene una. La pareja se enreda en un estilo de vida muy acelerado durante los años cuando los hijos están chicos.** Una vez que los hijos han salido del hogar, las parejas en los años medios de la vida frecuentemente encuentran que no tienen una base para practicar la comunicación íntima. **Además, muchas parejas hablan, pero sólo acerca de cosas y problemas: sus trabajos, el carro, la casa, los quehaceres, los hijos, la iglesia.** ¿Era esto de lo que hablaban cuando eran novios? Lo dudo. En ese tiempo lo único que querían era estar juntos, hablar íntimamente y soñar grandes sueños. Mientras hablaban, frecuentemente usaban las palabras *yo, tú, nosotros*. No se preocupaban mucho por las cosas o los problemas, sino más bien se ocupaban en descubrirse el uno al otro.

Aunque las parejas son lentas en reconocerlo y odian admitirlo, después de unos pocos años de matrimonio, el aburrimiento se arraiga. **El aburrimiento deletrea muerte repentina para la conversación íntima. El mensaje es claro: La pareja que falla en hacer de la conversación una prioridad, prepara el escenario para un matrimonio enmohecido en el futuro.**

Durante todas las etapas de la vida matrimonial, las parejas necesitan mantenerse al tanto de los sentimientos mutuos. Hay muchas cosas que las parejas pueden hacer para mejorar su tiempo de conversación. Las buenas noticias son que nunca es tarde para comenzar.

La ira puede destruir en un momento la relación que ha tomado años en construirse".

Bob Phillips

Aquí hay varias ideas divertidas:

1 *Hagan un esfuerzo por conversar.* Dediquen tiempo a la conversación e ideen temas acerca de los cuales platicar. **Ideen temas en los cuales tanto el esposo como la esposa tengan interés particular.** Lean libros acerca de estos temas, recorten artículos de revistas, compartan alguna caricatura divertida. Sugieran temas que deseen discutir. Conversar debería ser, y será, divertido si se siguen ciertas normas: no se interrumpan, no se humillen, no se critiquen, no den consejos ni hagan demasiadas preguntas.

2 *Prueben dialogar mientras caminan.* Si no tienes el hábito de hacer ejercicios regularmente, podrías empezar a caminar con tu conyuge varias veces por semana. Este es un buen momento para caminar y hablar a la misma vez. **Obtendrán los beneficios físicos del ejercicio y al mismo tiempo se beneficiará su matrimonio.** Esta caminata diaria no es para compartir intensamente los sentimientos ni para resolver problemas graves. Más bien es para comentar los eventos de la vida diaria —los hijos, el trabajo, los vecinos, el jefe y tipos de cosas como "hoy-me-

sucedió—". Este intercambio de información conduce a una participación en la vida del otro y el fortalecimiento de los lazos matrimoniales. Si el diálogo-mientras-caminan no funciona para ustedes, prueben la plática a la hora de comer, o quédense sentados a charlar en la mesa después de la comida. *A qué hora del día ocurra este tiempo para conversar no es importante; que ocurra diariamente,* sí lo es.

3 *Prueben hablar en el carro.* ¿Están yendo juntos al trabajo o están de viaje? **Aprovechen el tiempo para hablar mientras van en el automóvil. Si no pueden pensar en qué platicar, llévense este libro.** Lean secciones de él en voz alta y comenten algunos de los temas. Harry y yo a menudo usamos el tiempo de viajar juntos para leer en voz alta uno para el otro, escuchar casetes y discutirlos. Muchas parejas, como nosotros, han hecho rejuvenecer su relación y han reavivado la familiaridad, ¡en el carro!

4 *Jueguen juntos.* Jugar juegos como "Uno", "Sorry" y "Monopolio" **crea una atmósfera placentera y relajada en la cual la pareja puede divertirse sin sentir la presión excesiva de tener que comunicarse.** Los juegos proporcionan una oportunidad y una razón para conversar situaciones nuevas y experiencias de la vida que los unifiquen.

5 *Aprovechen al máximo la hora de comer.* La hora de la comida puede ser uno de los ratos más placenteros del día o uno de los más detestables, dependiendo del ambiente. Siendo realistas, es posible que no podamos juntarnos dos veces cada día para tener conversaciones estimulantes o departir en forma íntima. **Pero podemos aprovechar**

la oportunidad que la circunstancia nos depara y establecer la tradición de sostener pláticas placenteras durante las comidas. Piénsalo: Dos veces al día, casi siete días por semana, podrían hablar por veinte minutos o más. *Precaución:* El televisor mata la conversación. ¡Apáguenlo!

Muchas personas se muestran reacias a hablar con su consorte. No es el momento apropiado; no saben qué decir; puede ser que digan algo incorrecto; están demasiado enojados. **La verdadera desgracia de negarse a dialogar, es la pérdida de la relación.** Una pareja que no se comunica no tiene base para una relación. Al abrirte y compartir, puedes convertir a un "extraño" en tu amigo.

Aunque este capítulo se ha centrado en la comunicación entre el esposo y la esposa, no estaría completo si no mencionamos la comunicación con Dios. **El esposo, la esposa y Dios forman un triángulo sagrado. Si la comunicación se rompe entre el esposo y la esposa, se afecta su relación con Dios.** Si los circuitos de comunicación hacia el cielo están obstruidos, entonces la relación entre la pareja también sonará ocupada. Un autor ha dicho, "Una persona no puede estar genuinamente abierta con Dios y cerrada hacia su cónyuge". Cuando las líneas de comunicación están funcionando bien, Dios puede lograr más fácilmente el propósito que tiene para el esposo y la esposa.

Ninguna cantidad de comunicación experta es capaz de formar un matrimonio perfecto ni puede crear franqueza y respeto donde estas cualidades no estén ya presentes. Pero la comunicación honesta sí alivia la tensión emocional, esclarece el pensamiento y provee una vía de escape para las presiones diarias. Le permite a la pareja trabajar hacia metas comunes y pavimenta el camino hacia una relación verdaderamente íntima.

Referencias

1. Nancy L. Van Pelt, *Heart to Heart: The Art of Communication* (De corazón a corazón: El arte de la comunicación), **Editorial Safeliz, Madrid, España, 1997,** pág.12.

2. Para un análisis completo de los tipos de temperamento vea *Your Temperament – Discover Its Potential* (Tu temperamento, descubre su potencial). **(Wheaton, IL: Tyndale House Publishers, 1984).**

3. Nancy L. Van Pelt, *Complete Marriage* (El matrimonio completo). **Nashville, TN: Southern Publishing Association, 1979,** pág. 62.

4. El inventario de la comunicación, llamado IC, es una encuesta que yo desarrollé y la he hecho llenar a más de 500 personas que han asistido a los seminarios de Matrimonio Completo dirigidos por mi esposo y su servidora. De las quinientas encuestas anónimas, se tabularon 149 de hombres y 201 de mujeres. En la encuesta están representadas varias religiones, razas, edades, niveles socioeconómicos y niveles educativos. De las 112 preguntas de la encuesta he sacado mucha información pertinente que contribuyó a formar el elemento principal de este capítulo.

5. Para una descripción completa de las técnicas de escuchar activamente, vea el capítulo 3 de *How to Talk So Your Mate Will Listen and Listen So Your Mate Will Talk,* **(Grand Rapids, MI: Fleming H. Revell, 1989),** especialmente págs. 78-86.

6. Para más información en cuanto a los **"Mensajes-Yo"**, vea el capítulo 4 de *How To Talk so Your Mate Will Listen and Listen So Your Mate Will Talk* págs 90-111.

7. Para más información sobre las diferencias en la comunicación entre las mujeres y los hombres, vea **Deborah Tannen, Ph.D., en** *That's Not What I Meant: How Conversational Style Makes or Breaks Relationships* (Eso no fue lo que quise decir: Cómo los estilos de conversación hacen o deshacen las relaciones), **(New York, NY: William Morrow and Company, Inc., 1986),** pág. 142.

8. Reportado por **Jeanette C. Lauer, Ph.D., y Robert H. Lauer, Ph.D., en** *Til Death Do Us Part* (Hasta que la muerte nos separe), (Binghamton, NY: The Haworth Press, Inc., 1986), págs. 133, 134.

9. George R. Bach y Peter Wyden, *The Intimate Enemy: How to Fight Fair in Love and Marriage* (El enemigo íntimo: Cómo pelear con equidad en el amor y el matrimonio). **New York, NY: William H. Morrow, 1969.**

10. Nancy L. Van Pelt, *How to Talk so Your Mate Will Listen and Listen So Your Mate Will Talk*, pág. 140.

11. *Id.*, pág. 141.

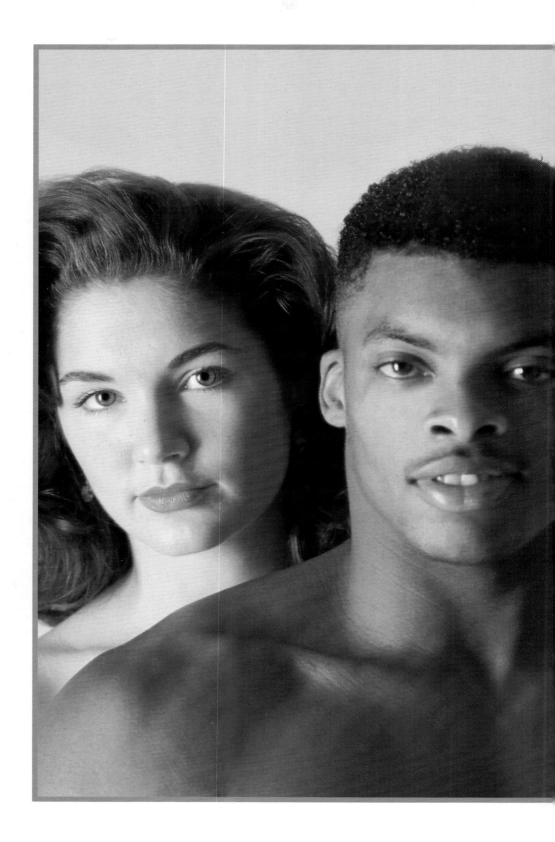

Por qué la mujer no puede

PARECERSE MÁS AL HOMBRE

Hay una diferencia entre los sexos. De todas las cosas locas que existen en el mundo de hoy, seguramente que negar esa diferencia es la más insensata".

Medford Evans

5

El hombre y la mujer: Similitudes y diferencias físicas y psicológicas

LOS HOMBRES Y LAS MUJERES son muy diferentes, y Dios los creó así. Sin embargo, en los años recientes se ha visto una tendencia de minimizar las diferencias con el fin de darle substancia al argumento de que las mujeres no son inferiores a los hombres. Muchas personas aún creen que las diferencias entre los sexos no son innatas, sino el resultado de la educación y el entrenamiento. Pero los sexos son notoriamente diferentes en tantas formas, que sería un grave error ignorar estas diferencias o pretender que no existen. Para que podamos entender cómo estas diferencias afectan la conducta de los hombres y las mujeres, tenemos que tomar el tiempo para examinarlas.

El amor no exhibe las imperfecciones de los demás ni ridiculiza a las personas por sus debilidades. En vez, el amor busca entender a los demás con sus imperfecciones y debilidades.

Cada célula de la persona masculina es genéticamente diferente de cada célula de la persona femenina. La diferencia en los patrones cromosomales es el fundamento del desarrollo masculino y también del femenino. Como resultado de estas diferencias genéticas, las mujeres, en general, poseen más vitalidad física. Es por eso que la típica mujer occidental vive más tiempo que el hombre típico. También la estructura esquelética femenina es diferente a la masculina, la femenina tiene piernas y cabeza más cortas, una cara más ancha, una barbilla menos prominente y un torso más largo. Al parecer, las mujeres pierden los dientes antes que los hombres. En la mujer el estómago, los riñones, el hígado y el apéndice son más grandes, pero los pulmones son más pequeños.

La glándula tiroides, que es más grande y activa en la mujer que en el hombre, aumenta de tamaño aún más durante el embarazo y el período de menstruación, haciendo que las mujeres sean más susceptibles a los proble-mas de gota. Este mayor tamaño de la tiroides le provee a la mujer los elementos que consideramos importantes para la belleza personal: la piel suave, un cuerpo relativamente libre de vello y una capa delgada de grasa subcutánea. La glándula tiroides también contribuye a la inestabilidad emocional de la mujer, lo que la induce a reír y llorar con más facilidad.

La sangre de la mujer contiene más agua y un 20 por ciento menos de glóbulos rojos. Ya que los glóbulos rojos oxigenan el cuerpo, esto podría explicar por qué las mujeres se cansan con mayor facilidad y son más propensas a desmayarse. En Inglaterra, durante la Segunda Guerra Mundial, cuando las horas de trabajo en las fábricas de productos para la guerra aumentaron de 10 horas a 12 horas, los accidentes entre las mujeres se incrementaron en un 150 por ciento, mientras que el porcentaje de accidentes entre los hombres no cambió. **Aunque las mujeres se cansan más fácilmente en un día cualquiera, tienen la capacidad de vivir**

más. Las mujeres también viven más tiempo porque los hombres tienden a limitarse menos en el uso de la sal, la grasa y el colesterol en sus dietas; además tienden a obedecer menos los límites de velocidad, suelen usar menos el cinturón de seguridad y tienen una mayor tendencia a consumir demasiadas bebidas alcohólicas y luego manejar.

Lo mejor de decir la verdad es que no tienes que acordarte de qué fue lo que dijiste.

Anónimo

El pulso de la mujer es más rápido que el de su complemento (ochenta en vez de setenta y dos), y su presión arterial mide, por lo general, unos diez puntos menos, hasta después de la menopausia. **Las mujeres también respiran menos veces por minuto. Las mujeres toleran las temperaturas altas mejor que los hombres, lo cual explica por qué siempre son "frías".** El doctor James Dobson dice que él y su esposa, Shirley, se complementan muy bien en muchas áreas, pero hay algo en lo cual nunca estarán de acuerdo: la temperatura. Según él, Shirley se llega a calentar como a las doce del día a mediados del mes de agosto, pero al día siguiente ya se ha vuelto a congelar.

La menstruación, el embarazo y la lactancia afectan la conducta y las emociones de la mujer. Las investigaciones realizadas acerca de los suicidios revelan que entre 40 y 60 por ciento de las mujeres estaban menstruando cuando se suicidaron. David Levy encontró que la profundidad y la inten-

sidad del instinto maternal (el deseo de ser madre) se relaciona con la duración del período y la cantidad del flujo menstrual. En todas las culturas humanas los hombres son más grandes y más fuertes que las mujeres. El típico hombre es 6 por ciento más alto que la mujer promedio y tiene un 20 por ciento más de peso. La mayor parte del peso adicional procede de músculos más grandes y de los huesos. Debido a esta estructura más pesada, los hombres pueden levantar más peso, lanzar una pelota más lejos y correr más velozmente que la mayoría de las mujeres. **El metabolismo de los hombres es más rápido y produce más energía física. Por lo mismo los varones necesitan más alimento.**

El aumento de la actividad glandular durante la menstruación produce cambios notables en la conducta de la mujer. Estudios hechos sobre los cambios en la conducta muestran que una gran porción de los crímenes cometidos por mujeres (63 por ciento en un estudio realizado en Inglaterra y 84 por ciento en un estudio llevado a cabo en Francia) ocurrieron justo antes que empezara la menstruación. La menstruación también afecta notablemente los suicidios, los accidentes, la calidad de los logros académicos (donde se percibe una disminución), lo mismo como en los resultados de pruebas de inteligencia, de claridad visual y velocidad de las reacciones. El absentismo debido a los problemas menstruales le cuesta millones de dólares anualmente a los Estados Unidos, pero estas pérdidas financieras son secundarias en importancia a las repercusiones en los hogares debido a las peleas domésticas durante este tiempo.

Esto resume algunas de las principales diferencias físicas entre los hombres y las mujeres. Pero, ¿hay también diferencias entre el cerebro masculino y el femenino? Justo después de nuestra boda, yo ya sospechaba que había algo diferente (o problemático) con el cerebro de Harry. Durante una discusión, mientras que yo razonaba a lo largo de niveles normales: niveles que, según mi estimación, cualquier cerebro normal pensaría, Harry respondía con ideas provenientes de otro planeta (¡lo más seguro de Marte!). Yo insinuaba en son de broma que había algo drásticamente mal con su cerebro. (Él pensaba lo mismo acerca del mío). Esto me llevó a investigar la diferencia de los cerebros según el sexo de la persona.

¿Hay algo que realmente anda mal en los cerebros masculinos?

La primera información de estudios que encontré concerniente a este tema provenía del ya difunto Dr. David Hernández, un médico especialista en ginecología y obstetricia . El Dr. Hernández confirmó que a los tres meses de vida se libera testosterona en los varones recién nacidos, lo cual le asigna el sexo al cerebro de ese bebé en particular. ¿Qué es el sexo del cerebro? **Sencillamente quiere decir que el cerebro del hombre es diferente: que está armado de modo desigual y funciona en forma distinta que el de la mujer.** Su disimilitud depende de esta descarga de testosterona.[1]

Se desconoce qué causa esta descarga de testosterona, pero sí se sabe que sin ella hay una tendencia hacia actividades afeminadas o la homosexualidad. **Por lo tanto, la asignación del sexo del cerebro, planeada por el Creador, es lo que hace que las mujeres y los hombres sean tan diferentes.** Es un

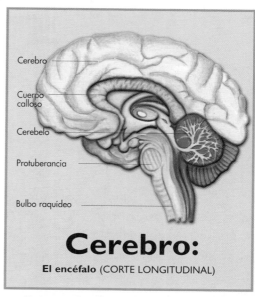

Cerebro:
El encéfalo (CORTE LONGITUDINAL)

Todas las funciones del cuerpo responden constantemente al tono emocional de la mente.

tremendo error, entonces, restar importancias a estas diferencias. Cuando se minimizan, no les prestamos atención. Y si no les prestamos atención, no podemos entender las necesidades diferentes de nuestro cónyuge.

Más diferencias relativas al sexo del cerebro continúan imprimiéndose en las noticias. Un artículo titulado "Mujeres vs. hombres: ¿nacen diferentes?" confirma que las mujeres y los hombres no sólo tienen apariencias distintas, sino que piensan y *actúan* diferente.[1] Este artículo dice que "las mujeres y los hombres nacen con un conjunto de 'instrucciones' disímiles incorporado a su código genético". Por ejemplo: las bebés niñas se orientan más hacia las personas, reconocen los rostros individuales, y pueden distinguir entre las diferentes voces antes que los bebés varones de la misma edad; las niñas aprenden a hablar antes que los niños, tienen mejor pronun-

Aunque las mujeres se cansan más fácilmente en un día cualquiera, tienen la capacidad de vivir más.

ciación, y tienen un vocabulario más extenso que los niños de la misma edad; las niñas también sonríen antes que los niños y continúan sonriendo más a través de la vida.

Los niños se interesan más por las cosas. Un bebé varón de cuatro meses reacciona a un carrusel llamativo colgado sobre su cuna; le gorgea y le responde con la misma facilidad que lo hace hacia su madre. Unos meses más tarde él tratará de desarmar el carrusel. Los niños de edad preescolar se desempeñan arrolladoramente mejor que las niñas cuando se les pide que manipulen objetos tridimensionales. **Los niños también participan en juegos más bruscos y atolondrados y más violentos y se separan de la madre para explorar a edad más temprana y con más frecuencia.**

Hasta hace poco, se consideraba que el medio era el factor más importante en la determinación de la conducta humana. Esta idea casi ha desaparecido. De todas las diferencias de conducta entre los hombres y las mujeres, la agresividad presenta el caso más claro de una conexión biológica. Según la psicóloga Janet T. Spence, "la evidencia que se cita en favor de la base genética de las diferencias sexuales es más determinante para la agresividad que para cualquier otra cualidad temperamental".[2] En ninguna cultura humana que se haya estudiado alguna vez se ha encontrado que la mujer sea más agresiva que el hombre. **Es la presencia genéticamente determinada de las hormonas sexuales masculinas o femeninas lo que tiende a formar al cerebro para la** conducta masculina o la femenina.

Según el mismo artículo, una de las diferencias más notables entre el hombre y la mujer es que ella revela una superioridad verbal mientras que el varón manifiesta una superioridad espacial. Esta cualidad es evidente en tareas tales como leer mapas, resolver problemas matemáticos y la percepción de profundidad. Por ejemplo, para mí los mapas son de poca ayuda (a menos que por casualidad vayan en la misma dirección que yo, lo cual casi nunca sucede). Yo no puedo distinguir el norte del sur (inclusive después de tratar). Harry me dice que estudie las estrellas. Pero las estrellas nunca se quedan en el mismo lugar, ¿ y qué haces en una noche nublada o durante el día? Yo resuelvo el asunto de esta forma: no importa lo que esté frente a mí, ese es el norte; sea lo que fuere que está detrás de mí, ese es el sur. ¡Pero no me digas que vire hacia el este o el oeste!

Para conducir un automóvil y en la habilidad de estacionarlo se necesita la percepción de profundidad. Ya sé que me puedo meter en problemas, pero déjenme preguntar: ¿Quiénes tienen más accidentes de carros, los hombres o las mujeres? La realidad es que tienen más o menos el mismo número de accidentes, pero se trata de percances de diferente tipo. Los varones tienen más accidentes graves, en los que el vehículo queda totalmente destruido. Los hombres son agresivos en las carreteras, lo mismo como en otras áreas de su vida. Las mujeres tienen más accidentes leves. **Puesto que su percepción de profundidad generalmente no es tan precisa como la de los hombres, tienden a juzgar mal las distancias y son más capaces de doblar o de abollar un guardafango.**

Recuerda que nos estamos refiriendo únicamente a *tendencias* masculinas y femeninas; no a características invariables. Hay muchas suposiciones acerca de estas tendencias que se consideran dentro del marco de lo normal. No hay nada anormal en una mujer que aprenda a pilotear, a manejar carros de carrera o que sea maestra de matemáticas en una universidad. Estas mujeres han sido dotadas por Dios con habilidades adicionales que la mayoría de la población femenina no tiene en abundancia.

El simple acto de tomarse las manos puede entretejer vidas y corazones.

Los dos hemisferios del cerebro funcionan en forma diferente. En la mayoría de las personas, el hemisferio derecho se especializa en tareas verbales, mientras que el hemisferio izquierdo se especializa en percepciones espaciales. **¿Hay diferencia entre cómo las mujeres y los hombres usan su cerebro? ¡Definitivamente sí! Esta es parte de la razón por la cual un hombre no puede actuar en forma más parecida a una mujer, ni una mujer comportarse de un modo más similar al del hombre.** Los neuropsicólogos ahora confirman el hecho de que las mujeres y los hombres usan los hemisferios cerebrales en forma diferente. Los varones tienden a especializarse en el uso del hemisferio izquierdo, más que en el derecho, orientándose más a tareas espaciales, mientras que las mujeres tienden a usar más el hemisferio derecho que el izquierdo.

En la actualidad hay estudios médicos que afirman que esta especialización sucede antes del nacimiento, durante el desarrollo del feto. Durante las semanas dieciséis y veintiséis del embarazo, se liberan andrógenos en el sistema endocrino de la madre, que cubren el hemisferio izquierdo del cerebro del feto masculino. La observación científica ha determinado que el diminuto hemisferio izquierdo del varón se encoge de tamaño, lo cual lo adapta para pensar en forma más lógica. El *cuerpo calloso,* que conecta los dos hemisferios del cerebro y permite la transmisión lateral entre ellos, también es afectado por este baño de hormonas, puesto que pierde más o menos un 21 por ciento (equivalente a unos veinticinco millones) de las fibras neurológicas que conectan los dos hemisferios. En otras palabras, a los hombres les cuesta más comunicarse de un hemisferio al otro que a las mujeres.[3]

Ya que el cerebro de las niñas no recibe este baño químico, a ellas se les facilita el uso de los dos lados del cerebro. Lo que ocurre durante el embarazo determina el hecho de que los hombres y las mujeres se especialicen en dos formas de pensar diferentes. **La preeminencia del lado izquierdo del cerebro hace que, en general, los hombres se especialicen en pensamientos más lógicos, objetivos, analíticos y agresivos.** Las mujeres tienden a usar el lado derecho del cerebro, donde está el centro de los sentimientos, la expresión y las habilidades de comunicación. De los dos lados el derecho es el más relacional.[4]

Los dos lados del cerebro también controlan cómo pensamos. Cada lado se especializa en ciertas tareas. El izquierdo, siendo que es más lógico, controla el lenguaje y la lectura; reúne información, la analiza lógicamente paso por paso, y nos ayuda a planear nuestra vida. Procesa cosas tales como salir temprano para devolver los libros a la biblioteca, dónde estacionarse para tener acceso fácil a la oficina del doctor, pagar con crédito o con efectivo por algún artículo. **El lado izquierdo quiere mantenernos organizados, a tiempo y sensatos.** Le ayuda a la persona a leer un mapa, a colocar los muebles en una casa nueva, a hacer un rompecabezas, a empacar el maletero de un carro o a resolver un problema de geometría. **El lado izquierdo es analítico, deductivo, concreto, racional, positivo y explícito.** Esto explica por qué los hombres son más lógicos y definidos. El lado derecho es intuitivo, espontáneo, emocional, visual, artístico, juguetón y corporal. Conecta hechos e inventa soluciones inesperadas.

La mujer está hecha de tal manera que ambos lados de su cerebro funcionan simultáneamente en la solución de un problema. Los dos lados intervienen cuando trabajan. Aún siendo bebés, las niñas tienen conexiones grandes entre los dos lados del cerebro y pueden integrar información con más facilidad que los varones. Por eso se percatan de todo lo que sucede a su alrededor. Esto también explica por qué la mujer puede manejar varias tareas a la vez mientras que su esposo prefiere leer el periódico, sin preocuparse por lo que ocurre en su entorno. Por lo mismo las mujeres son más perspicaces y muy hábiles para darse cuenta de las señales no verbales. Se interesan mucho en las personas y pueden percibir los sentimientos y descubrir la diferencia entre lo que una persona dice y lo que quiere decir, o por qué cambia de forma de pensar tan a menudo.

Las mujeres también pueden desempeñar con suma facilidad las tareas de destreza manual que requieren una coordinación fina de los dedos, tales como tejer, bordar o confeccionar edredones. **A los hombres les resulta más fácil entender cómo funcionan las cosas, y también son más exploradores.** Les gusta examinar las cosas y desarmarlas y sobresalen en una gran variedad de habilidades que requieren manipulación mecánica.

Los hombres pueden concentrarse hasta en ambientes bulliciosos. Las mujeres son muy competentes para integrar los sentimientos con la lógica, las creencias con la realidad y adorar con reflexión teológica.

Lo que antecede no implica que las mujeres no puedan pensar en forma lógica ni que los hombres sean incapaces de hacerlo emocionalmente: sólo decimos que el cerebro masculino está formado para ser más analítico. El de la mujer funciona de una forma más global, pues recibe información de dos hemisferios más rápidamente. **El cerebro de los hombres también tiene acceso a la información de los dos hemisferios, pero tienen que hacer un esfuerzo mayor para usar la del derecho.**

La diferencia entre el cerebro masculino y el femenino explica también por qué las mujeres son más emocionales. Cada hombre está al tanto de sus emociones, pero obtiene acceso a ellas por medio del hemisferio derecho. Las emociones masculinas responden muy bien a las historias. Pero esta es la manera en que los hombres se ponen en contacto con sus sentimientos. Los ministros tienen que estar alertas a esta tendencia masculina para poder afectar a los hombres en sus congregaciones. Los hombres parecen ser llamados al discipulado más por medio de sus sentimien-

tos, y no tanto por medio de la lógica. Jesús, el Creador de los hombres y las mujeres, entendía esto. Esta es la razón por la cual los evangelios abundan en historias: historias acerca de Jesús y su ministerio de curación, al igual que de sus parábolas. Aunque los hombres no pueden ponerse en contacto con sus sentimientos tan directamente como lo hacen las mujeres, sus sentimientos son afectados cuando escuchan historias. Las mujeres podrían derretir el corazón de sus esposos si les contaran historias al estilo de novelas.[5]

> *Cuán increíblemente sabio es nuestro Creador al poner la característica dominante de la lógica en el hombre y la característica dominante de la emoción en la mujer.*

Para mantenernos espiritualmente saludables y fortalecer la iglesia, necesitamos usar ambos lados de nuestro cerebro. Las doctrinas y los dogmas están guardados en el hemisferio izquierdo, el más lógico. Pero la aceptación intelectual de las normas y los reglamentos nunca nos salvará. También tenemos que vivir lo que la Biblia dice y tener una relación personal con el Señor. Esto es propio del hemisferio derecho. Por lo tanto, las mejores teologías combinan las doctrinas con los sentimientos. **El movimiento carismático es altamente orientado al hemisferio derecho o emocional y debe ser atento a las doctrinas.** Aquellos que siguen una persuasión destacadamente tradicional y más legalista necesitan preparar su hemisferio derecho mediante la música. La música despierta las emociones y les permite llenarse de una vida vibrante.

Si bien las diferencias entre el cerebro

masculino y el femenino hacen que la mujer se oriente más naturalmente hacia los sentimientos y el hombre se incline más hacia la lógica, no hay que olvidar que estas dos perspectivas son necesarias en el matrimonio, para vivir vidas saludables y equilibradas. **Ciertamente la vida sería difícil si no tuviéramos sentimientos para balancear la lógica, ni lógica para balancear los sentimientos. En otras palabras, los hombres y las mujeres se necesitan mutuamente para estar completos.** Esto es parte de la atracción que mantiene juntos al hombre y la mujer.

Cuán increíblemente sabio es nuestro Creador al poner la característica dominante de la lógica en el hombre y la característica dominante de la emoción en la mujer. Dios es la única persona total y realmente completa en el universo entero. Nuestro Dios posee características femeninas y masculinas dentro de su perfección. Yo creo que cuando Dios creó a los seres humanos, tomó características masculinas de su naturaleza y se las dio al hombre. Cuando creó a la mujer, él tomó el lado más femenino de su naturaleza y se lo dio a ella. **Vemos a Dios representado mejor sólo en un matrimonio, donde el esposo y la esposa, en vez de convertirse en uno sólo en la relación sexual, dos personas realmente se convierten en una mediante una fusión armoniosa de personalidades, pensamientos, ideas y metas.**

No podemos suponer que todas las personas del mismo sexo siempre tendrán necesidades emocionales idénticas, patrones de conducta duplicados o maneras de pensar precisamente correspondientes. Pero al estudiar las inclinaciones generales dentro de cada sexo, alcanzamos un discernimiento más claro acerca de cómo piensa y reacciona la otra mitad.

SÉ AFECTUOSO

•**Escríbele una notita de amor** y pégala al espejo del baño. •**Sorpréndela con un regalo** sin ningún motivo especial. •**Invítala a cenar** a un restaurante especial. •**Regálale un ramo de flores** acompañado de una tarjeta con un mensaje afectuoso. •**Dile lo bien que se le ve su pelo,** o qué bonitos tiene los ojos, o qué encantador... •**Dale un beso y un abrazo** antes de levantarte de la cama en la mañana. •**Sonríe y guíñale el ojo.** •**Dale un abrazo y un beso cuando llegues a la casa** al final del día. •**Pídele que te acompañe a caminar** después de la cena. •**Dale un masaje de pies.**

La mujer necesita honestidad, sinceridad y confianza.

Cuando una mujer no puede confiar implícitamente en que su marido le da información verídica acerca de lo que hace con su tiempo y su dinero (o de cualquier otra cosa), no tiene una base para mantener su relación con él. **La confianza es fundamental para gozar de un matrimonio altamente eficaz.** Sin honestidad y confianza no puede haber franqueza entre la pareja, y todas las conversaciones se vuelvan tirantes. Si ella descubre que él le ha mentido, que no le ha dado la información real o le ha dicho solamente parte de la historia, su confianza en él se menoscaba, y se pone a la defensiva.

Al parecer algunos hombres nacieron deshonestos. El acto de mentir se convierte en parte de la vida diaria. Para cuando llegan a ser adultos, la mentira está hondamente arraigada en ellos. Fabrican historias acerca de cosas que nunca sucedieron, distorsionan la verdad y no la pueden distinguir de la fantasía. Tal deshonestidad definitivamente desgarra un matrimonio.

Otros hombres dicen mentiras para evitar los problemas. Digamos que una esposa le pregunta a su esposo si pagó cierta cuenta. Él no lo ha hecho todavía, pero planea hacerlo, así que dice: "Ya está arreglado. No te preocupes". Tiene la intención de hacerlo, pero se le olvida. Más tarde ella se entera de que le ha mentido. Cuando se ve descubierto, él actúa arrepentido y dice y hace cualquier cosa para que ella "lo perdone y se olvide". El que miente con el fin de evitar un problema, no lo hace todo el tiempo, sino sólo cuando está por ser atrapado bajo presión o estrés.

Aún otros mienten para "proteger" a sus esposas de algunas realidades desagradables:

que lo despidieron del trabajo, acerca de tomar dinero prestado, sobre haber hecho una compra estúpida o de no poder realizar el pago de la hipoteca de la casa. Él le dice que todo está bien para mantener la paz, cuando en realidad su situación económica está a punto de naufragar..

En cada uno de estos casos, el esposo siente que la deshonestidad se justifica para no alarmar a su esposa. ¿Pero a qué precio? Ella ignora lo que le está sucediendo a su esposo. **Él está irritado, deprimido y taciturno y ella no puede entender por qué.** ¿Qué pasará con el matrimonio cuando ella se entere que él perdió el trabajo o pidió dinero prestado sin decírselo? Entonces ambos tendrán que enfrentar una situación mucho más grave y potencialmente destructiva. **El sentido de falsa seguridad que se crea al proteger a la esposa de la verdad, puede hacerse añicos en unos pocos segundos y ocasionar daños irreparables.**

> *Si una esposa no posee la seguridad de que puede confiar en su esposo completamente, la relación avanzará cojeando hasta que al fin se tambaleará y caerá a causa de los problemas.*

Cuando un hombre se comunica en forma abierta y honesta con su esposa, contribuye a la seguridad emocional de ella. Si siempre es honesto con ella acerca de todo, aunque venga una crisis, él sabe de antemano que ella puede lidiar con el problema. Es posible que a ambos les cause dolor oír la verdad, pero la realidad no la ahuyentará a ella. Al contrario, le permitirá saber cómo ajustarse a la situación para apoyar a su esposo y animarlo mientras

La dedicación a las cosas espirituales así como el estudio de las Sagradas Escrituras son una señal de cambio en las personas.

atraviesa por un momento difícil.

Un hombre y su esposa se pusieron de acuerdo acerca de usar una señal cuando se requería de completa honestidad. Uno de los dos decía: "¿En tu palabra?" Esa señal recordaba a la otra persona que debía ser completamente honesta, sin jugar juegos ni evadir la verdad en ninguna forma. Todas las parejas necesitan una señal similar para que siempre puedan ser honestos sin titubear. **Si una esposa no posee la seguridad de que puede confiar en su esposo completamente, la relación avanzará cojeando hasta que al fin se tambaleará y caerá a causa de los problemas.**

Cuando uno de los miembros de la pareja ha tenido un amorío, la relación podrá recon-

struirse únicamente mediante este tipo de honestidad. La pareja necesitará el asesoramiento de un consejero calificado que entiende la importancia de la honestidad total cuando un amorío ha sido confesado. La confesión permite que el cónyuge culpable se desahogue y provee el ambiente necesario para devolver la estabilidad al matrimonio. Pero la persona herida tiene que recuperar la confianza en su consorte.

Antes de exigir una revelación completa o de confesarte, necesitas hacerte algunas preguntas penetrantes: ¿Realmente es necesario que yo (o mi esposo/a) escuche esto? ¿Qué efecto tendrá sobre nuestra relación si se lo confieso? ¿Por qué razones es preciso que le diga (o escuche) esta información? ¿La revelación completa ayudará o estorbará nuestra situación?[6]

La revelación de un adulterio u otros problemas personales debe ser encarada individualmente. Un paso equivocado podría arrojarte a una catástrofe abrumadora. Busca la opinión de un terapeuta matrimonial cristiano profesional antes de tomar ninguna determinación referente al futuro, y hazlo antes que se hagan demasiadas decisiones irreparables.

A menudo un hombre confiesa que ha sido infiel e inmediatamente pretende que su esposa confíe en él. No es posible prender y apagar la confianza como si fuera una luz. Cuando una persona ha sido culpable de adulterio, se puede reconstruir la confianza, pero no de la noche a la mañana. Toma tiempo. La persona que ha ofendido debería de proveer diariamente información acerca de dónde está, dando razón de todas las actividades para que puedan ser verificadas fácilmente si fuera necesario. Si llegara a cambiar el horario, una llamada telefónica podría enterar a la esposa de ese cambio en los planes. Él podría escribir cada día el horario de todas sus reuniones y citas para que ella lo viera. Yo también recomiendo que la persona culpable participe semanalmente en un grupo de "rendir cuentas", donde se requiera que dé razón de todas sus acciones y de su comportamiento, ante un grupo de personas que se preocupan por él. Los socios del grupo de "rendir cuentas" apoyan al individuo mediante la oración, sin embargo practican un enfoque de "amor firme", para que los deslices no sucedan otra vez. **Además de estos pasos, si un hombre se dedica al estudio diario de la Biblia y a la oración, significa que está en camino a la confiabilidad.**

Un matrimonio puede sobrevivir a pesar de muchas derrotas y luchas. Pero una cosa que el matrimonio no puede sobrellevar es la falta de honestidad.

SPM : no es un cuento de viejas ni se lo está imaginando todo.

El síndrome premenstrual (SPM) es un problema fisiológico que afecta el cuerpo de la mujer y que, a su vez, afecta a todos aquellos que están cercanos a ella. Algunos profesionales de la salud consideran el SPM como uno de los contribuyentes primarios del fracaso matrimonial. Los problemas y las luchas comunes se complican y se magnifican muchas veces cuando el SPM ataca. Las luchas constantes del matrimonio son suficientemente difíciles de sobrellevar, aun cuando el esposo entiende el SPM y provee el apoyo que su esposa necesita durante este tiempo difícil. Desafortunadamente muchos

hombres no comprenden el SPM y a menudo le echan la culpa a sus esposas. Pero ambas personas tienen que recordar que la esposa no está loca y que no se lo está imaginando todo. También necesitan saber que sí hay algo que pueden hacer acerca del SPM.

> *Un matrimonio puede sobrevivir a pesar de muchas derrotas y luchas. Pero una cosa que el matrimonio no puede sobrellevar es la falta de honestidad.*

El SPM está definido como un trastorno físico y psicológico que ocurre en forma regular durante la misma fase del ciclo menstrual de la mujer (entre la ovulación y el comienzo de la menstruación), seguido de un período libre de síntomas. La fatiga, la depresión, la tensión, los dolores de cabeza, y los cambios de estado de ánimo, por mencionar sólo algunos, son síntomas comunes del SPM. Otros indicios relacionados con el SPM son tanto psicológicos como físicos:

Ira, retención de agua (hinchazón), cambios repentinos de estado de ánimo, aumento de peso, hipersensibilidad emocional, acné, llanto inexplicable, mareos, irritabilidad, migrañas, ansiedad, diarrea, falta de memoria, sudor, disminución en la capacidad de concentrarse, sensibilidad y dolor en los senos, dolor muscular y en las articulaciones, confusión, dolores de espalda, enajenamiento, cambios en el deseo sexual, sensibilidad al rechazo, estreñimiento, depresión, antojos de comida, pesadillas, temblores, pensamientos suicidas, ataques.

Para que verdaderamente se clasifiquen

Calendario de Síndrome premenstrual

Enero

Dom	Lun	Mar	Miér	Juev	Vier	Sáb
					1	2
3	4	5	6	7	8	9 HS PL RA LL
10 HS PL LL	11 HS RA LL	12 DC HS CA RA	13 DC HS CA LL	14 DC HS Sed RA	15 M	16 M
17 M	18 M	19 M	20	21	22	23
24	25	26	27	28	29	30
31						

Febrero

Dom	Lun	Mar	Miér	Juev	Vier	Sáb
	1	2	3	4	5	6 DP HS
7 DP HS LL	8 DP HS LL	9 HS RA LL	10 AN HS AN	11 AN HS CA RA	12 DC HS CA Sed	13 DC HS Sed LL
14 M	15 M	16 M	17 M	18	19	20
21	22	23	24	25	26	27
28	29					

CLAVES:

Llorar = **LL**   Menstruación = **M**   Pelear = **PL**

Calambres = **CA**   Dolor de cabeza = **DC**   Depresión = **DP**

Ansiedad = **AN**   Hipersensibilidad de senos = **HS**   Retención de agua = **RA**

Tabla adaptada del libro PMS – *What Every Woman Should Know About Pre-Menstrual Syndrome* (Lo que toda mujer debería saber acerca del síndrome premenstrual), de Rene L. Witt (Nueva York, NY: Stein & Day, 1983).

como SPM, los síntomas tienen que ser suficientemente severos como para interferir con algún aspecto de la vida diaria. **El SPM no debe ser usado como pretexto para justificar cualquier comportamiento inexcusable.** Las personas que sufren del SPM genuino experimentan estos síntomas en forma cíclica y repetida en relación directa con el ciclo menstrual y dejan de sentirlos después que comienza la menstruación. Estos síntomas ocurren mensualmente, generalmente entre siete y catorce días antes de la menstruación. Es posible que los síntomas empeoren a medida que se acerca el período y se alivien cuando comienza o después de varios días de menstruar. Por lo general, después de la regla hay un período libre de síntomas. Los síntomas pueden durar desde un par de días hasta un par de semanas.

Expertos en medicina estiman que hasta un 80 por ciento de todas la mujeres han tenido síntomas del SPM alguna vez, pero que tan sólo 8 a 10 por ciento los experimentan en un grado tan severo que requieren tratamiento médico. **Aunque no hay ninguna solución rápida para el SPM, hay varias cosas que se pueden hacer y deberían de hacerse para ayudar a que tanto el esposo como la esposa puedan sobrellevar mejor el problema:**

Haz una gráfica del ciclo menstrual. Esta es la mejor forma de obtener la información y determinar si en verdad están lidiando con el SPM o alguna otra cosa. **Es la única forma de obtener información objetiva y detectar los patrones.**

Busca información. Tanto el esposo como la esposa necesitan averiguar lo más que puedan acerca del SPM. **El esposo debe de acompañar a la esposa a las citas médicas, hacer preguntas y buscar información acerca de los síntomas específicos de ella.** Lee folletos y artículos en cuanto al SPM.

Come saludablemente. Para muchas personas que sufren del SPM, la dieta hace una gran diferencia. Una semana o dos antes que empiece, elimina el azúcar (incluyendo la miel, el sirope y los aditivos como la fructosa y la sacarosa), la cafeína (en el café,

Está demostrado que una alimentación adecuada constituye la base de una salud rebosante; sobre todo si proviene de productos naturales.

en el chocolate y en los refrescos), los endulzantes artificiales, los cigarrillos y el alcohol. Incluye en tu dieta los granos integrales (panes, pastas, arroz sin pulir), los frijoles, las nueces, los vegetales frescos (especialmente la espinaca), y las frutas. **Evita las comidas saladas y ahumadas y los productos de leche. Si la retención de agua es un problema, limita la cantidad de frutas y elimina los jugos de frutas. Haz ejercicios en forma regular.** Algunos expertos están de acuerdo en que uno de los mejores tratamientos para el SPM es el ejercicio. El relajamiento mediante las respiraciones profundas, las caminatas, los masajes, o un baño caliente, también reducen la tensión.

Lo que pueden hacer los esposos. Aprende qué tipo de apoyo requiere tu esposa durante este tiempo; es diferente de mujer a mujer. Anímala para que camine, y camina con ella. Dale un descanso de los quehaceres del hogar. Prepárale una comida saludable, o llévala a comer. Guárdate las noticias extraordinarias o las discusiones para un tiempo cuando ella pueda lidiar con las cosas en una forma más racional.

No tomes a pecho lo que sucede durante los cambios de su estado anímico. **Esto sólo complica la situación. Reconoce que el SPM es una parte normal de su vida, y acepta este hecho sin desesperarte por algunas de las cosas que ella hace o dice. Expresa tus pensamientos y sentimientos sin echar culpas ni acusar.**

Hasta el momento no hay ningún tratamiento específico con medicamentos para el SPM. Un estudio reciente publicado en el *New England Journal of Medicine*, dice que "el SPM es el resultado tanto de los cambios experimentados en los niveles hormonales como de su interacción con los neurotransmisores centrales, tales como la serotonina".[7] La doctora Judith Wortman está involucrada en nuevas investigaciones que se están llevando a cabo con el fin de explorar cómo se relaciona la serotonina con el estado de ánimo de las mujeres y los cambios en la alimentación, incluyendo aquellos experimentados durante el SPM. La serotonina es un químico natural presente en el cerebro, que regula el estado de ánimo y el apetito. La investigación de la Dra. Wortman muestra que por lo general el nivel de serotonina durante los días de SPM, es más bajo que los niveles normales, lo cual hace que las mujeres experimenten, en relación con el SPM, cambios en el estado de ánimo y en el apetito.

El SPM no tiene que destruir a la familia. **Las mujeres deben aprender a comunicarle a sus esposos sus requerimientos físicos y emocionales.** Y esto tienen que hacerlo en un momento cuando no estén pasando por el SPM. Los esposos también necesitan aprender cómo comunicarle a sus esposas cómo les está afectando a ellos el SPM.

La mujer necesita seguridad financiera.

Abundan los chistes acerca de las mujeres que se casan con el hombre por su dinero. Pero hay un poco de verdad en ellos. La mujer precisa que su esposo gane suficiente dinero para mantenerla por lo menos tan bien como lo hacía su padre cuando ella estaba creciendo. Las mujeres tienen el derecho de esperar que el esposo las mantenga financieramente, ya que Dios ordenó que el esposo debía proveer para la familia.

Muchas mujeres hoy en día trabajan fuera de la casa. **Ellas afirman que desean y necesitan una profesión para ser felices. Pero también oigo de muchas que resienten el trabajo, especialmente cuando se sienten** **forzadas a hacerlo para pagar los gastos básicos de la casa.** A menudo la realidad es que la norma de vida de la familia demanda que la esposa trabaje para contribuir a sufragar los gastos mensuales, porque el sueldo del esposo solo no alcanza a cubrirlos.

Muchas mujeres obtienen un empleo con el fin de mantener una norma de vida igual que la de sus vecinos o amistades, vivir en casas más grandes y mejores, sin mencionar la obligación de mantenerse al día con los pagos al banco y las deudas de las tarjetas de crédito. La mayoría de estas parejas —donde ambos trabajan— han establecido para su hogar una norma de vida que supera a la de sus necesidades. Si su norma de vida pudiera ser más realista y conformarse con una casa más pequeña, pero cómoda —tal vez no nueva ni tan lujosa—, el esposo podría más a menudo estar en la casa con la familia, y la esposa no tendría que trabajar fuera del hogar durante los años críticos de la infancia de los hijos.

Las mujeres debieran sentirse libres de escoger una profesión si así lo quieren. Pero deberían depender del sueldo del esposo para cubrir los gastos básicos de la vida y mantener a la familia. Conviene que las familias aprendan a vivir con el sueldo del esposo en lugar de verse obligados a depender de dos sueldos para saldar las deudas básicas de cada mes. La mayoría de las familias se mantienen a uno o dos meses del desastre financiero. Cuando ambos trabajan, si alguna crisis grande le sucediera a uno de los cónyuges, la familia lo perdería todo.

La pareja puede vivir con un solo sueldo, tal vez no a la altura de la norma a la cual aspiran, pero pueden hacerlo, y deben de hacerse. Yo recomiendo mucho el

La mujer precisa que su esposo gane suficiente dinero para mantenerla por lo menos tan bien como lo hacía su padre cuando ella estaba creciendo.

ibro de Larry Burkett, *Cómo vivir libre de deudas (Debt Free Living)*.[8] Su lectura ciertamente cambió mi vida y la de Harry. Bajo la tutela de Burkett —por medio de sus libros, su serie de videos y seminarios— pagamos nuestra casa en muchos menos años, ahorramos miles de dólares de intereses, y llegamos a ser dueños de una residencia sin deudas. Mantuvimos sólo una tarjeta de crédito, que pagábamos fielmente cada mes. Aunque con el tiempo compramos una nueva casa, la hemos mantenido como nuestra única deuda, y la estamos amortizando con pagos adicionales con el fin de liquidarla tan pronto como sea posible.

Los hombres necesitan comprender que la seguridad financiera de la mujer está conectada vitalmente con el respeto que ella tiene por su esposo. El hombre no tiene esta urgencia. Él deriva satisfacción al suplir adecuadamente las necesidades financieras de su familia. Algunos hombres, inclusive, se sienten incómodos cuando su esposa trabaja, especialmente si gana más que ellos. El hombre, por lo general, quiere verse como el proveedor principal. No obstante su capacidad de ganar dinero, la mujer generalmente desea que su esposo gane lo suficiente como para mantenerla y cuidarla (y siente que no es su obligación mantenerlo ni ayudarle financieramente a él).

Piensa en lo que realmente *necesitas*, en vez de preocuparte por lo que *quieres*. Las cosas que se nos antojan, pero que en realidad no *necesitamos*, pueden convertirse en nuestros peores enemigos. **Los hombres a veces se matan trabajando, tratando de alcanzar un nivel de vida que no sólo no coadyuva a la felicidad del matrimonio, sino que en efecto contribuye al estrés matrimonial y a la falta de armonía.**

127

Algunos hombres piensan sinceramente que al trabajar en exceso para ganar más dinero y hacer posible una condición de vida más espléndida, le están demostrando a la esposa que la aman. Pero cuando la mujer siente que se la descuida, y considera que su esposo pone el dinero, el nivel social y su trabajo antes que ella, su resentimiento crece.

Cuando el sueldo de un hombre no es suficiente para mantener a su familia, aún después de hacer una evaluación cuidadosa y de eliminar los gastos superfluos, él necesita mejorar sus conocimientos para así mejorar su situación laboral. Todas las parejas tienen que llegar a comprender el alcance de sus finanzas y conformarse con lo que sus entradas les pueden permitir. Un presupuesto ayuda a determinar en qué se está gastando el dinero y cómo se puede ahorrar. Muchas parejas establecen una norma de vida socioeconómica mucho más elevada de lo que necesitan para ser felices.

Las mujeres tienen el derecho de esperar que el esposo las mantenga financieramente, ya que Dios ordenó que el esposo debía proveer para la familia.

La mujer necesita un compromiso hacia la familia, de parte de su esposo.

La mujer necesita que el hombre dedique tiempo y atención a la unidad familiar. Especialmente en las familias con niños en el hogar, la mujer necesita que el padre se aplique al desarrollo moral y educativo de sus hijos. **El hombre tiene que reconocer que**

cuando él les dedica tiempo de calidad a sus hijos, automáticamente está fortaleciendo su matrimonio porque su esposa lo respetará más y lo admirará por su esfuerzo. Tiempo de calidad implica estar con los hijos más tiempo del que se invierte en tareas tales como cuidar al niño (vestirlo y darle la comida); que sea tiempo para la interacción positiva y el desarrollo de los lazos de amor y respeto.

¿Qué actividades podría llevar a cabo la familia con el fin de disfrutar de tiempo de calidad y alcanzar las metas de fortalecer los lazos de amor y respeto? Aquí hay algunas sugerencias:

•Montar en bicicleta. •Leer en voz alta antes de la hora de dormir. •Asistir a la iglesia. •Enseñar a los niños acerca de planeación financiera. •Asistir a reuniones familiares. •Dirigir el culto familiar e involucrar a los niños. •Jugar juegos de mesa como *Uno.* •Un proyecto de toda la familia, como construir un carrito motorizado. •Participar en eventos deportivos.

Tu meta durante este tiempo es demostrar prácticamente a los niños que es divertido estar juntos como familia. Mientras estén juntos, muéstrales cómo se logran la participación, la colaboración, el respeto y el entusiasmo. Los niños menores de doce años por lo general pueden ser inducidos a participar en actividades familiares sin mucho problema. Pero una vez que los niños entran en los años de la adolescencia, las actividades con las amistades se vuelven prioritarias. Los padres de los adolescentes sólo pueden *tratar* de interesar a sus hijos a participar en eventos bien planeados, diseñados para interesarlos. **Lo ideal es empezar temprano en la vida** con las actividades de la familia y permitir que los niños crezcan con esta idea.

Tal vez el concepto más importante que los hombres tienen que aprender es el de trabajar *con* su esposa y no *en contra* de ella en la disciplina y el entrenamiento de los hijos. Cuando un niño quiere un privilegio, sólo se le concede después que mamá y papá lo han discutido en privado y pueden darle una respuesta de mutuo acuerdo. Si los hijos saben que no pueden pedirle a uno lo que el otro les negó, por lo general abandonan la conducta desafiante. Todos los permisos deberían ser autorizados por acuerdo del padre y la madre, o no se toma ninguna decisión.

A veces es difícil que el hombre tome tiempo para la familia. Frecuentemente los hombres se involucran demasiado en su trabajo, en las responsabilidades de la iglesia, en diversas actividades necesarias y en los pasatiempos. Estos quehaceres son muy atractivos para ellos. A veces el hombre prefiere trabajar en lugar de ir a la casa, porque al hacerlo satisface las necesidades de su ego.

Todo hombre necesita decidir sus prioridades. Haz una lista de actividades que describan cómo estás viviendo y otra de cómo deberías estar viviendo. Si descubres que necesitas hacer cambios, ahora es el momento de realizarlos. Ahora es el momento, porque aunque no te des cuenta, los años simplemente están pasando. Los niños crecen. En realidad no conocen a su papá; algunos sólo saben que es un hombre que a veces duerme en la casa. La esposa, aunque no se divorcia, se aleja de él. A menos que se hagan cambios, un día el hombre se despertará para encontrar que los hijos han crecido y la esposa se ha ido. Y no hay nada que

Es deber y privilegio del esposo y la esposa esforzarse decididamente por establecer y mantener entre ellos una relación saludable y constructiva que sostenga el matrimonio y la familia con seguridad y verdadera dicha.

pueda hacer para traerlos de vuelta. **Él tiene todos los bienes materiales que el dinero puede comprar –una casa lujosa, la posición en el trabajo y riquezas–, pero su familia se ha ido.** ¿De qué le sirve todo esto si no tiene con quién disfrutarlo? ¿De qué sirve el éxito y una gran casa vacía?

Lo que las mujeres debieran entender acerca de los hombres

En numerosas ocasiones he preguntado a las mujeres que asisten a mis seminarios qué las impulsó a venir. Lo he hecho para así poder presentar material que satisfaga mejor sus necesidades y para incrementar la efectividad de mi publicidad. **Típicamente la respuesta más común ha sido su deseo de** entender mejor a los hombres. Aunque no todos los hombres son iguales, lo que se presenta aquí está diseñado para ayudar a las mujeres a entender mejor que sus esposos son normales cuando exhiben ciertas actitudes, acciones y tendencias.

La sociedad de hoy, altamente competitiva y compleja, somete la masculinidad de los hombres a enormes ataques.

La fuerza del ego masculino.

"Yo ya no entiendo a mi esposo —me confió una esposa afligida—. A él nunca le molestaba cuando yo le hacía sugerencias referentes a su ropa, pero ahora estalla si le digo algo. Antes colaboraba de buena gana en los quehaceres domésticos; pero desde que empecé a trabajar fuera y realmente necesito su ayuda, lograr que me auxilie es como tratar de sacarle una muela sin anestesia".

El esposo de esta mujer sufría de lo que se podría llamar un ego lastimado. Intelectualmente él estaba de acuerdo en que su esposa debía trabajar fuera de la casa. Pero emocionalmente, tenía problemas para aceptarlo. Su ego sensible sufrió cuando se dio cuenta de que él ya no podía mantener a la familia sin la ayuda de su esposa. Ahora sentía que era inadecuado como proveedor de la familia y se volvió criticón y se puso a la defensiva ante cualquier amenaza, real o imaginada. Puesto que ella no entendía que el ego de él estaba en la balanza, su esposa empeoraba las cosas cuando se quejaba.

Ningún hombre es completamente in- **mune a los problemas del ego.** La sociedad de hoy, altamente competitiva y compleja, somete la masculinidad de los hombres a enormes ataques. Las mujeres también tienen problemas del ego, pero el ego del hombre es mucho más vulnerable. La fuerza del ego masculino afecta fuertemente la salud de la relación matrimonial. El hombre con una autoimagen saludable y un fuerte sentido de masculinidad y de valor propio es mucho más feliz y mucho más competente para lidiar con la vida que un hombre plagado de dudas y sentimientos de insuficiencia.[9]

La fuerza del ego del hombre está amenazada por fluctuaciones frecuentes. Alguien ha dicho que es como caminar la cuerda floja cada día sobre el abismo del fracaso. Algunos hombres parecen vivir todo el tiempo a un par de centímetros del fracaso. La sociedad de hoy impone altas normas para los hombres. El hombre de ayer era considerado adecuado si atendía las necesidades de su familia. Hoy, proveer no es suficiente. Él debe llegar a la cumbre, y ser el mejor en su profesión. **La competencia y la tensión correspondiente que enfrenta en el trabajo pueden marcar hondos huecos en su ego.**

El mundo de hoy también espera que él sea un esposo sensible, un buen amante para su esposa, un padre que participa en las actividades de sus hijos, que sea la vida de todas las fiestas, y que también se distinga en alguna actividad recreativa. No es suficiente que él *se esfuerce* por alcanzar estas metas; tiene que *alcanzarlas*.

Muchos hombres regresan del trabajo después de un día muy atareado, necesitando un bálsamo para sus egos lastimados. Demasiado a menudo encuentran lo opuesto. Algunas mujeres le echan la culpa al esposo por todo lo que anda mal y los hieren en formas sutiles –a menudo sin darse cuenta de que lo están haciendo– cuando se quejan de la cantidad de dinero que ganan. Cuando un hombre escucha comentarios despreciativos acerca de su capacidad de ganar el dinero –la única forma tangible de medir su éxito como proveedor–, su ego sufre. **Aún peor es la esposa que hace alarde de su propia contribución a las entradas de la familia.**

El mayor desafío para el ego masculino sin duda se presenta en la cama matrimonial. Hoy en día, si el hombre no satisface a su esposa cada vez que tienen relaciones íntimas, él se considera un fracaso, a pesar de que esta meta no sea realista. **Cuando las cosas van bien en el trabajo y en otras áreas, él puede no hacerle caso a la crítica sobre su desempeño en las relaciones sexuales.** Pero cuando su ego ha sido debilitado en alguna otra área, dicha desaprobación puede ser la chispa para producir días de fricción y tensión.

Ya que no se supone que los hombres lloren ni que muestren sus emociones, el hombre puede sufrir golpes perjudiciales a su ego sin que aparente sentirlos. Puede ser que él apenas reconozca cuando le das un cumplido acerca de su apariencia, o se encoja de hombros cuando su juego de golf no vaya bien, pero no creas que tus palabras no han penetrado profundamente. Puedes estar segura de que él está doblemente más dolido de lo que admite estar.

El hombre a menudo se jacta de sus logros para disfrazar sus sentimientos de insuficiencia propia. Esto era tan vergonzoso para una esposa, que ella lo humillaba públicamente, sin darse cuenta de que le estaba dando un golpe en su punto más vulnerable:

su ego decreciente.

Uno de los servicios más vitales que una mujer le puede hacer a su marido, a su matrimonio y a ella misma, es fortalecer el ego de su esposo cuando él está siendo atacado. Ella le puede quitar presiones de encima cuando él esté bajo estrés y lidiar con los problemas diarios calladamente por sí sola. **La mujer que encuentra en su esposo algo digno de halagos puede ayudar a fortalecer su ego debilitado.** No importa lo que le diga, siempre que los halagos sean genuinos.

> *Uno de los servicios más vitales que una mujer le puede hacer a su marido, a su matrimonio y a ella misma, es fortalecer el ego de su esposo cuando él está siendo atacado.*

Expresa aprecio por todo aquello que él ha provisto o ha tenido una parte en proveer, incluyendo los hijos. Y anímale para que sea franco contigo. Mientras más abiertamente él pueda hablar de sí mismo con su esposa, más seguro se sentirá. Escucha con un oído abierto y sin críticas.

La mujer que es capaz de sanar el ego herido de su esposo, se convierte en la persona más importante del mundo para él. Ella puede ganarse su gratitud eterna y su afecto, lo cual producirá grandes dividendos en el resto de su vida matrimonial.

Una esposa atractiva.

El atractivo físico de la esposa es más importante para el hombre de lo que la mayoría de las mujeres comprenden. Una mujer atractiva es aquella que se parece a la mujer con quien él se casó, no alguien que ha

La gracia de la mujer es de importancia vital para el éxito de su matrimonio.

permitido que el peso excesivo se le vea por todas partes. Y no hay ninguna excusa para permitir que tu pelo o tu forma de vestir se deterioren hasta que parezcas una vieja fea.

A muchas mujeres no les gusta oír esto. Rehúsan cambiar su estilo de comer y añaden cinco kilos por año a sus figuras deformadas. Sus esposos pierden el deseo y el interés por el sexo, y por lo general no son muy afectuosos. Y es enteramente posible que sean tentados por alguna "seductora" a quien conocen.

Nota a los hombres: **No seas demasiado duro con tu esposa si ha subido unos cuantos kilos.** Es un hecho documentado que a los hombres les cuesta menos bajar de peso que a las mujeres, porque su tejido adiposo está distribuido en forma diferente. Los hombres también tienen más tejido muscular que las mujeres. Mientras mayor es la

proporción entre el tejido muscular y el tejido adiposo, más fácil resulta quemar la grasa.

Dios creó a los hombres para que fueran estimulados sexualmente por medio de la vista, al mirar y disfrutar lo que ven. Cuando una esposa se ve bien, el esposo se deleita con lo que ve. Si la esposa se descuida, él no se sentirá estimulado a mirarla frecuentemente, y cuando lo haga podría suceder que pierda el deseo, e inclusive que lo que vea le resulte repulsivo. De repente es posible que empiece a notar a otras mujeres, lo cual lo hace sentirse culpable. Aunque él no busque un amorío, puede hacerse vulnerable a uno.

Una esposa puede manenerse en guardia contra esta eventualidad haciendo un esfuerzo razonable por mantenerse atractiva. Una prueba sencilla de tu atractivo es cuánto disfruta él de mirarte y qué hace después que te mira. **La estimulación visual**

debe dar lugar a la estimulación sexual. Aunque él no busque un encuentro sexual, la mayoría de los esposos acarician a la esposa o la halagan cuando la encuentran físicamente atractiva.

Las mujeres también desean que el esposo sea atractivo. Pero la diferencia radica en que el atractivo físico del hombre no figura muy arriba en la lista de las necesidades más importantes de la mujer.

Es probable que la esposa produzca una diferencia dramática en su apariencia al usar un poco de maquillaje para realzar la belleza natural que Dios le ha dado, especialmente a medida que pasan los años.

Si tienes sobrepeso y no logras adelgazar por mucho que te esfuerces (y como yo tengo problemas de peso entiendo muy bien lo difícil que esto puede ser), vas a tener que prestarle más atención a tu vestuario. Una mujer menudita y delgadita puede ponerse casi cualquier ropa y verse atractiva. Una mujer gorda puede verse atractiva, pero tiene que esforzarse más para lograrlo. Los pantalones de mezclilla informales y una camiseta pueden verse bien en una mujer delgada. Pero no hay nada de elegante en una dama gorda con muslos abultados y una camiseta grandota colgada de sus hombros en un intento inútil por tratar de esconder las lonjas. Las mujeres grandes pueden ser atractivas, pero sólo cuando le prestan mucha atención al corte y a las líneas de su ropa, al igual que al color y el diseño. Más importante que nada, vístete para ser atractiva para tu esposo.

Por lo demás, encontrarás que se siente bien ser una mujer atractiva todo el tiempo. No necesitas ser una belleza extraordinaria, pero puedes sacarle el mejor partido a lo que tienes. Al sacarle el mejor partido a lo que tienes, puedes lograr una apariencia muy hermosa. En gran medida, una esposa no nace atractiva, pero puede hacerse encantadora.

La gracia de la mujer es de importancia vital para el éxito de su matrimonio. Una esposa que no le hace caso a esta información, cualquiera sea la razón, se arriesga a terminar en desastre. **Revitalizar tu atractivo hará maravillas para tu autoestima. Cuando te ves mejor, te sientes mejor.** Y cuando veas a tu esposo reaccionar a la "nueva tú", vas a sentir satisfacción interna. También estarás satisfaciendo una necesidad que él tiene, aunque es posible que él nunca se haya atrevido a expresarla. Además, estarás haciendo depósitos en su CBE.

> *Lo que se hace pasar muchas veces como intuición femenina no es más que transparencia masculina".*
>
> *George Jean Nathan*

Edie cuenta que había sido un invierno largo y frío y que ella prácticamente lo había vivido en un suéter viejo y unos pantalones de mezclilla. Pero una tarde decidió darse un baño, cambiarse de ropa y ponerse un vestido atractivo antes que su marido regresara. Cuando llegó a la casa, su esposo preguntó: "¿Estás esperando visitas?" Su hijo entró y preguntó: "¿vas a salir, mamá?" Y el vecinito de enfrente, que pasaba horas frente al televisor cada día, levantó la mirada cuando ella pasó por el cuarto y preguntó: "¿quién fue esa?" Esta variedad de reacciones fue una lección valiosa para Edie.

Compañerismo recreativo.

WILLARD HARLEY, JR., en su libro *Las necesidades de él, las necesidades de ella (His Needs, Her Needs),*[10] pone el compañerismo recreativo en segundo lugar en la lista de las necesidades más apremiantes del hombre: segundo sólo a su necesidad primaria de satisfacción sexual. Yo estoy de acuerdo con la evaluación de Harley, porque el hombre encuentra intimidad o cercanía mediante la participación en actividades con una mujer.

En un capítulo anterior expliqué cómo las niñas por lo general juegan con una "mejor amiga" y comparten "secretos" entre las dos. Después que una se casa, ella espera disfrutar de conversaciones francas, íntimas y significativas con su esposo, a quien desea tener como su mejor amigo. **Ella recibe una gran cantidad de satisfacción emocional de estas conversaciones; pero es posible que él sienta que hay problemas serios entre ellos, puesto que tienen que seguir discutiendo las cosas.**

En contraste, los niños más a menudo juegan en grupos y al aire libre. Hay menos conversación entre los niños y más "acción" cuando se juntan. Los muchachos disfrutan de las actividades. Importa muy poco si la actividad es tirar piedras, practicar baloncesto, patear una lata, o mecerse de un árbol; los varones están condicionados desde la niñez a disfrutar de juntarse y participar de alguna actividad, con mucho menos "hablar". Ya siendo adulto, el hombre transfiere este deseo a su esposa: él quiere disfrutar de ir a lugares y hacer cosas con ella. Practicar de una actividad con ella satisface su deseo de que se una con él para hacer lo que él está haciendo. Él se siente cerca y logra un sentido de intimidad.

Las mujeres son expertas en acompañar al novio o al prometido en diversas actividades durante el noviazgo. Pero una vez que se casan y establecen un hogar, ya no sienten la necesidad de acompañar al esposo en la búsqueda de juegos y recreación. Sienten que ahora tienen "cosas más importantes" que hacer, como limpiar la casa, cocinar, y cuidar a los niños. Pero las mujeres que pierden la oportunidad de acompañar al esposo en sus actividades recreativas, posiblemente encontrarán que, a pesar de todos sus esfuerzos y deseos, nunca formarán una relación íntima con su esposo. Tales mujeres son rápidas en apuntar al esposo y echarle la culpa, pero el dedo decisivo las apunta a ellas. Estas mujeres nunca consideraron importante tomar tiempo para "jugar" con sus esposos.

Cuando se trata de divertirse y van en pos de actividades, los hombres y las mujeres tienen gustos muy diferentes. **Los varones, por lo general, parecen disfrutar de actividades que involucran más riesgo, más aventura y más violencia que las mujeres.** Ellos disfrutan de actividades tan diversas como jugar fútbol, boxeo, cacería, pesca, vuelo libre, buceo, andar en vehículos motorizados sobre la nieve, paracaidismo, motonetas de cuatro ruedas, carreras en motocicleta, etc. Su gusto por las películas es diferente que el de las mujeres. Generalmente prefieren películas más fuertes, que tienen que ver con deportes, política, carros y violencia.

Las mujeres disfrutan más de activi-

El esfuerzo por mantener el compañerismo familiar da la oportunidad de fortalecer la unidad de sus integrantes.

dades relacionales. Una actividad favorita de las mujeres es salir a comer. Cuando una mujer se sienta a la mesa, al lado opuesto del esposo, se hace posible el contacto visual y la conversación mientras que ella habla acerca de la gente y las relaciones. Para ella, esta es una prueba de que está involucrada, interesada y que sí le importa. **El intercambio de ideas con alguien a quien ella ama le provee cercanía e intimidad.** Cada miembro de la pareja encuentra la cercanía y la intimidad en forma diferente. Si no entienden esto, es posible que ninguno de los dos alcance nunca la intimidad.

A menos que la mujer aprenda a adaptarse y acompañe a su esposo en actividades recreativas, él irá solo o con sus amigos. Es posible que nunca abandone a su esposa ni la deje de amar, pero ella ciertamente será un estorbo para su estilo de vida.

Esto también significa que algunas de las cosas que a él más le gusta hacer nunca podrá compartirlas con su esposa. Si ella rehúsa participar en sus asuntos recreativos y lo obliga a quedarse en casa, él podría llegar a resentir el tiempo que está en la casa. Es posible que ella se moleste cuando él se ausenta un fin de semana para ir a pescar o de cacería, pensando que en vez de aquello debería estar pasando tiempo con ella y con los hijos.

Muchos hombres se engañan durante el noviazgo. Creen que han encontrado a la compañera perfecta, alguien que realmente se interesa en lo que ellos aman. **Después del matrimonio, cuando la esposa rehúsa salir con él, el esposo a menudo se siente defraudado y sale solo.** Debido a la renuencia de ella de unirse a su equipo de boliche, él se va solo. Conoce a Bonnie, a quien le encanta el boliche. Comparten algunas risas, comparan sus puntajes de boliche mientras beben juntos una taza de café, y sin siquiera desearlo, están involucrados en un verdadero amorío. Si esta escena se lleva hasta su trágico final, el esposo se divorcia de su esposa y se casa con Bonnie, sólo por satisfacer esta necesidad. El esposo que transita por este camino debe percatarse de otra situación que frecuentemente ocurre. Una vez que está casado con Bonnie, es posible que descubra que el interés de Bonnie en el boliche se está rezagando, porque ella realmente prefiere los conciertos, los días de campo, los paseos por el parque, las películas románticas, los eventos culturales y salir de compras.

Las mujeres abiertamente comunican su deseo de que sus esposos satisfagan su necesidad de atención afectiva y cariño. Pero tienen que aceptar la otra cara de la moneda: la necesidad del hombre de disfrutar de su compañía en sus actividades recreativas. La esposa que no reconoce ni satisface esta necesidad perderá oportunidades de hacer depósitos en la CBE de su esposo y además perderá preciosas ocasiones para divertirse mucho con él y convertirse en su mejor amiga.

Los hombres y el estrés

Los estudios confirman que el estrés es más nocivo para los hombres que para las mujeres:

1 **Dos veces más hombres que mujeres mueren de problemas relacionados con enfermedades del corazón.**
2 **La neumonía y la influenza causan tres veces más muertes entre los hombres que entre las mujeres.**
3 **Los accidentes y las reacciones adversas a los medicamentos matan tres veces más hombres que mujeres.**

4 **La proporción de suicidios entre hombres y mujeres es de tres hombres por cada mujer.**
5 **Treinta por ciento más de hombres mueren de cáncer que mujeres (el cáncer puede estar relacionado con el estrés).**
6 **Los hombres viven menos tiempo: ocho años menos que las mujeres.**
7 **Los hombres exhiben más problemas de salud relacionados con el estrés, como la hipertensión, la arterioesclerosis, los ataques de corazón y la insuficiencia cardíaca.**

El estrés ocurre por cualquier cosa que molesta, amenaza, excita, preocupa, enoja, frustra o desafía la autoestima. Estos eventos, ya sean placenteros o no, empujan el cuerpo del hombre a pelear o a huir. El impacto del estrés es sobrellevado por el corazón, por lo cual los hombres tienen más riesgo de enfermedades cardíacas.

El estrés masculino se origina en cuatro áreas principales: (1) la imagen corporal; (2) las preocupaciones relativas a su profesión; (3) las preocupaciones acerca de la familia; y (4) la inhabilidad de compartir los sentimientos y expresar sus emociones.[11]

Tanto las mujeres como los hombres sufren de estrés, pero los hombres tienen una tasa de mortalidad más alta debido al estrés. Las mujeres tienen que entender los estreses especiales que los hombres enfrentan. Entonces, si quieren vivir una vida larga y feliz con su esposo, tienen que aprender a minimizar estos estreses.

Los infartos son más comunes entre los hombres. La susceptibilidad masculina no es únicamente fisiológica sino también psicológica. El tipo de personalidad A —el hombre de altos logros, competitivo, que se empuja hasta el límite– es el más susceptible a los ataques de corazón. Este tipo de individuo está montado en una montaña rusa sin fin para lograr el éxito. Él abruma su vida, además, con actividades que debe de lograr en menos tiempo. **Su sentido competitivo está intensamente desequilibrado y lo persigue del trabajo a las actividades recreativas, a la familia y a sus amistades.** Relajarse parece ser un logro imposible para este hombre. Los hombres tipo A tienen cinco veces más posibilidades de padecer un ataque cardíaco que los de tipo B. Se cree que tres tipos de enfermedades arteriales tienen su origen en el comportamiento de tipo A: las migrañas, la presión arterial alta y la enfermedad coronaria.[12]

Otro peligro para los hombres tiene que ver con las discusiones. Según los psicólogos que han estudiado la reacción de las parejas cuando discuten problemas matrimoniales, los hombres reaccionan al estrés de la discusión con un mayor aumento del pulso. Por lo tanto, para protegerse del aumento de la adrenalina, los hombres tienden a evitar una discusión o a retirarse cuando los conflictos se vuelven prolongados. Los hombres tienden a liberarse del enojo rápidamente en vez de hacerlo mediante largas discusiones. Esta conducta les permite mantener el estrés a distancia. Cuando la esposa piensa que el esposo se está retirando de una discusión, puede ser que sólo esté reaccionando a un mecanismo inherente de protección de la salud. **¡Las discusiones acaloradas son peligrosas para la salud del hombre!**

Cuando están bajo estrés, los hombres se aíslan y se hacen notablemente más callados. John Gray en su libro *Los hombres son de Marte, las mujeres son de Venus,* se refiere a esta reacción del hombre como "metiéndose a su cueva".[13] La reacción del hombre es contraria a la necesidad de su esposa de *hablar* acerca de sus problemas. **Cuando él llega a la casa después de un día de trabajo arduo, quiere olvidarse de las presiones y desea descansar leyendo el periódico.** Él necesita pensar en sus problemas, meditar el asunto mientras trata de encontrar la solución. Si no puede hallarla, buscará un escape que le permita olvidar el problema, algo como mirar televisión, ir a un juego de pelota, o hacer ejercicios en un gimnasio. Al sacarse el problema de la mente se quita el estrés gradualmente.

Cuando un hombre está estresado, a menudo se concentra tanto en su estrés que pierde la noción de las demás cosas. A veces se lo percibe distante, olvidadizo y poco sensible. Mientras más grande sea el asunto, más absorto se vuelve en el problema. En tales ocasiones es difícil que conceda a su esposa y a su familia la atención que necesitan. Sus problemas y estrés lo aprisionan en un tornillo de banco, del cual es incapaz de librarse hasta que encuentre la solución. Como él guarda silencio acerca de esto, su esposa siente que la está dejando de lado, que la está ignorando, y lo toma muy a pecho: como suelen hacerlo las mujeres en la mayoría de los asuntos. Es muy posible que él no se dé cuenta de lo absorto que está.

Cuando la mujer comprende que este retraimiento del esposo no significa que no la ama, se le puede hacer más fácil vivir con esta tendencia masculina. Una esposa que se interesa por su marido le va a dar el espacio que él necesita durante estos tiempos de estrés para solucionar los problemas. Al darse cuenta de que él no le prestaba atención, una esposa que estaba lidiando con un individuo extremadamente introvertido, empezó a callarse a mitad de lo que estaba diciendo. Sin una palabra de regaño, ella dejó de hablar hasta que él notó el silencio de ella, y entonces, cuando nuevamente captó su atención, ella siguió hablando.

Algunas mujeres no son bellas – sólo se ven como si fueran.

Comportamientos reveladores de estrés.

Los comportamientos que indican estrés son más fáciles de reconocer que sus síntomas fisiológicos o psicológicos. Algunos indicadores tempranos son:

1 **Abuso verbal** o críticas exageradas de la esposa o de los hijos.

2 **Aislamiento de las conversaciones** e interacciones familiares; preocupación; "tratamiento del silencio".

3 **Comer excesivamente y aumento de** peso.

4 **Incremento del uso habitual de cigarrillos o alcohol.**

5 **Fatiga excesiva y una tendencia a quedarse dormido.**

6 **Actividades agitadas o trabajo en exceso.**

7 **Rechinar los dientes,** dar golpecitos continuos con los dedos, mecer los pies, o alguna otra acción involuntaria y continua.

8 **Sordera selectiva:** ignorar lo que no se quiere oír.

9 **Manejar en forma temeraria** o inclinación a tomar riesgos.

10 **Adicción a la televisión,** a los videos o a la computadora.

11 **Tics faciales, parpadeo no usual** de los ojos, tragar excesivamente, etc.

12 **Aumento en los gastos.**

13 **Sexo compulsivo** o falta de interés en el sexo.

Algunos indicadores psicológicos del estrés comprenden, estar a la defensiva, depresión, falta de organización, obstinación, dependencia y dificultad en hacer decisiones. Recuerda que los hombres responden en formas diferentes al estrés y a la cantidad de estrés que pueden manejar.[14]

Es posible que las mujeres se asusten o se inquieten cuando observan lo que le está pasando a su esposo. Pero esta actitud sólo logra aumentar el estrés del marido. Una de las mejores cosas que la mujer puede hacer es animar a su esposo a que hable de sus sentimientos y de su estrés. Pero no te sorprendas si él rechaza tus esfuerzos de ayudarle. El hombre frecuentemente resiste el consejo de su esposa, no importa cuán "correcta" sea su posición, pero a menudo acepta la misma sugerencia si se la da su doctor u otra persona respetada. Es posible que el mejor plan de acción de una mujer sea animar a su esposo a que vaya al doctor a hacerse un examen físico completo.

Algunos tratamientos para el estrés son el ejercicio, las técnicas de relajación y la meditación diaria en la Palabra de Dios. Mucho del estrés interno del hombre es autogenerado. Él también se beneficiaría asistiendo a un buen seminario para aprender a controlar el estrés, para aprender técnicas de administración del tiempo, y para aprender a evaluar las metas de su vida.

Procura entender

San Francisco de Asís oraba: "Dios mío, concédeme que procure más entender, que ser entendido". Este propósito en el matrimonio, junto con el toque de la influencia suavizadora del Espíritu Santo, podría transformar completamente los malentendidos de la pareja. Por otro lado, cuando una persona se preocupa únicamente por que su cónyuge lo entienda a él o a ella, la persona se amarga y se vuelve egoísta y demandante.

Paul Tournier, famoso psicólogo católico, siente tan profundamente la necesidad de la comprensión mutua entre las personas casadas, que recomienda que el esposo y la esposa se preocupen por ello, que se pierdan en ello; que se absorban hasta el máximo por aprender qué hace reaccionar a la otra persona; qué le gusta y qué le disgusta; a qué le teme, por qué se preocupa y cuáles son sus sueños; en qué cree y *por qué* se siente de ese modo. Tal propósito llevaría a la pareja directamente a los beneficios de un matrimonio altamente eficaz.

El matrimonio no depende tanto de la cantidad de amor mutuo que una pareja se profese, sino de cuán bien entienda una persona

cómo funciona el otro sexo. Las Escrituras reconocen esto cuando dicen: "Pero recuerden que en el plan de Dios el hombre y la mujer se necesitan" [mutuamente] (1 Corintios 11:11, paráfrasis *La Biblia al día*).

Referencias

1. **De una entrevista con el Dr. David Hernández,** "Problemas sexuales en el matrimonio", *Focus on the Family* (Enfoque en la familia), **Transmisión 450, 4 y 5 de noviembre de 1982.**

2. **Tim Hackler,** "Women vs. Men: Are They Born Different?" (Mujeres vs. Hombres: ¿Nacen diferentes?) *Mainliner,* **mayo 1980,** págs. 122-132.

3. **Ibíd.**

4. **Donald M. Joy, Ph.D.,** "Las diferencias innatas entre los varones y las hembras" **(Programa de radio en el cual el Dr. James C. Dobson, Ph.D., entrevistó al Dr. Joy,** *Focus on the Family* (Enfoque en la familia), **casete CS099, Colorado Springs, CO, 80995-7451).**

5. **Donald M. Joy, Ph.D.,** *Men Under Construction* (Hombres en construcción). **Wheaton, IL: Victor Books, 1993,** pág. 21.

6. **Donald M. Joy, Ph.D.,** "Las diferencias innatas entre los varones y las hembras" **(Programa de radio en el cual el Dr. James C. Dobson, Ph.D., entrevistó al Dr. Joy,** *Focus on the Family* (Enfoque en la familia), **casete CS099, Colorado Springs, CO, 80995-7451).**

7. Para información adicional en cuanto a lo que debe o no debe ser discutido, vea *Heart to Heart* (De corazón a corazón), págs. 129, 130. La autorrevelación tiene sus límites.

8. **Stephanie Bender,** "The Once-a-Month-Blues" (El mal ánimo mensual), *Focus on the Family magazine,* **mayo de 1996,** págs. 9-12.

9. **Larry Burkett,** *Debt Free Living* (Viviendo libre de deudas). **Chicago, IL: Moody Press, 1989.**

10. **Peter y Evelyn Blitchington,** *Understanding the Male Ego* (Comprendamos el ego masculino). **Nashville, TN: Thomas Nelson Publishers, 1984.** Vea el capítulo 12, "Work and Love", pág. 242.

13. **Willard F. Harley, Jr.,** *His Needs, Her Needs* (Las necesidades de él, las necesidades de ella). **Grand Rapids, MI: Fleming H. Revell,** pág. 75.

14. **H. Norman Wright,** *Understanding the Man In Your Life.* **Dallas, TX: Word Publishing, 1987,** pág. 156.

15. *Id.,* pág. 165.

16. **John Gray, Ph.D.,** *Men Are from Mars, Women Are from Venus.* **New York, NY: Harper Collins Publishers, 1993.** Vea el capítulo 3.

17. **Wright,** *Id.,* págs. 166, 167.

Bueno, y ¿QUIÉN MANDA AQUÍ?

Cuando un hogar es regido conforme a la Palabra de Dios, se les podría pedir a los ángeles que se quedaran con nosotros, y ellos no se sentirían fuera de su elemento".

Charles H. Spurgeon

6

Principios de liderazgo para la dicha y la armonía en el hogar

CHRIS Y BEN se enamoraron, se casaron y tuvieron problemas desde el principio, porque los dos querían ser jefes. Ben era agricultor, y a Chris la fascinaba su conocimiento de la agricultura. Él le enseñó a manejar el tractor, a plantar cultivos y a hacer funcionar el sistema de irrigación. Ella valoraba su fuerza de carácter y su habilidad de arrancarle el sustento a la tierra.

Como jefa de enfermeras en la sala de pediatría de un hospital del área, Chris estaba acostumbrada a encargarse de padres y niños que creían que ella lo sabía todo. Ben no se adaptaba a este molde. En lo referente a las actividades de la vida diaria, Ben no aprobaba la forma en que Chris hacía nada: desde pagar las cuentas hasta manejar, hacer mandados o planear las comidas.

*"Si las cosas andan bien en la familia, vale la pena vivir la vida;
cuando la familia vacila, la vida se desmorona".* — Michael Novak

Cuando Ben se casó con Chris sabía que ella era el tipo de persona que se hace cargo de las cosas y lo sabe todo, o piensa que lo sabe todo. Cada vez que trabajaban juntos en algún proyecto, terminaban peleando, porque Chris pensaba que su manera de hacer las cosas era la "forma correcta".

Desde recién casados, Chris pagaba las cuentas, ya que su sueldo era regular y el de Ben era esporádico. Chris pagaba las facturas hasta comprobar que el saldo de la cuenta quedaba en cero. Entonces los dos se pasaban el resto del mes discutiendo y acusándose mutuamente por el problema. **Estas dos personas, de carácter fuerte, consideraban que la forma particular de hacer las cosas cada uno era la mejor manera de llevar a cabo la tarea que cualquiera de los dos manejara**. Un día Chris decidió lavar el carro para sorprender a Ben. En vez de sentirse complacido, él le "explicó" la "forma correcta" de lavar el carro. Chris se enojó tanto por las críticas descomedidas de Ben que le arrojó los trapos enjabonados y se fue enojada. La cons-

tante pugna por el poder controlaba a esta pareja que no podía trabajar armoniosamente en nada. La situación mejoró sólo después que Chris tomó una prueba de personalidad que reveló que ella tenía un temperamento agresivo y controlador. Esto no era una sorpresa; sin embargo la prueba de Ben reveló que él tenía el mismo tipo de temperamento dominante. Esto confirmó lo que ambos ya sabían: los dos querían mandar en todo.

Para minimizar los conflictos entre ellos, la persona que les aplicó la prueba les sugirió que decidieran de antemano quién estaría a cargo de cada tarea. Entonces cada uno tendría que consentir en seguir al jefe en esa tarea. En lo que tenía que ver con las finanzas, decidieron que Ben se encargaría de pagar las cuentas mensuales y atendería los asuntos bancarios, ya que como trabajaba por cuenta propia él dominaba mejor los asuntos de presupuestos. Chris estaría a cargo de balancear la chequera y preparar los informes de impuestos, porque tenía experiencia en esa área. Ben era responsable del mantenimiento de los carros, del trabajo del patio, de comprar las provisiones y de lavar la ropa; mientras que Chris estaría a cargo de planear las celebraciones de cumpleaños y de los días festivos, de limpiar la casa y de preparar las comidas. Con el paso del tiempo la lista cambió. Les tomó meses resolver los asuntos, pero Chris y Ben lograron sublimar su deseo de controlar cada uno al otro. **Debido a que se habían puesto de acuerdo de antemano en quién iba a hacer qué, llegó a haber un sentido de equidad.**

Gobierna una familia igual como cocinarías un pescado: con mucho cuidado.

Proverbio chino

Ahora, antes de comenzar un proyecto nuevo, uno pregunta: "¿Quién va a estar encargado de esto?" El establecimiento de este acuerdo desde el principio ha hecho más fácil cada tarea, porque cada uno sabe de antemano cuál es su papel. Ellos dividieron todos los quehaceres familiares de acuerdo a quién tenía la mejor habilidad para realizar esa tarea en particular. **Esto trajo soluciones pacíficas a años de luchas entre ambos.** Ahora no sólo podían apreciar las fortalezas mutuas desde una nueva perspectiva, sino que también confiaban más en cada uno. Por lo menos habían aprendido a trabajar juntos.

El amor, la comunicación y la comprensión son tres atributos importantes para cultivar un matrimonio altamente eficaz. Sin embargo, es posible que no sea suficiente, especialmente si la casa está hecha un desor-

den, todos tienen hambre y nadie prepara la comida. ¿Quién está encargado? ¿Y de qué? ¿Quién va a hacer las decisiones, y en qué áreas? ¿Cómo se manejan las responsabilidades? ¿Debería ella trabajar fuera de la casa? Si lo hace, ¿ayudará él con las comidas, con los quehaceres domésticos y con los niños? Siendo que ella gana casi lo mismo que él (y a veces más), ¿debería hacer él todas las decisiones?

Durante años, el modelo aceptado era que el hombre produjera los ingresos y la mujer se encargara de los niños y de mantener la casa marchando bien. **En la actualidad el modelo ha cambiado.** Las encuestas muestran que casi el 96 por ciento de todas las mujeres esperan tener un trabajo donde ganen un sueldo si no tienen hijos o cuando los hijos estén en la escuela. Y el 64 por ciento de las mujeres trabaja medio tiempo o tiempo completo. Esto crea una confusión tremenda acerca de las responsabilidades domésticas del esposo y la esposa. **Continuamente surgen puntos de vista distorsionados acerca de la distribución del liderazgo familiar. Muchos pelean o argumentan con el plan de Dios.** Algunos no lo entienden. Otros no lo *quieren* creer. Unos tratan de soslayar los pasajes de las Escrituras. Aún otros los ignoran o los distorsionan. Pero para lograr un matrimonio altamente eficaz, el asunto del liderazgo de la familia tiene que enfrentarse.

¿Cuál es el plan de Dios para el liderazgo en el matrimonio?

La Biblia contiene varios versículos que designan al hombre como la cabeza o líder del hogar. Una de las declaraciones claves está en Efesios 5:23, 25: "Porque el esposo es cabeza de la esposa, como Cristo es cabeza de la iglesia... Esposos, amen a sus esposas como Cristo

El liderazgo en las familias

MUJERES QUE ESPERAN TENER UN TRABAJO

96%

MUJERES QUE TRABAJAN MEDIO TIEMPO O TIEMPO COMPLETO

64%

•Uno de los problemas referentes al liderazgo en las familias tiene mucho que ver con el trabajo de la mujer fuera de sus responsabilidades domésticas. El hombre es un mejor líder cuando desempeña tareas específicas en el seno familiar.

amó a la iglesia y dio su vida por ella" (Versión DHH). Ya que pocos hombres serán llamados a dar la vida literalmente por sus esposas, ¿qué quieren decir estos versículos? Estos pasajes le dan una cualidad espiritual —casi divina— a la posición de "esposo". También suponen que los esposos han de ser para sus esposas lo que Cristo es para la iglesia.

La dirección general de toda la casa descansa sobre los hombros del esposo. Esto es lo que significa literalmente la palabra *esposo*: la cabeza masculina de la casa; el que maneja o dirige el hogar.

El plan original de Dios

El plan original de Dios era que el esposo y la esposa vivieran juntos en perfecta armonía. Antes que entrara el pecado, Dios era el líder supremo del hogar. En su ambiente perfecto, Adán y Eva se sometían voluntariamente a Dios como parte natural de la vida diaria.

Dios creó al hombre y a la mujer para que se complementaran mutuamente. Así

como una organización exitosa depende de la habilidad de cada empleado para asumir la posición que se le ha asignado y producir al máximo de sus habilidades, también el matrimonio de éxito depende de un esposo y una esposa que ejecutan fielmente sus papeles complementarios. **A pesar de que sus responsabilidades y papeles son diferentes, ambos son igualmente importantes y necesarios para el bienestar de una sociedad saludable.**

Una relación sustentadora

Permítanme presentar un nuevo tipo de relación para el esposo y la esposa, uno que toma en cuenta las normas bíblicas y por lo mismo se adapta bien a la unidad familiar. Una "relación de apoyo mutuo" está basada en el concepto de que los individuos en el matrimonio pueden trabajar juntos, en una colaboración ordenada y armónica. **Los cónyuges que se apoyan entre ellos, ceden voluntariamente su poder de dictar o controlar a la otra persona.** Ninguno exige que su manera de hacer las cosas sea la única forma de hacerlas, ni insiste en la obediencia ciega. **En una "relación de apoyo mutuo", la pareja más bien funciona como una corporación exitosa con objetivos bien definidos y metas compartidas.** La pareja trabaja unida para alcanzar estos fines, reconociendo que cada uno puede valerse de métodos distintos para lograr el mismo objetivo.

> *Una relación personal con Jesucristo es la piedra de toque de un matrimonio".*
>
> James Dobson

En una "relación de apoyo mutuo" el esposo asume la responsabilidad general de manejar la familia. Sin embargo, no se arroga las características de un dictador; él es más bien el presidente de una organización bien administrada en la cual cada empleado es un integrante del equipo que hace que la compañía prospere. Nosotros utilizamos este método en nuestro hogar. Harry es definitivamente el presidente de la "Corporación Van Pelt", pero ¡adivinen a quién nombró vicepresidenta! ¡A mí! Este sistema de presidente/vicepresidenta funciona bien en el liderazgo de países, negocios, bancos y organizaciones a través de todo el mundo. También trabaja bien dentro del matrimonio, cuando ambos se desempeñan bajo la dirección del Señor.

Sí, Harry es el presidente de la "Corporación Van Pelt"; pero como lo hace cualquier otro ejecutivo bien entrenado, él consulta sus planes y decisiones con su vicepresidenta. Como tal, y debido a mis habilidades e inclinaciones, yo tengo áreas de responsabilidad que llevo a cabo por mí misma. En otras consulto con Harry antes de actuar. Tenemos reuniones frecuentes para discutir los planes y objetivos. A veces él dice: "Querida, tú sabes más acerca de esto, así que tú toma la decisión final". Desde mi punto de vista esto en ninguna manera rebaja su posición o habilidad, sino que aumenta su efectividad. Él siempre escucha mis opiniones, respeta mi capacidad y experiencia, y desea mi máxima participación (bueno, casi siempre — y si no la recibiera, sabría que algo anda drásticamente mal).

Ojalá que yo nunca sea culpable de proclamar públicamente que Harry es el presidente de la "Corporación Van Pelt", y sin embargo en el ambiente privado de nuestro hogar insista en mandar en todo. De lo último que yo quisiera ser acusada es de ser una esposa dominante, con un marido sometido por su mujer.

Una "relación de ayuda mutua" tiene una distribución más equitativa del poder porque hay una división clara de las responsabilidades y cada miembro de la pareja tiene un sentido de control balanceado. *Es una relación complementaria y mutuamente sumisa.* **Ambos cónyuges se consideran competentes, lo cual contribuye a la autoestima.** Cada persona piensa que su cónyuge es competente, lo cual contribuye a la autoestima de la otra persona.

En una "relación de ayuda mutua", el presidente y la vicepresidenta consideran que los problemas son enemigos comunes que amenazan la seguridad del hogar. Esta estrategia fue captada expertamente en la serie original de "Star Trek" transmitida hace años. En un episodio, la tripulación se encontró con una forma de vida extraña que obtenía fuerzas de

El entretenimiento conyugal se constituye en una fuerte dosis de "Vitaminas" que permite a los matrimonios ser altamente eficaces para sobrellevar los problemas que aquejan una relación.

la ira de la tripulación. Este ser instigaba riñas de forma sutil y creativa para provocar más y más ira, de la cual dependía para subsistir. El sabio capitán Kirk se dio cuenta de lo que estaba pasando y le dio instrucciones a su tripulación de que reemplazaran las demostraciones de ira con risas. El ser extraño siguió sus intentos provocativos para que la tripulación se involucrara en pleitos y riñas. Pero una vez que la tripulación tomó el control de sus reacciones y enfrentó las provocaciones con risas, el ser extraño tuvo que abandonar el *Enterprise.*[1]

Su estrategia tuvo éxito. A medida que la risa reemplazó a la ira, el ser extraño que había invadido la nave perdió su poder. Si tan sólo un miembro de la tripulación del *Enterprise* no hubiera cooperado con el capitán, si se hubiera enojado y hubiera luchado por tomar el control, la nave habría sido vencida. En el matrimonio sucede igual. La única forma de ganarle al enemigo es unirte con tu esposo/esposa y proveer un frente unido para proteger a tu matrimonio de la invasión. **Reconoce que si el enemigo logra dividirlos, ustedes dos perderán.**

Hay que aceptar el liderazgo

Los problemas que Jim tenía con su esposa y con sus hijos lo condujeron a buscar consejo profesional. Él le contó al consejero que tenía una esposa histérica y tres adolescentes rebeldes y faltos de disciplina. Según Jim, su esposa lo acusaba de haberles fallado a ella y a los hijos, y lloraba todo el tiempo. Ella se quejaba de que tenía que hacer todo sola, de que él no mostraba ningún interés en ella, en los hijos ni en el hogar. La esposa se sentía "invisible" y estaba harta de que él no ejerciera ningún liderazgo, de modo que ya no lo consideraba un "hombre".

Nuestra vida de oración nunca necesita de un freno, pero a veces necesita de una espuela.

Jim era un profesional capaz que contó su historia abiertamente, aunque se mantuvo a la defensiva. Siendo que ganaba buen dinero y le daba una buena vida a su familia, se sentía desconcertado por las locas exigencias de su esposa y no entendía lo que ella deseaba. Él admitió que su relación familiar era muy inestable y que se estaba deteriorando rápidamente. Los pleitos entre Jim y su esposa se caracterizaban por la amargura y la hostilidad, seguidos por días de silencio. Jim había llegado al final de su cuerda y quería saber cómo enderezar a su esposa.

El consejero le pidió a Jim que regresara a varias sesiones él solo para llegar a conocerlo en un plano personal antes de empezar a trabajar con su esposa. **La desesperación lo forzó a estar de acuerdo.**

El consejero descubrió que Jim tenía una madre dominante y controladora y un padre pasivo. Este modelo de su pasado le había enseñado que los hombres se echan para atrás y asumen el papel de observadores sin decir nada y evitan el conflicto abierto. Jim también aprendió que las mujeres toman el control y hacen todas las decisiones grandes de la familia. Este patrón se había establecido firmemente en el hogar de su niñez, y ahora él exteriorizaba lo que había aprendido en su temprana edad. Él siempre estaba "ahí", pero se escapaba hacia dentro de sí mismo, o se escondía en la televisión, en el periódico, en el trabajo y en el carro antiguo que estaba restaurando.

Rara vez se involucraba en las discusiones de la familia o se preocupaba activamente de que la familia marchara bien. Jim renunció completamente al manejo de la casa y de la familia, y lo dejó a cargo de su esposa, tal como su padre se lo había dejado a su madre. En vez de reñir con su esposa, quien era de carácter fuerte, acerca de las decisiones que ella hacía, prefería retraerse, aunque no estuviera de acuerdo con ellas. "Paz a todo precio" se convirtió en su lema.

Jim sobresalía en su trabajo y le caía bien a todo el mundo. Manejaba bien los conflictos y al paso de los años había disfrutado de numerosos éxitos en el negocio. Jim tenía éxito en el trabajo, pero no en el hogar. ¿Por qué? Porque en el hogar no podía poner en práctica las mismas técnicas que usaba en el trabajo. Su consejero le señaló que si él usara en el hogar los mismos métodos de administración que usaba en el trabajo, los conflictos domésticos se disiparían. Jim escuchó; el consejo hacía sentido.

Durante un tiempo Jim se esforzó por imponerse y tomar un papel más activo de líder en su hogar. En vez de luchar por retener el control como él temía, su esposa se lo cedió con gratitud a medida que él comenzó a involucrarse. **Él mostró nuevas fuerzas, liderazgo y valor en pequeñas formas al principio, y con el paso del tiempo de un modo más notable e importante.** A todos se les hizo evidente que los sentimientos de valor propio de Jim habían mejorado. Gradualmente su relación con su esposa y sus hijos empezó a cambiar. A medida que él mostraba más interés por su esposa y se comunicaba más abiertamente con ella, la mujer se tornó menos frenética e histérica. **Él impuso exigencias firmes a sus adolescentes aunque ellos se rebelaban verbalmente.** Al principio cuando él se puso firme, sus hijos lo pusieron a prueba, pero luego respondieron positivamente. Con el paso del tiempo Jim asumió más y más responsabilidad involucrándose totalmente con la familia y proveyendo un liderazgo sustentador. La esposa y los hijos, que antes peleaban con él y lo desafiaban, ahora le respondían con amor.

La familia logró solucionar los problemas. Y todo comenzó cuando el esposo y padre reconoció que él tenía la culpa y buscó respuestas definidas.

¿Y qué de ti? ¿Está tu esposa gritándote que te despiertes y aceptes tu justa porción de responsabilidad? ¿O está gritando (tal vez en forma silenciosa y hostil) para que le prestes atención y le des tu ayuda? ¿O para que te detengas y dejes de tratarla como si fuera una niña?

Un liderazgo sustentador

EL VERDADERO LIDERAZGO DIFIERE extensamente del autoritarismo. El autócrata reprime la libertad individual; el líder fomenta la libertad de pensamiento y acción. **El autócrata es intransigente; el líder es comprensivo. El autócrata no cede; el líder se adapta. El autócrata supone que no hay buena voluntad de cooperar y por lo tanto dicta; el líder administra, motiva, inspira e influye con el fin de obtener la cooperación voluntaria para lograr una meta mutua.**

El amor mantiene en equilibrio el papel del líder, y por lo tanto no rebaja a nadie. Permite la discusión abierta y honesta (inclusive las opiniones disidentes) e incluye un sistema acertado para hacer decisiones, resolver problemas y establecer metas. Cuando un esposo toma en serio la orden de amar a su esposa tanto como Cristo amó a su iglesia (Efesios 5:25), establecerá una asociación sustentadora en la cual él nunca *forzará* a su esposa a obedecerle, sino que de un modo sabio ofrecerá un liderazgo comprensivo que la anime a seguirle. **Tal liderazgo sustentador producirá armonía y felicidad para ambos y ciertamente tendrá la bendición de Dios.**

Las Escrituras ofrecen una multitud de instrucciones acerca de cómo ser líderes efectivos en el hogar. La autoridad se le otorga a la cabeza que satisface las necesidades de la familia. Sin embargo en ningún lugar se ha concedido autoridad alguna para que el hombre ordene a alguien a satisfacer sus propias necesidades egoístas. Su liderazgo comprenderá tanto el amor como la autoridad, pero nunca la tiranía. **El equilibrio correcto entre el liderazgo responsable y el amor no egoísta debe mantenerse. ¿Difícil? Sí. ¿Imposible? No.**

La sumisión mutua funciona bien sólo cuando ambas personas en la pareja consideran al otro como un igual. La dominación y la sumisión ocurren cuando una persona inferior se entrega a una persona superior.

Sumisión mutua, ¿qué es eso?

Donna y Brad habían estado cinco años casados cuando surgió el asunto de cuándo empezar la familia. Brad quería tener hijos algún día, pero todavía no. Donna deseaba un bebé, ya. El asunto se volvió tan acalorado que buscaron asesoramiento por parte de un consejero profesional. Después de varios meses de consejería surgió otro desacuerdo: dónde pasar las navidades. Brad quería quedarse en la casa; Donna anhelaba visitar a sus padres. Parecía imposible llegar a una decisión mutuamente satisfactoria acerca de cualquiera de los dos asuntos.

Esta pareja aún no había aprendido que en una relación de largo plazo cada persona, en algún momento, debe hacer el sacrificio de abandonar su posición concerniente a un asunto conflictivo para ajustarse al punto de vista de la otra persona. El consejero pidió a Donna y Brad que cada uno mirara el asunto de la Navidad desde el punto de vista del otro, con el propósito de entenderlo, pero también para llegar a una solución. Cuando lo hicieron, ocurrió un cambio sorprendente. (Donna empezó a abogar por quedarse en casa para las fiestas navideñas, y Brad se inclinó por la conveniencia de visitar a los padres de Donna! **Una vez que vieron el problema desde el punto de vista de la otra persona, entraron una vez más en la etapa de resolverlo y buscaron soluciones más creativas.** Finalmente decidieron quedarse en casa y trabajar en favor de su relación. Para el siguiente año planearon un viaje a visitar a los padres de Donna. Y empezaron a hablar de tratar de que Donna quedara embarazada durante las vacaciones.

Con un poquito de ayuda, esta pareja aprendió el significado de la sumisión mutua. La sumisión es algo más que simplemente lo que las esposas hacen por sus maridos.

Debería empapar en forma diaria la vida de cada cristiano. **Primero que nada, debemos obedecer a Dios. Entonces, los seguidores de Cristo deben de obedecer y honrar a los líderes espirituales, al gobierno, a los padres, a los mayores y unos a otros.** El versículo anterior a Efesios 5:22, que aconseja a las esposas que se sometan a sus maridos, declara que los esposos y las esposas deben de someterse mutuamente. El concepto de que los esposos siempre mandan y las esposas siempre se someten ignora la reciprocidad que se describe aquí. "Someteos unos a otros..." (versículo 21) se refiere tanto a la relación matrimonial como a la relación de hermanos y hermanas en la fe.

La sumisión mutua, entonces, cuando se pone en práctica en el diario vivir, quiere decir que *hay momentos en que cada persona cede o le da el derecho a las ideas o deseos del cónyuge.* Las parejas sustentadoras reconocen las aptitudes individuales. Cada persona funciona con la buena voluntad de adaptarse cuando ocurre un conflicto de interés.

Obviamente, la sumisión mutua funciona bien sólo cuando ambos miembros de la pareja consideran al otro como un igual. La dominación y la sumisión ocurren cuando una persona inferior se entrega a una persona superior. **El ejemplo supremo de sumisión mutua ocurre entre Dios el Padre y Jesús.** Jesús era perfectamente sumiso a la voluntad de su Padre, pero no era inferior cuando se sometía; siempre permaneció igual con su Padre. Las parejas debieran de aspirar a este tipo de sumisión mutua.

El eslabón perdido

La sumisión mutua es lo que yo llamo el eslabón perdido en el tema de ¿Quién tiene el control? El matrimonio no es un asunto de sumisión y dominación. Lo que se necesita no es una relación de patrón-esclavo, o de obediencia del tipo dictador-robot, sino la sumisión mutua.

Efesios 5:21, que habla de la sumisión mutua, antecede al famoso versículo 22 — "las casadas estén sujetas a sus propios esposos como al Señor..."— no por accidente, sino por diseño de Dios. La sumisión mutua implica que el matrimonio no sea dominado por un gobernador: que el esposo mande y la esposa se someta (o viceversa). Dicha interpretación deja fuera la reciprocidad descrita en Efesios 5:21.

La sumisión mutua quiere decir sencillamente que habrá momentos en que cada persona de la pareja cederá frente a la otra. Cada persona tiene áreas de habilidades específicas en las cuales su punto de vista tiene mayor peso que el de la otra persona; sin embargo, debido al equilibrio del poder esto no presenta una amenaza. Ambos cónyuges tienen la libertad de iniciar la acción y ofrecer consejo, pero su conducta no es competitiva. **Ninguna de las dos personas compite por la posición dominante. Cada una opera con la buena voluntad de adaptarse en los momentos de conflicto.**

El matrimonio requiere sumisión mutua interminable o un constante dar y recibir. Harry y yo tuvimos que aprender esto recientemente. Él prefiere la música clásica; a mí me gusta algo más suave. Yo me acuesto temprano y me levanto temprano; él es una lechuza que comienza a trabajar a las once de la noche. Él es pesimista; yo soy la eterna optimista. Él es gastador; yo soy ahorradora. Él pierde tiempo; yo soy la experta en eficiencia. Él prefiere las comedias; a mí me gustan los dramas. Él es un calienta silla; yo soy una persona activa y me gustan las actividades fuera de la casa. ¿Cómo es que personas con gustos tan opuestos son capaces de vivir en armonía? Sin sumisión mutua estas diferencias serían casi imposibles de resolver.

Lo que la sumisión no es

Cuando Harry y yo nos casamos, yo tuve que lidiar con el asunto de la sumisión. ¿Podría yo someterme cuando fuera necesario, o estaría dispuesta a hacerlo? Esta pregunta no era un chiste. ¿Podría una persona de carácter fuerte, independiente, convertirse en una persona sumisa? Durante mis años de joven adulta yo había sido líder, capitán de equipo, directora, administradora y supervisora de todo aquello que fuera posible supervisar. ¿Era esto lo que ahora deseaba para mi matrimonio también?

Yo conozco a Cristo personalmente, y me considero una mujer de Dios, dispuesta a seguir sus planes para mi vida. A mí no se me había escapado el mandato bíblico en cuanto al lugar que la mujer ocupa en el hogar. Ni tampoco era tan necia como para no darme cuenta de que cuando dos personas se casan una de ellas tiene que hacer las decisiones finales: una persona definida que dice "lo haremos así". Pero, si yo podía confiar en Dios para que perdonara mis pecados y me salvara por la eternidad, entonces, ¿no podría yo también confiar en su Palabra acerca de quién era la cabeza de mi familia? Empecé a tratar, con dificultad y con una actitud de "me-voy-a-arrepentir-de-esto". Tal vez mi dificultad radicaba en el hecho de que yo no entendía completamente el significado de la sumisión.

La palabra *sumisión* contiene implicaciones emocionales fuertes, tales como humillarse, perder la identidad propia, servidumbre, obediencia ciega y pasividad. Pero en el matrimonio no significa eso. **En vez, la sumisión es la buena voluntad por parte de uno de adaptar los derechos propios a los de la otra persona.** Según el Nuevo Testamento, la sumisión se halla en el centro de cada relación cristiana y se modela conforme a la sumisión voluntaria de Cristo a su Padre. Él nunca fue forzado a obedecer, sino que obedeció voluntariamente.

El servilismo del tipo "trapo pisoteado" está tan lejos del ideal de Dios como el caso del esposo dominado por su mujer. Ninguno de los dos extremos tiene nada que ver con un matrimonio altamente eficaz. Ni tampoco incluye la dependencia inútil de una esposa que rehusa aceptar responsabilidades o hacer decisiones dentro de la esfera de su responsabilidad. La esposa tiene responsabilidades y obligaciones propias que debe llevar a cabo para que la relación pueda prosperar. Si el esposo no está disponible para consultar con él, ella actúa de acuerdo a su mejor criterio.

La sumisión no implica servidumbre. La esposa que percibe que la decisión u opinión de su esposo es detrimental para el bienestar de la familia debiera decírselo, firmemente, honestamente, pero con respeto. Si llegara a surgir un asunto y la esposa dice: "Anda, haz lo que quieras", sin ofrecer una opinión a pesar de ver que la decisión implica diversos problemas, ella no está siendo sumisa: está siendo tontamente servil.

La respuesta tampoco es la obediencia ciega. **La mujer que responde "Sí, querido" a cualquier antojo que expresa un esposo imprudente, asume voluntariamente una posición inferior a la de su esposo y rápidamente pierde su respeto y devoción.** Al hacerlo, pierde su sentido de valor propio, porque no se atreve a ofrecer una opinión a pesar de estar convencida de que es necesaria. Un esposo inteligente no desea tener una esposa que se deja pisotear como un trapo.

Los extremos de quedarse callada, la dependencia inútil, el servilismo y la obediencia ciega, no son características de una esposa sustentadora.

Una esposa sustentadora

A muchas mujeres les molesta la idea de que el esposo guíe la familia. Y la palabra *sumisión* **insulta a algunas mujeres hasta el punto de sentir que se les erizan los pelos del cuello.** Sin embargo, si un esposo ama a su esposa tanto que está dispuesto a morir por ella, a sufrir el ridículo y el dolor por ella, y le provee el tipo de amor que Cristo demostró por la iglesia, ella se transformará en una esposa que se somete con amor y agradecimiento.

¿Qué mujer sensata no se entregaría completamente y de corazón a un hombre que la ama como Cristo amó a la iglesia? Dicha esposa no es la sombra pisoteada de una mujer, ignorante del mundo a su alrededor. Ella es independiente y fuerte, completamente consciente y preocupada por el mundo de dolores que ve en su iglesia y comunidad. Puede ser que tenga una personalidad rebosante y extrovertida o un temperamento callado y retraído. De cualquier modo anda tranquila porque confía plenamente en su esposo.

Ya que Harry tiene una actitud de amable servicio hacia mí la mayor parte del tiempo, he aprendido que la palabra *sumisión* no es vulgar ni fea. A pesar de ser la cabeza de nuestro hogar, él es tierno y amoroso conmigo y mantiene un espíritu sumiso. Él espera lo mismo de mí, pero nunca me lo exige.

Puesto que yo soy una persona libre, la sumisión es mía para ofrecer o negar. **Y si llegara a rebelarme, no hay nada en las Escrituras que sugiera que él necesite recordarme que yo debo manifestar un espíritu sumiso.** Si llegara a negarme a ser sumisa ante mi esposo, no estaría desobedeciéndole a Harry, sino que me estaría rebelando contra el mandato de Dios a las mujeres, y por este mal espíritu le tendría que dar cuentas a Dios cuando mi nombre sea llamado a juicio.

> *¿Qué mujer sensata no se entregaría completamente y de corazón a un hombre que la ama como Cristo amó a la iglesia?*

Cuando se llega a un conflicto, **la mujer que comprende completamente el principio de sumisión mutua, adaptará voluntariamente sus propios derechos a los de su esposo.** ¿Cómo funciona esta idea en la realidad? ¿Cuán lejos puede ir la mujer al ceder sus derechos?

Harry espera mi participación para analizar todas las ideas más importantes concernientes a la familia. (¡A veces él me oye, aunque yo ni lo espere!) Si no digo nada, él sabe que algo anda terriblemente mal. Es un rasgo característico de mi personalidad dar mi opinión cuando es necesario.

Digamos que Harry quiere aceptar un trabajo en otro estado, lo que significa un cambio de ambiente muy grande para mí y para los niños. Él me permite plena libertad para expresar mis dudas y opiniones. Escucha atentamente mis razones, pero sigue convencido de que debemos mudarnos. Yo podría esperar unos días y traer el asunto a colación una vez más, especialmente si creo que él no ha considerado todos los ángulos. Es posible que nos movamos varias veces de aquí para allá, siempre escuchando con respeto los argumentos y preocupaciones del otro. **Pero cuando ya todo está hecho y dicho, se tiene que hacer una decisión.** El hecho de que yo pueda aceptar su decisión, aunque no esté convencida o esté opuesta, es una prueba de sumisión.

Cuando él me da un *No* categórico, yo hago lo mejor que puedo para aceptarlo. En otros momentos puede ser que sea tan franca como para decirle: "¡Tú estás en lo correcto desde tu punto de vista, pero yo estoy correcta desde el mío!" **En algunas decisiones es posible que nunca estemos de acuerdo, pero me siento mejor porque he expresado mis opiniones. Esta libertad de expresión es parte también de una relación sustentadora.**

No es fácil aceptar una decisión que va en contra de los deseos de uno. **Todos somos un poco egoístas cuando se trata de salirse con la suya.** A veces necesitamos tiempo para adaptarnos a las decisiones que van en contra de lo que uno quiere. En esta situación sería de gran ayuda si el hombre tomara a su esposa en sus brazos con amor y le asegurara de que la ama y se preocupa por ella, mientras que le explica que él tiene que hacer lo que su conciencia le dicta en cuanto al asunto. **Ella necesita tiempo para ajustarse a una decisión con la cual no está de acuerdo.**

Imagínense el estrés de ser el responsable último por el resultado de todas las decisiones. Imagínense la presión que esto pone sobre el hombre. ¿Qué si su decisión final se convierte en un fracaso desastroso? ¿Qué si él se mete en una situación precaria con una decisión sólo para encontrar que no tiene

tierra firma donde poner los pies? ¿Puedes todavía animarlo aún cuando su discernimiento ha sido equivocado? Es en este momento cuando se pone realmente a prueba la cláusula "en las buenas y en las malas" de los votos matrimoniales. **Cuando un esposo fracasa, su esposa fracasa con él también. Ella debe de aceptar voluntariamente la parte que le corresponde del fracaso de él, ya que ahora los dos son uno.** Esto demanda valor de parte de ella tanto como de él. Pero Efesios 5 describe las responsabilidades de él al igual que las de ella. Y claramente define la responsabilidad final.

En el análisis final, entonces, una esposa sustentadora posee dignidad, opiniones y valor; sin embargo, también responde respetuosamente al liderazgo sustentador de su esposo, y cuando hay conflicto se adapta a las decisiones contrarias a su forma de pensar.

La sumisión es una actitud

Antes de ser un hecho, la sumisión en realidad es una *actitud*. **En vez de ser un asunto de obediencia mecánica y sin preguntas, es más bien una actitud positiva y respetuosa. Una esposa puede doblegarse ante cualquier deseo de su esposo; pero si no lo hace de buena voluntad, no está practicando la verdadera sumisión.** Bajo la aparente obediencia de la mujer, es posible que se estén alimentando resentimientos y heridas insidiosas que seguirán acumulándose hasta estallar en un caso extremo de rebelión y amargura.

Además, la sumisión tiene que manifestarse respetuosamente. Pero el respeto también es una actitud antes de transformarse en un hecho. Cuando una mujer no respeta a su esposo su actitud se manifiesta en todo lo que dice y hace. Ella puede decir que "Papá es el jefe", pero en lo profundo de su corazón sabe que no es cierto. Cada vez que hay un conflicto, ella hace lo que quiere.

Los niños rápidamente se dan cuenta cuando la madre no practica lo que predica. Pero si siempre ven a mamá tratando a papá con respeto, tal ejemplo no puede dejar de influenciarlos. Todos los niños necesitan un héroe. Una madre puede y debe ayudar a sus hijos a pensar en su padre como un héroe, en vez de forzarlos a elegir un héroe

de la televisión o las películas. Su actitud de respeto hacia su esposo tiene gran valor a la vista de los niños. Una actitud respetuosa y sumisa no reprime la personalidad de la mujer, sino que provee la atmósfera ideal para que su individualidad y creatividad se expresen saludablemente. Dios quiere que expresemos plenamente los dones de inteligencia, discernimiento y sentido común que él nos ha dado. **En un matrimonio altamente eficaz, la personalidad de cada uno debe ser preservada a cualquier costo.**

Lo que la mujer realmente quiere del hombre

CUANDO HABLAMOS de liderato, lo que la mujer quiere — o por lo menos lo que esta mujer quiere —, es una combinación de cualidades a la vez enérgicas y tiernas. ¿Cómo puede ser un hombre enérgico y también tierno? Tales características parecieran ser conflictivas. **Pero hay hombres que pueden mantener un equilibrio preciso entre ser vigorosamente definitivos cuando hacen las decisiones difíciles que mantienen a la familia funcionando y ser suaves al comunicar estas decisiones a la familia en forma amorosa.**

La mayoría de las mujeres, no importa cuán tradicionales o liberales se consideren, desean un hombre amablemente agresivo que irradie masculinidad, que sea sensible a sus necesidades y que pueda producir en ellas un sentimiento positivo. Pocos hombres saben cómo proveer lo que podría denominarse liderato "suave". Este tipo de dirección puede ser logrado sólo cuando el esposo se propone ser un hombre de Dios, deliberada, fiel e intensamente. Si él va a guiar a su familia en forma efectiva y va a sobrevivir las crisis de la vida, debe pedirle a Dios que entre en su vida, que le perdone sus pecados

y fracasos pasados y que lo convierta en el tipo de líder que se necesita para guiar a su familia. **Nunca es fácil convertirse en un hombre de Dios, porque Satanás está al acecho en cada esquina para frustrar sus planes, distraer su atención hacia otras metas y desviar sus esfuerzos.**

Harry ha trabajado fielmente para convertirse en este tipo de esposo. ¡Lo que a mí me sorprende es que yo no haya tenido parte alguna en cambiar a Harry a lo que es hoy! Admito que de vez en cuando quisiera transformarlo, pero el cambio se logró gracias al deseo y el esfuerzo de Harry y la habilidad que tiene Dios de cambiar vidas. **Recuerda, el cambio positivo nunca se logra por medio de esposas fastidiosas y criticonas, empeñadas en reformar a sus maridos.** El cambio nace de un deseo interno, implantado y fortalecido por el poder del Espíritu Santo. El siguiente versículo que Harry conserva sobre su escritorio, le recuerda diariamente su meta: "De modo que si alguno está en Cristo, nueva criatura es; las cosas viejas pasaron; he aquí todas son hechas nuevas" (2 Corintios 5:17). El cambio en Harry es nada menos que fantástico.

Liderato espiritual

En gran medida, los hombres han abdicado el liderazgo espiritual en el hogar. **A veces los maridos piensan que la orientación espiritual es trabajo de mujer, al igual que lo es tener los hijos y preparar la cena.** Muchas mujeres me han confesado entre lágrimas que darían cualquier cosa porque sus esposos tomaran la dirección espiritual de la familia. **Sin embargo, hay mujeres que están yendo a la muerte espiritual porque sus esposos no están dispuestos a ser los sacerdotes de sus hogares.**

Algunos hombres justifican sus acciones diciendo que van a la iglesia todas las semanas (a insistencia de sus esposas) o porque son miembros de la junta de iglesia y oran por los alimentos a la hora de comer. Pero este tipo de cristianismo no mantendrá unida a la familia cuando se presente una crisis mayor o cuando los hijos lleguen a la adolescencia.

En lo que concierne al liderato espiritual, la actitud de Josué desafía mi mente y mi corazón. Comenzando en el capítulo 23 de su libro, Josué les dice a los líderes de Israel que él ya es un hombre viejo y recuenta entonces lo que la mano de Dios ha hecho por ellos durante su vida como líder del pueblo. Ofrece algunos consejos prácticos en cuanto al matrimonio, advirtiendo al pueblo que no se casen con los paganos porque no tendrán la protección de Dios. En el capítulo 24, Josué comienza a hablar de su tema más elocuente y preferido. Le dice al pueblo de Israel que servir a Dios debería ser la prioridad de todos; entonces le pide a cada uno que escoja ese día a quién servirá. La cita clave es, "Pero yo y mi casa serviremos a Jehová" (Josué 24:15).

Josué no dijo, "*Yo* voy a servir al Señor"; él aceptó la responsabilidad por su familia entera. Le anuncia a toda la nación, de una vez por todas, su decisión inmutable de servir con toda su familia a Dios. Él no le dejó las labores espirituales a su esposa.

Las mujeres del mundo lloran conmigo pidiendo que sus amados esposos acepten los desafíos espirituales del hogar. Yo simplemente no sé dónde me hallaría espiritualmente si no fuera por los esfuerzos que Harry ha realizado para establecer el ritmo en los asuntos espirituales, o sin su empeño por buscar continuamente la dirección y la voluntad de Dios. Sencillamente, es responsabilidad del esposo proporcionar seguridad espiritual a la unidad familiar.

Los esposos y las esposas se necesitan mutuamente en lo físico y lo emocional, pero en el terreno espiritual ¡nos necesitamos desesperadamente!

Aquí hay tres secretos que consistentemente edifican la unidad espiritual:

1 *Asistan juntos a la iglesia.* **Una investigación reciente descubrió que las parejas que asisten juntos a la iglesia, aunque sea tan infrecuentemente como una vez al mes, aumentan las posibilidades de permanecer casados por toda la vida.** Los mismos estudios comprueban que las parejas que asisten juntos a la iglesia se sienten mejor acerca de su matrimonio que las parejas que no adoran juntos.[2]

Tanto Harry como yo crecimos yendo a la iglesia todas las semanas. En ambas familias la asistencia a la iglesia no se discutía, uno simplemente iba; y desde el principio de nuestro matrimonio hemos asistido a la iglesia con regularidad. **Adorar juntos ha sido una experiencia de descanso, paz y renovación.** Dedicamos el día de reposo a la comunicación con Dios, lo cual nos libera de la tiranía de la productividad que llena el resto de la semana. **Consagrar un día por semana a la adoración del Señor fortalece nuestra relación, y nos da energías renovadas para enfrentar las responsabilidades de la nueva semana que comienza ante nosotros.** En el Jardín del Edén, Dios estableció un día de descanso a la vez que instituyó el matrimonio. **Cuando le dedicamos un día por semana a él, su poder transformador vigoriza nuestra relación. El acto de adorar juntos nutre el alma misma de nuestra relación.**

La adoración conjunta automáticamente acerca a la pareja. Además del lazo físico, se establece un lazo espiritual que promueve la humildad, la colaboración, la compasión y la intimidad. Las verdades espirituales ayudan a la pareja a superar los deseos egoístas y a convertirse en parte de un plan más abarcante.

La adoración conjunta es tan sólo el primer paso en la dirección de los asuntos espirituales de la familia.

2 *Involúcrense en un ministerio de servicio.* Hay cientos de actividades y modos de incorporar al matrimonio el servicio a otros. **La clave consiste en encontrar algo que se adapte a tu estilo de vida personal.**

Desde el principio de nuestro matrimonio, Harry y yo hemos ofrecido nuestra hospitalidad a las amistades y a los desconocidos después del servicio de culto. Hemos tratado de hacer que nuestro hogar sea un centro de amistad, de ánimo y de comidas deliciosas. A veces es una ocasión espontánea y casual, otras veces es planeada y elegante; pero siempre trato de que sea un tiempo especial, para que las visitas salgan de nuestro hogar sintiéndose animadas. La hospitalidad se ha convertido

HOY la hospitalidad hacia otros —que nos ha provisto de innumerables oportunidades de gozo y la ocasión de conocer a nuevas personas y aumentar la lista de amistades— se ha convertido en un verdadero ministerio de servicio.

Algunas otras ideas de servicio que le han dado buenos resultados a otras parejas y a sus familias son:

1. Adopten a una persona anciana que no tenga familiares que la visiten. Llévenle golosinas.
2. Ofrézcanse para servir en los comedores que alimentan a personas indigentes.
3. Visiten un asilo de ancianos y canten o léanles historias a los ancianos.
4. Visiten los enfermos en el hospital.
5. Llévenle comida a los necesitados.
6. Hagan una canasta de amistad llena de cosas agradables y llévensela a alguna persona nueva en la comunidad.

en un ministerio conjunto para Harry y para mí. Yo inclusive escribí un libro para animar a otros a comenzar un ministerio similar.[3]

Trabajar juntos en un ministerio de servicio contribuye a que el esposo y la esposa cultiven la armonía de la unidad espiritual. Aprenderán a ser abnegados a medida que se involucren en un ministerio a favor de los demás. Al hacerlo crearán nuevas oportunidades para estar juntos por más tiempo, y al mismo tiempo disfrutarán de nuevos temas de conversación.

3 *Oren juntos.* ¿Cuán a menudo oran en voz alta tú y tu esposa? Las investigaciones comprueban que las parejas que oran juntos son más felices que las que no lo hacen, y que las parejas que frecuentemente oran juntos tienen doble probabilidad de clasificar a su matrimonio como *altamente satisfaciente* que las parejas que con poca frecuencia oran juntos. Y, escuchen esto, ¡las parejas casadas que oran juntos tienen un 90 por ciento más de probabilidades de informar una mayor satisfacción en su vida sexual que las parejas que no oran juntos! **La oración acerca más a la pareja, ya que lo hace a uno más vulnerable.**

Harry y yo mantenemos tiempos separados para la devoción y la oración personal. ¡Pero al comienzo nos daba vergüenza orar juntos en voz alta y nos hacía sentir incómodos! En las pocas ocasiones cuando orábamos juntos en la noche, ¡Harry se dormía mientras yo estaba orando! Y mientras Harry oraba, en mi mente yo escribía capítulos para un nuevo libro, renovaba la decoración de la sala o permitía que mi mente se distrajera en el sinnúmero de tareas que me esperaban al día siguiente. Pronto perdimos el interés por orar juntos.

> *Mientras más cerca de Cristo estén el esposo y la esposa, más claramente verán la importancia de mantenerse el uno al lado del otro".*
>
> Richard Dobbins.

Por poco nos perdemos de lo que se ha convertido en la experiencia más enriquecedora de nuestras vidas después que alguien nos introdujo a la "oración compartida".

La idea es tomar turnos en ser el líder de la oración y en presentar las peticiones. La primera noche era mi turno, de modo que presenté la primera petición que estaba en mi corazón y lo hice en forma de conversación; luego Harry hizo una corta oración por ese mismo pedido. A continuación, yo presenté al Señor mi segunda petición, y Harry una vez más oró por lo mismo. Repetimos el proceso hasta que yo había agotado todos los asuntos que pesaban sobre mi corazón. Harry estuvo de acuerdo conmigo en que este sistema era mucho mejor que nuestros anteriores intentos de orar juntos. Este método no sólo lo mantuvo despierto, sino que lo hizo interesante. Era como tener una conversación trilateral con Dios; los dos perdimos cuenta del tiempo. La noche siguiente fue el turno de Harry de presentar las peticiones de su corazón.

En menos de una semana, comenzaron a ocurrir cosas extrañas. Siendo que yo ahora sabía lo que estaba en lo más íntimo del corazón de Harry, comencé a orar por sus peticiones, casi convirtiéndolas en mías. Él hizo lo mismo con mis peticiones. Cuando cada uno vio a su cónyuge recordando, preocupándose y orando por las peticiones del otro, nuestros lazos de amor se fortalecieron y profundizaron. Hubo una vez cuando Harry terminó su tiempo de oración diciendo: "Gracias, Señor, por darme a Nancy. ¡Yo la amo tanto! Aumenta nuestro amor el uno por el otro. Guárdanos durante la noche hasta la mañana. Amén".

Mientras más tiempo paso trabajando por las familias, **más me convenzo de que la respuesta a los problemas del matrimonio no se encuentran en el romance, en la diversión, en la excitación, o en mejores técnicas para resolver problemas, sino en profundidad, el tipo de profundidad que viene de la comunión con Dios por medio de la adoración conjunta, involucrándose en un ministerio de servicio y orando juntos.**

Situaciones imperfectas

Controladores: Los investigadores han estudiado por qué una pareja deja de estar enamorada. No hay una razón específica para que el amor muera, pero un factor significativo se enfoca en lo que los estudiosos llaman "reciprocidad y control". *Reciprocidad se define como la convicción de que cada cónyuge es un socio con iguales derechos en la sociedad matrimonial.* Cada vez que uno de los miembros de la pareja trata de controlar o dominar a la otra persona, o ignora la opinión, los deseos, las actividades y el estilo de vida de la otra persona, o trata de forzar al cónyuge a hacer algo en contra de su voluntad, esa persona está mostrando falta de reciprocidad.

Las conductas que demuestran falta de reciprocidad no son físicamente abusivas, sino emocionalmente abusivas. En un estudio citado,[4] más de la mitad (53 por ciento) de los entrevistados dijeron que el punto donde las cosas comenzaron a ir mal fue cuando el otro cónyuge empezó a tratar de ejercer el control. **Ejemplos típicos de conductas controladoras incluyen hacer decisiones sin consultar a la otra persona, dictar cómo se debe vestir el cónyuge, dónde debe vivir la pareja, cómo se tiene que usar el dinero, etc.** Algunos asuntos se referían a decisiones mayores; otros eran bastante insignificantes. Pero el denominador común era la falta de consideración de los deseos, las opiniones y los sentimientos de la otra persona —de parte del cónyuge dominante— en el proceso de hacer decisiones.

Cuando en la pareja la persona controladora se da cuenta de que su esposo/a se está desviando de su agenda, inmediatamente empieza a tratar de forzarlo/a, mediante el temor y la intimidación, a que se acople nuevamente.

Los controladores viven bajo un temor continuo de perder su posición de poder y autoridad. Temen abrirse y ser vulnerables. La persona sumisa de la pareja teme ser atacada y abatida por la persona controladora. Tales actitudes bloquean totalmente la intimidad.

Sin reciprocidad, las decisiones son hechas independientemente del otro cónyuge. Porque el controlador trabaja solo, a menudo se aísla y se enajena de su consorte al igual que del resto de la familia; y como se aísla, su cónyuge se queda hambriento de cercanía e intimidad. **Su naturaleza controladora generalmente destruye el amor de su esposo/a.** Es posible que cuando estén en eventos sociales el controlador se muestre cortés, pero su finura tiene un solo propósito: controlar. Los actos de amor no tienen significado y no existe el verdadero interés, lo cual hace que el cónyuge se sienta usado.

La vida del controlador está gobernada por "reglas". Mientras más rígidas son sus reglas, más feliz aparenta ser. Hay una manera correcta de hacer todas las cosas: su manera.

Él sabe lo que es mejor para todo el mundo, en todas las situaciones.

Debido a que no hay sumisión mutua, la consideración por la otra persona o por su habilidad de ver el mundo desde otro punto de vista está ausente. **La empatía implica involucrarse en el mundo de la otra persona y ser capaz de mirar las cosas desde ese punto de vista sin hacer juicios.** La falta de empatía sugiere un mensaje fuerte: "Tú no importas. Tú no tienes significado y no vales la pena". Tal enfoque invalida y desanima el desarrollo de la autoestima de la persona. Al controlador sencillamente no le importan los sentimientos de su esposo/a.

> *Dios no le pedirá cuentas a una esposa por las deficiencias de su esposo, pero sí le pedirá cuentas por su reacción ante él y por la forma como lo considere.*

Si en nombre de su liderato un esposo controla totalmente a su esposa, es posible que surjan serias consecuencias. La supresión continua de sus deseos con el tiempo matará su amor por él, y ella tratará de vengarse de muchas formas insidiosas. También es posible que desarrolle dolores de cabeza, úlceras, insomnio, o un gran número de otras máscaras emocionales. **La mujer debe tener libertad para moverse dentro de su esfera de responsabilidad.** Necesita hacer decisiones y cambios cuando sea necesario, como también necesita recibir y disfrutar del apoyo de su esposo, quien la anima en el papel que le toca desempeñar.

Romper el dominio tenaz del controlador no es fácil, pero sí es posible mediante la intervención de una tercera persona, puesto que si ha de efectuarse un cambio se requiere un informe semanal del progreso alcanzado. Sin embargo, tanto el esposo como la esposa tienen que desear que haya un cambio. **El cambio siempre es posible mediante el Señor.**

1 *"¡Mi esposo no merece respeto!"* Una explicación que las mujeres dan acerca de su fracaso en adaptarse al liderato de sus esposos es: "Mi esposo es ruin, injusto, flojo, terco, intratable, desconsiderado y deshonesto. Yo no lo puedo respetar". **Una mujer que encuentra difícil respetar a su esposo debe aprender a diferenciar entre la personalidad del esposo y su posición.** Es posible respetar su posición a la vez que se reconocen las deficiencias personales que necesitan ser corregidas.

Digamos que un policía te multa por exceso de velocidad. ¡Dudo mucho que ignores la multa porque no te gustó la personalidad del policía! Su posición como oficial de la policía representa la ley y el orden. Su uniforme conlleva autoridad. Debes respetar su posición aun cuando no respetes al hombre.

El mismo principio puede aplicarse en el matrimonio. Es posible que no estés de acuerdo con todo lo que hace tu esposo ni lo respetes. Todos los líderes tienen deficiencias de algún tipo, pero Dios trabaja por medio de ellos. Dios no le pedirá cuentas a una esposa por las deficiencias de su esposo, pero sí le pedirá cuentas por su reacción ante él y por la forma como lo considere. Dios puede valerse hasta de una persona imperfecta para lograr el bien.

2 *"¡Mi esposo es débil y no tiene habilidades para dirigir!"* ¿Cómo puede una

"Mi esposo es ruin, injusto, flojo, terco, intratable, desconsiderado y deshonesto. Yo no lo puedo respetar". Una mujer que encuentra difícil respetar a su esposo debe aprender a diferenciar entre la personalidad del esposo y su posición.

mujer confiarle el liderato a un hombre débil, cobarde y pasivo? ¿Uno que no tiene cualidades de líder? **Generalmente, cuando un esposo es un guía débil, su esposa posee características fuertes de control.** Ella inconscientemente escoge una persona pasiva o débil que complemente sus habilidades fuertes. Posiblemente ella vio este patrón modelado en el hogar de su niñez, o su esposo no es suficientemente fuerte como para discutir con ella. Llega el momento cuando estos esposos se adaptan a permitir que sus esposas de carácter fuerte manejen las cosas en vez de reñir con ellas a cada rato. Un patrón emerge con el paso de los años.

Algo le sucede a la mujer con el paso del tiempo, aun a aquellas que son fieramente independientes. Ya para los años de la media vida anhela tener a alguien en quien pueda apoyarse durante los períodos estresantes. Ella ya no quiere controlar, dirigir y llevar la iniciativa en todo. A pesar de ello, si los papeles se llegaran a intercambiar y él comenzara a tomar las riendas, ella lucharía por mantener el control. **Sin embargo, ella todavía desea que su hombre sea un poquito más fuerte que ella.** ¡Oh, si los hombres pudieran entender esto acerca de las mujeres de carácter fuerte y se mantuvieran firmes aunque fueran desafiados!

En estas situaciones, la mujer pierde el respeto por su esposo, y si él no cumple con

su justa porción de las responsabilidades lo llega a considerar como la persona más "débil" de la pareja. **El respeto se desintegra.** En el corazón de ella surgen sentimientos de profundo resentimiento en contra del hombre que debiera estar asumiendo la responsabilidad, a pesar de que ella resista porfiadamente los intentos de él por asumir el liderazgo.

Uno de los grandes misterios de la mujer es el hecho de que ella se siente segura cuando funciona bajo la dirección de su esposo. Ella quiere y necesita el liderato de él aunque luche contra él; y le perderá el respeto cuando ella gane. En el Jardín del Edén, Dios mismo habló acerca de este asunto cuando le dijo a Eva: "Tu deseo te llevará a tu marido, y él tendrá autoridad sobre ti" (Génesis 3:16, DHH). La palabra hebrea *deseo* quiere decir "ir tras" o "ansiar algo con vehemencia", lo cual indica el más fuerte anhelo por recibir algo.

A menudo, los hombres asumen la responsabilidad cuando las esposas dejan de cumplirla al sentir el peso completo de la dirección. **A veces lo único que la esposa necesita hacer es soltar el asunto y permitir que el esposo lo tome, y mediante manifestaciones de aprecio, la esposa sustentadora animará aún los más débiles intentos de liderazgo de parte de su marido.** Cuando su esposo sugiere algo, ella puede aceptarlo en forma amable, aunque no sienta el deseo de hacerlo así. Muy posiblemente ella reaccionaría del mismo modo si alguien que no fuera su esposo sugiriera lo mismo. Si la atención y el aprecio de una esposa fortalece los intentos de liderazgo del esposo, él se sentirá animado a tratar otra vez.

3 *"¡Mi esposo ha fracasado repetidas veces!"* ¿Cómo puede una esposa confiar en un hombre que ha fracasado muchas veces en tantas áreas que ella ya ha perdido la cuenta? **Una de las pruebas de sumisión más difíciles para una mujer es quitarse del camino y permitir que el hombre fracase sin interferir.** Ya que los polos opuestos se atraen, esto puede ser extremadamente difícil para una esposa dominante, especialmente cuando ella piensa o da a entender que *ella* podría hacerlo mejor. **Frecuentemente, es posible que la esposa diga que desea que su esposo triunfe, pero inconscientemente no se lo permita.** Puede ser que ella resista cada idea o critique sus esfuerzos vacilantes de ejercer el liderato familiar. O, cuando él fracasa, ella puede frustrar sus esfuerzos diciendo, "Te lo dije". Una vez más, ella necesita soltar las riendas, dejar de preocuparse por rescatarlo y permitir que sienta el peso completo de sus fracasos. Es posible que ella

también tenga que probar cuán dispuesta está a ir hasta los límites de la sumisión.

4 *"¡Mi esposo no es cristiano!"* Puesto que los escrúpulos espirituales de una esposa a menudo parecieran ser más profundos que los de su esposo, es posible que ella use esta excusa piadosa para no armonizar sus derechos con los de su esposo. **Ella siente que tiene el deber de oponerse a los deseos de él en asuntos de educación cristiana, la asistencia a la iglesia, el bautismo, los estudios de la Biblia, la disciplina de los hijos y muchos otros asuntos.**

En vez de contribuir a aliviar una situación difícil, cuando la mujer ignora los deseos de su esposo las cosas frecuentemente empeoran. Él empieza ahora a resentir al Dios que obliga a su esposa a violar sus deseos, lo cual reduce las posibilidades de ganarlo para el Señor. De hecho, ¡el esposo se siente celoso del Dios a quien su esposa sirve! La Biblia aclara el asunto: "Asimismo vosotras, mujeres, estad sujetas a vuestros maridos, para que también los que no creen a la palabra, sean ganados sin palabra por la conducta de sus esposas" (1 Pedro 3:1).

Una iglesia en Brasil tomó literalmente este consejo bíblico durante un gran reavivamiento religioso. La congregación tuvo que enfrentar el problema de las mujeres que se unían a la fe sin la compañía de sus esposos. Algunos esposos eran indiferentes acerca de la nueva fe de sus esposas, pero otros se manifestaban abiertamente hostiles y les prohibieron a sus esposas que asistieran a la iglesia o tomaran parte en sus actividades religiosas. Los líderes de la iglesia sabiamente aconsejaron a las mujeres que aceptaran la posición de sus maridos y confiaran en Dios para que cambiara el corazón de ellos. Un buen número de hombres han sido ganados a la fe de esta forma.

Una actitud continua de respeto y buena voluntad para adaptarse, aunque vaya en contra de la forma de pensar de la mujer, permite que Dios haga funcionar las cosas de una manera superior. El hecho de que la esposa esté dispuesta a adaptarse a menudo suaviza la actitud desfavorable del esposo referente al cristianismo, ya que él no puede menos que respetar una fe que lleva a su esposa a entregar tanto de sí misma.

Límites de la sumisión

La sumisión tiene sus límites y no quiere decir que la esposa tenga que inclinarse estúpidamente ante cada idea y deseo malvado de un hombre depravado. Dios le ha dado a cada esposa una conciencia y una mente propia para usar, y ella debe de   poner un límite entre lo que cree que está moralmente correcto y lo incorrecto de acuerdo a la Palabra de Dios. Este asunto tan delicado y sutil no siempre significará la misma decisión para cada esposa, aún en casos idénticos, y en ciertos problemas complicados frecuentemente se requiere la intervención de un consejero cristiano.

Ciertamente, una madre debe de proteger a sus hijos del daño físico y moral. Si un padre le diera drogas ilícitas o alcohol a un hijo, o si abusara sexualmente o físicamente del niño, la madre debe interferir para protegerlo. Aún así, ella debería hacer todo esfuerzo posible para preservar el respeto entre el

Fuente inagotable de sabiduriá divina para nuestras vidas, al alcance de todos.

hijo y el padre. Ella podría explicar que, "Papá no siempre ve las cosas como nosotros las vemos, y necesitamos tener paciencia con él, así como Jesús es paciente con nosotros cuando fracasamos". **Mediante las palabras y con su ejemplo ella puede enseñarle a su hijo a amar y respetar a su padre en medio de las situaciones difíciles.**

Las mujeres a menudo se enfrentan a dilemas morales. Supongamos que un esposo quiere que su esposa lo acompañe a lugares de diversión con los cuales ella no está de acuerdo; que vea videos o películas ofensivas o que se involucre en prácticas reprensibles. ¿Qué puede hacer ella en estas ocasiones? Ella debería establecer los límites según los principios de Gálatas 5:19-21. **La esposa**

Una relación sustentadora entre esposos a veces se hace difícil de lograr a pesar de que ambos se esfuercen por alcanzar metas mutuas.

no tiene ninguna obligación de obedecer a su marido cuando él trata de obligarla a participar de prácticas corruptas.

Sin embargo, ella debe dejarle toda condena al Espíritu Santo. Cuando tiene que decir que no, debe hacerlo con amor y respeto. Si quiere ir a la iglesia y él no, ella debería ir. Pero debería salir con la misma actitud con que lo haría si estuviera yendo al supermercado: darle un beso de despedida sin tratar de hacerlo sentir culpable por no ir con ella. El asunto de si debe llevar a los hijos con ella es otra cosa, puesto que los niños no son únicamente suyos. Tampoco debería cansarlo en extremo con reuniones que constantemente la sacan de la casa, dejándolo solo.

Si él rehusa encargarse de los cultos de familia, ella debería hacerlo. Si se presentara la oportunidad para que ella lo invite, ella podría decir: "Querido, ¿por qué no acostamos a los niños y escuchamos sus oraciones?" o "¿Les podrías leer la historia de la Biblia esta noche? A ellos les encanta sentarse contigo y escuchar las historias que les lees". Si él dice que no, ella debe hacerlo sola. Le puede pedir a uno de los niños que ore por la comida si su esposo no está dispuesto a hacerlo. Si él les llegara a decir a los niños que no hay Dios, ella debería enseñarles más tarde que sí hay Dios, explicándoles que "Papá dice eso porque todavía no conoce a Dios".

Una mujer que se enfrenta a situaciones **tan difíciles necesitará pasar más tiempo con Dios buscando dirección divina para enfrentar la multiplicidad de presiones que la asedian y cobrar fuerzas para cada día.** Una relación sustentadora entre esposos se hace difícil de lograr a pesar de que ambos se esfuercen por alcanzar metas mutuas, pero cuando el esposo se opone a su religión, la esposa necesita esforzarse aun más en oración para mantener la armonía en el hogar. Ella no necesita hacer alarde de su tiempo de oración y devoción ante su esposo como evidencia de su espiritualidad. **En cambio, su** vida debiera ser un testimonio mudo y elocuente. **Un tiempo diario de estudio de la Biblia y oración le proveerá la sabiduría que necesita para saber cómo hacer lo mejor de las circunstancias difíciles que la confrontan.** Ella también se beneficiaría de un fiel compañero de oración y consejero que la guíe durante los tiempos más difíciles.

Los beneficios de una relación mutuamente sustentadora

El matrimonio que funciona de forma mutuamente sustentadora tiene menos discusiones y menos contiendas. **Una vez que las luchas por el poder se han desvanecido, se asienta sobre la familia una paz y armonía naturales que traen como resultado una cercanía e intimidad que no son posibles de otra forma.**

Se acrecienta la confianza propia del esposo a medida que practica el liderazgo sustentador. La esposa notará un progreso en sus propias actitudes hacia sí misma y hacia su matrimonio a medida que responde y se adapta al liderazgo de él. Juntos, respaldándose mutuamente en el desempeño de sus papeles respectivos, enriquecerán la relación y lograrán que su matrimonio sea más unido y agradable.

Los niños aprenderán a manifestar un respeto espontáneo por la organización de la familia. Esta actitud de respeto se extenderá de la casa a la escuela, a la iglesia y a la sociedad. El hogar es la unidad básica de la sociedad, y sólo cuando los hogares funcionan exitosamente la casa está en orden. Cuando el hogar está en orden, la comunidad, la iglesia y la nación pueden funcionar debidamente.

Uno de los libros populares de la serie *Caldo de pollo para el alma* cuenta la historia de una carrera de 100 metros en las Olimpiadas Especiales en Seattle. Nueve competidores, todos minusválidos mentales o físicos, se pararon en la línea de arranque.

> *Ay de la casa donde la gallina canta y el gallo guarda silencio".*
>
> *Proverbio español*

Cuando la pistola disparó, los nueve salieron en una media carrera agitando los brazos a lo loco. Uno de los niños apenas había salido tropezó, calló al asfalto y comenzó a llorar. Los otro ocho corredores escucharon el triste llanto de su compañero, redujeron su ya lento paso, se dieron la vuelta y regresaron. Todos. Ayudaron a su amigo caído a levantarse y todos caminaron juntos hasta la meta con los brazos entrelazados. Los vítores para los nueve ganadores de medallas de oro duró más de diez minutos.[5]

Estos nueve competidores de las Olimpiadas Especiales habían aprendido el valor de apoyarse mutuamente; las familias también lo pueden hacer. ¿Lo han aprendido ustedes?

Referencias

1. Clifford I. Notarius y Howard Markman, *We Can Work It Out* (Lo podemos solucionar), **New York, NY; Putnam Books, 1993.**
3. Les y Leslie Parrot, "Soul Mates" (Amigos del alma), *Virtue Magazine,* **Mayo/Junio 1995,** págs. 28, 29.
5. Nancy L. Van Pelt, *Creative Hospitality – How to Turn Home Entertaining Into a Real Ministry* (Hospitalidad creativa – Cómo convertir las reuniones hogareñas en un ministerio real). **Hagerstown, MD; Review and Herald Publishing Association, 1995.**

El placer sexual no es producto

DE LA CASUALIDAD

*A*un la mujer inhibida puede ser sensible si su esposo la enamora en forma tierna, lenta, con paciencia y con creatividad. ¿Qué podría ser más excitante o desafiante para un hombre que mejorar su vida sexual?

7

acerca de la
intimidad marital

> *La vida sexual en el matrimonio no es automática ni tampoco es únicamente instintiva. Es una aventura experimental y exploratoria que dos personas emprenden durante un período largo de tiempo. Hay niveles de logros en el ajuste sexual, lo mismo como en todos los otros aspectos del matrimonio".*
>
> W. Clark Ellzey

D IVERSOS FACTORES hormonales intervienen en la manifestación del deseo sexual. Este deseo no debe confundirse con la excitación sexual. La excitación ocurre cuando el cuerpo ha sido estimulado, pero el deseo sexual se manifiesta en nuestro impulso sexual o libido. Algunas personas usan toda la energía de que disponen en otros proyectos absorbentes: el establecimiento de un negocio, cuidando del nuevo bebé, participando en deportes, o lidiando con varios niños de edad escolar. Cuando usamos vastas cantidades de fuerza creativa en otras tareas, nos queda poca energía para alimentar el impulso sexual. A consecuencia el deseo de tener relaciones íntimas disminuye. Esto puede ser deseable para una persona que quiere quedarse soltera, pero es perjudicial para el matrimonio.

"Recuérdame, oh Creador, que el sexo viene de ti y no del diablo, no importa lo que digan los puritanos". — Harry Hollis, Jr.

El deseo sexual es un resultado de la energía disponible, que a su vez es impulsada por la nutrición adecuada, el ejercicio y el sueño. Todos estos factores afectan la energía que hay disponible para participar de la relación marital. **La seguridad entonces, de que comes bien, haces suficiente ejercicio y duermes suficiente, incrementa el deseo sexual.**

Es posible que aquellos que viven vidas ocupadas y complicadas nunca tengan suficiente tiempo ni energía para sentir el deseo sexual. Para corregir este problema, empieza eliminando las distracciones. Lo primero y más fácil de hacer es apagar el televisor. Pasen un rato tranquilo juntos. Eliminen las obligaciones de fuera del hogar, que ocupan el tiempo que debieran pasar juntos. Es posible que inclusive las obligaciones excesivas en la iglesia tengan que ser reducidas si te quitan el tiempo que requiere el cometido de tu matrimonio.

Los niños pueden ser una distracción, particularmente para las madres de niños en edad preescolar. Un niño con un problema de salud o de conducta es capaz de consumir tanta energía que los padres se hallen con poco interés por tener relaciones maritales. Estas parejas pueden remediar la situación saliendo de la casa y pasando una noche fuera sin los niños. Hay mayores probabilidades de que haya satisfacción sexual si ambos cónyuges son dignos de confianza y la manifiestan recíprocamente; si cada uno es íntegro y conoce íntimamente a su esposo/a; si ambos se comportan de forma amorosa el uno hacia el otro, y anticipan y planean sus relaciones sexuales, apartando tiempo especial para convivir en forma diaria, cada semana, mensualmente y trimestralmente.

Esta noche no, querido

Un problema común en el matrimonio surge cuando el deseo de uno de los miembros de la pareja por tener relaciones sexuales es más frecuente que el deseo de su cónyuge. Aunque los hombres lo manifiestan mucho más a menudo, últimamente las mujeres

—particularmente las de más de cuarenta años— también revelan sus deseos de tener relaciones sexuales con más frecuencia. Las estadísticas en cuanto a la frecuencia tienden a dejarnos preocupados con los números; pero los estudios indican que las parejas entre las edades de veinte a cuarenta años tienen relaciones sexuales un promedio de una a tres veces por semana. Las parejas de cuarenta y cinco años en adelante informan que las tienen, en promedio, una vez por semana.

Sin embargo, la frecuencia depende de un gran número de factores, como la edad, la salud, las presiones sociales y laborales, la disposición favorable emocional y la habilidad de comunicarse en cuanto al sexo. Por lo tanto, "los promedios" tienden a ser engañosos. Cada pareja necesita encontrar una frecuencia afín a su deseo y estilo de vida y no preocuparse por los números. Aun así, su nivel individual variará de vez en cuando, dependiendo de las circunstancias.

La mejor forma de quedarte con tu hombre es tomándolo en tus brazos".

Mae West

Aunque ambos sexos exhiben variaciones en el deseo sexual, no sólo de persona a persona, sino de ocasión a ocasión, diversos estudios llevados a cabo alrededor del mundo muestran que por lo general los hombres piensan en el sexo más a menudo que las mujeres. **Generalmente los hombres se excitan con más facilidad y quieren tener relaciones íntimas más a menudo que las mujeres.**

Los investigadores saben que los hombres y las mujeres tienen la misma media docena de hormonas, sólo que en cantidades diferentes. La testosterona alimenta el impulso sexual en ambos géneros. El hecho de que los hombres tienden a tener diez a veinte veces más testosterona que la mujer es una de las razones primordiales por la que ellos experimentan más el deseo sexual. Un investigador[3] encontró que las mujeres a quienes se les administró un aditivo de testosterona tuvieron un nivel dramáticamente más elevado de excitación y deseo sexual. Ellas también gozaron de más energía y una mayor sensación de bienestar.

Al igual que las mujeres, los hombres también experimentan un sube y baja del nivel hormonal. **El nivel de testosterona del hombre puede duplicarse durante las horas de la mañana, lo cual podría explicar por qué se despierta a medianoche o temprano en la mañana con deseos de tener relaciones sexuales.** Sin embargo, esto tiende a disminuir con la edad. Los eventos de la vida —algo tan simple como ganar o perder en un deporte— también pueden afectar el nivel de testosterona en el hombre. En estudios hechos a jugadores de tenis, los ganadores de los juegos consistentemente experimentaban un aumento en el nivel de la testosterona, mientras que los perdedores mostraban una disminución del mismo.

Otra razón por la cual el hombre necesita la descarga sexual en forma más frecuente que las mujeres, es fisiológica. Las vesículas seminales, localizadas cerca de la próstata, son pequeños sacos que funcionan como depósitos para el semen. A medida que estas bolsitas se llenan, los hombres sienten necesidad de alivio sexual, debido a la sobreabundancia de semen en las vesículas seminales. Cuando estos depósitos se vacían, la presión se alivia.

El Dr. David Reuben escribe: "La mayoría de los hombres funcionan en un ciclo de cuarenta y ocho horas; es decir, necesitan tener relaciones sexuales con esa frecuencia para mantenerse bien. Otro escritor ha calculado que el semen de un hombre saludable se acumula cada cuarenta y dos a setenta y ocho horas y produce una presión que necesita "alivio".

Frecuencia masculina...

EL DESEO MASCULINO por la relación sexual frecuente está en marcado contraste con el deseo de la mujer. Las mujeres no sólo difieren vastamente del hombre en deseo sexual, sino que también hay diferencias enormes entre unas y otras. Aproximadamente 20 a 25 por ciento de todas las mujeres adultas podrían ser calificadas como "inhibidas", lo cual quiere decir que expresan actitudes negativas o poco entusiastas hacia el sexo. Dos por ciento son totalmente indiferentes al sexo, y otro dos por ciento posee un impulso sexual elevado. Sin embargo, 20 a 25 por ciento de todas las mujeres demuestran una actitud entusiasta, es decir, desean el sexo, lo buscan y frecuentemente lo inician. El restante 40 a 50 por ciento refleja sólo un interés ordinario por el sexo.[4]

Algunos estudios indican que ciertas mujeres se interesan más por la intimidad sexual durante la ovulación, cuando sus cuerpos producen más testosterona. Otras mujeres, particularmente aquellas con altos niveles de testosterona, se sienten más sexy justo antes de la menstruación o durante ella. Finalmente, algunas mujeres parecen estar más interesadas en la actividad marital durante la primera mitad del ciclo menstrual, lo cual puede ser causado por el marcado bienestar que acompaña al aumento mensual del nivel de estrógeno. **Tanto los hombres como las mujeres necesitan estar conscientes de este cambio cíclico en el interés sexual de la mujer.**

Algunos estudios sugieren que una tercera parte de todas la mujeres rara vez tienen suficiente interés espontáneo en el sexo como para iniciar la relación sexual. Es posible que disfruten del sexo y tengan orgasmos, pero no experimentan una necesidad física urgente por el coito tal como la sienten los hombres.

Cualquier persona con un nivel excepcionalmente bajo de deseo sexual debería ir al médico para hacerse un examen físico completo. Si los análisis de sangre indican una deficiencia hormonal, este individuo debería ser referido a un endocrinólogo para que se le hagan estudios adicionales y se le dé el tratamiento adecuado.

Cuando hay una diferencia notable entre las necesidades y los deseos sexuales de un esposo y su esposa, surgen problemas; en tales casos, la felicidad demanda una avenencia. Cuando las necesidades del esposo son más fuertes que las de su esposa, él no tiene que exigir el coito cada vez que se le antoje; ella, por su lado, puede esforzarse por satisfacer las necesidades de él, como una expresión de su amor. Es mucho más fácil vivir con una persona satisfecha sexualmente, que con una persona que no lo está.

La felicidad demanda comprensión mutua. Es más fácil vivir con un cónyuge satisfecho sexualmente, que con una persona descontenta.

Así es la sexualidad femenina

Los hombres tienen que reconocer que las mujeres son más complejas que el hombre, tanto física como emocionalmente. La mayoría de los hombres no entiende cabalmente esta complejidad. La sexualidad de él es relativamente sencilla, y por lo tanto considera que la de su esposa también debería ser igual. **Él tiende a pensar que lo que lo excita sexualmente a él también** la excitará a ella. Rara vez sucede así. La **mayoría de las mujeres se excitan de forma muy diferente que sus esposos.** Cualquier hombre daría con gusto el sueldo de un año entero por aprender el secreto de cómo lograr que su esposa fuera más sensible sexualmente. La respuesta a esta pregunta, y a muchas otras en el área de la sexualidad femenina, se encuentra en la calidad de la relación entre el esposo y la esposa.

El Dr. Seymour Fisher investigó la diferencia entre las mujeres con interés sexual alto y las que tienen poco interés en el sexo[5]. Analizó minuciosamente sus sentimientos sexuales; también investigó en detalle la formación social y psicológica de sus estudiadas, las características de estas mujeres, sus actitudes y sus principios. El resultado fue un estudio minucioso y bien documentado en cuanto a la sexualidad femenina, que revela que las respuestas a los problemas sexuales de la mujer probablemente se encuentran en lo que sucede entre ella y su marido, no en lo que pasa por su mente.

El estudio del Dr. Fisher identificó y reportó dos hechos importantes acerca de la mujer y el sexo. "En primer lugar, la capacidad orgásmica en la mujer está estrechamente relacionada con su percepción y sentimientos sobre la seguridad de su relación con las personas importantes de su vida. El estudio indicó que la mujer altamente orgásmica tiene la habilidad de confiar en las personas destacadas de su vida en general y en los hombres en particular. Los hombres estarán allí cuando ella los necesite; son confiables y los percibe como personas que se preocupan por el bienestar de la mujer. En contraste, la mujer que tiene una capacidad orgásmica baja se caracteriza por su temor de perder relaciones significativas.[6]

En esencia, entonces, si la mujer se siente insegura en sus relaciones, se le hace muy difícil confiar en los demás y depender de ellos. El impacto psicológico de su inseguridad la vuelve una mujer de capacidad orgásmica baja, cuyo instinto le hace sentir que las personas significativas de su vida, o se van a ir o la van a defraudar hasta el punto en que ella no **puede confiar en ellos. Como resultado, tiene dificultad para confiar, relajarse, y abandonarse en los brazos de su esposo.** Esta actitud de temor e inseguridad le roba a su cuerpo la habilidad de responder a la intimidad sexual en forma completa.

El segundo descubrimiento muy importante del estudio del Dr. Fisher tiene que ver con la calidad de la relación que la mujer tuvo con su padre. Con bastante regularidad él descubrió que: "Mientras más baja era la capacidad orgásmica de la mujer, más probabilidades había de que ella contara que su padre la había tratado con indiferencia, sin la intención definida de controlarla ni imponerle la obediencia de su voluntad; que fue una persona permisiva en vez de esperar que ella se sometiera a reglas bien definidas. Dicho de otra forma, mientras más grande es la capacidad orgásmica de la mujer, menos permisivo y más predominante percibe ella que era su padre".[7]

> *Lo que una esposa realmente necesita es un esposo que se interese en ella y esté al tanto de sus necesidades, de sus deseos, y de sus metas como persona.*

Este descubrimiento sugiere que el padre establece durante la infancia de la hija un patrón psicológico que ejerce una gran influencia sobre la sensibilidad sexual de la mujer durante sus años de matrimonio. **Si su padre manifestó interés y participó activamente en su crianza, si se preocupaba por lo que le sucedía a ella, la hija aprendió a trabajar, a cumplir y a** responderle a él. Se acostumbró a responderle al hombre.

Este descubrimiento indica dos factores importantes que apoyan la capacidad orgásmica de la mujer: (1) **mientras más segura, importante y confiable es su relación con su esposo, mayor es su habilidad de alcanzar el orgasmo; (2) mientras más amoroso, positivo y definidor de parámetros es el esposo, más grande es su habilidad de alcanzar el orgasmo.** El amor y la confianza proveen un fundamento seguro para la sensibilidad sexual de la esposa. Y el respeto de una mujer por su esposo aumenta su habilidad de responder consistentemente a través del tiempo. **El respeto y la honestidad completa son primordiales.** Es extremadamente difícil para una mujer responder a alguien a quien ella mira con disgusto o falta de respeto.

Una mujer sexualmente sensible y consistentemente orgásmica generalmente ha tenido un padre que era un participante activo en su vida y establecía normas para ella. Hombre, si tu esposa es una compañera sexual excepcional, ¡tal vez deberías agradecérselo a tu suegro! Muchos esposos hoy en día han abandonado la responsabilidad de ser personas involucradas activamente en los intereses espirituales, sociales, emocionales e intelectuales de la esposa.

Lo que una esposa realmente necesita es un esposo que se interese en ella y esté al tanto de sus necesidades, de sus deseos, y de sus metas como persona. Los padres necesitan hacer lo mismo con sus hijas, predisponiéndolas así a ser adultas sexualmente sensibles después del matrimonio.

Cuatro etapas del encuentro sexual

LOS MANUALES para la actividad sexual inundan el mercado con información. Algunos son médicamente incorrectos. Muchos son vulgares y repugnantes. Otros son moralmente corruptos. Hoy en día, más y más parejas cristianas entienden que Dios diseñó el sexo como una bendición para sus vidas y como medio de placer. Ellos quieren un matrimonio bueno en todas las áreas, incluyendo la vida sexual. Pero su matrimonio permanecerá incompleto y frustrado si no entienden cabalmente cómo fueron diseñados sus cuerpos para funcionar, y cómo proporcionarle placer a su esposo/a.

Masters y Johnson en su libro clásico, pero altamente técnico, *Human Sexual Response* (Respuesta sexual humana), identificaron cuatro etapas progresivas en los encuentros sexuales: (1) etapa de excitación, (2) etapa de meseta, (3) etapa orgásmica, y (4) etapa de resolución.[8]

PRIMERA ETAPA:

Excitación. Los besos, los abrazos y las caricias marcan la parte inicial de esta etapa del juego sexual entre la pareja. **Las caricias mutuas siempre deberían hacerse en forma lenta y amorosa e incluir todas las partes del cuerpo, no sólo aquellas áreas directamente relacionadas con la excitación sexual.** Tanto para la esposa como para el esposo, las caricias deben abarcar la parte interior de los muslos, la parte posterior de la cintura y las nalgas, los lóbulos de las orejas y la parte de atrás del cuello. Esto demuestra interés en la persona completa, no sólo en sus genitales.

La primera señal de excitación en el esposo es la erección del pene. Esto ocurre en cuestión de varios segundos después de un pensamiento erótico, de divisar algo estimulante, o de una caricia. A partir de este punto de excitación inicial, si continúa la estimulación efectiva, él progresa rápidamente a la próxima etapa.

El pene, al igual que el clítoris, se compone de tres partes: el glande, el cuerpo del pene y la base, y está envuelto en una tela de piel flexible y expansible. El glande, situado en la punta del pene, es la parte más sensitiva de los genitales masculinos y es la parte que él prefiere que sea acariciada. **Cuando el cerebro recibe un mensaje sexualmente excitante, los vasos capilares involuntarios del pene se dilatan y la sangre se precipita hacia allí.** Unas válvulas especiales en las venas del pene se cierran y atrapan la sangre manteniendo al pene erecto.

La mayor parte de la sexualidad del hombre — 80 a 90 por ciento— se concentra en su pene y en las terminaciones nerviosas que contiene. El esposo también disfruta del masaje suave en la región genital, ya que la segunda parte más sensible en el hombre es el escroto, esa bolsa de piel en forma de saco que cuelga fuera del cuerpo detrás del pene. Sin embargo, la mujer debe de tener cuidado de no apretar excesivamente los testículos, ya

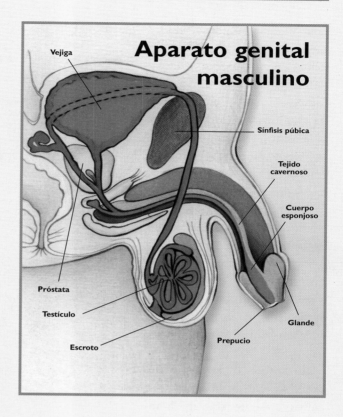

Aparato genital masculino

Vejiga

Sínfisis púbica

Tejido cavernoso

Cuerpo esponjoso

Próstata

Testículo

Glande

Escroto

Prepucio

que esto le causa tanto dolor al hombre como cuando él pone demasiada presión en el clítoris. **La mayor parte de las caricias de la mujer deben concentrarse en la parte superior del cuerpo del pene.** Esta estimulación y las caricias en la cabeza del pene y el frenillo, en la parte de abajo del cuerpo del pene aumentará grandemente su excitación.

Durante esta etapa, la piel del escroto se hace más gruesa, lo cual hace que los testículos se acerquen más al cuerpo. Algunos creen que esto sucede para aumentar un poco la temperatura del líquido seminal mientras se prepara su expulsión y la fertilización del óvulo. Más o menos un 60 por ciento de los hombres también experimentan erección de los pezones; sin embargo, por lo general no se nota ya que las mamas de los hombres son menos prominentes. A medida que su excitación aumenta, él va a querer "apurarse" justo cuando ella necesita tomar más tiempo. Una vida sexual exitosa depende de la habilidad de la pareja de entender y ajustarse a las necesidades de sus ritmos diferentes.

La primera evidencia de la excitación sexual de la mujer es la lubricación vaginal. Esta lubricación sucede pocos segundos después de la excitación sexual, pero es sólo el inicio de la excitación y *no significa que ella está lista para el coito ni lo desea todavía.*

El clítoris es el centro del deseo sexual de la mujer; sin embargo, la atención del hombre mientras se acarician por lo general se concentra en los senos y en la vagina, ya que ambos le dan mucho placer a él. A pesar de que estas áreas también son erógenas para la mujer, el clítoris le provee a ella la máxima cantidad de placer. El clítoris esta situado aproximadamente a unos dos centímetros y medio arriba de la entrada de la vagina y está formado de un glande, un cuerpo y un capuchón. Cuando se lo estimula, se hincha de sangre, en forma muy similar a como lo hace el pene, y pulsa con placer.

Según las investigaciones de Masters y Johnson, el clítoris no tiene otra función fuera de la de producir placer sexual. Llamado el "gatillo del deseo femenino", este es el punto más sensible para la excitación femenina. Sin embargo, no es necesario para el coito; tan

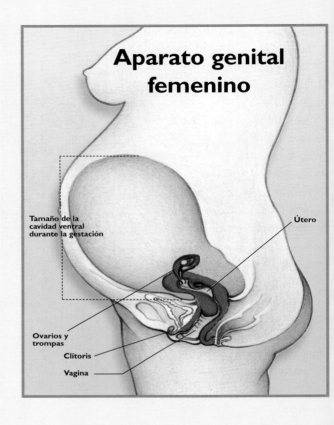

Aparato genital femenino

Tamaño de la cavidad ventral durante la gestación

Útero

Ovarios y trompas

Clítoris

Vagina

sólo la vagina y el pene son esenciales. Por lo tanto, Dios le dio algo a la anatomía femenina —algo adicional— para que ella disfrutara el mismo placer sexual supremo que experimenta su esposo.

La vulva es la segunda área sexual más importante de la mujer. Es la porción carnosa que circunda el orificio de la vagina. Está compuesta de los labios mayores y los labios menores. Los labios mayores se componen de dos pliegues de piel redondeados y abultados que protegen las demás partes y preservan la mucosidad necesaria para lubricar el canal vaginal durante el coito. Los labios menores están dentro y paralelos a los labios mayores. Los dos lados se unen en la parte superior de la vulva y sirven para cubrir el clítoris. La vulva

HAPPY *Holidays* FROM

YOUR COMPANY NAME HERE

Season's Greetings

GREETINGS of the SEASON

YOUR COMPANY NAME HERE

_l snowflakes bedazzled with glistening
__ainst the midnight blue linen stock.
__ic foil accentuates this dramatic design.
__ded. Matching seals (H8908S) available.

__om of the card as shown._

es el área más visiblemente sensible durante la estimulación sexual, ya que cuando se excita se llena de sangre, similarmente al pene. **La vulva y el clítoris son el centro de la sexualidad física de la mujer, ¡no la vagina!**

La vagina fue diseñada con dos propósitos: para recibir el pene erecto durante el coito y para servir como canal para el nacimiento de un bebé. Pero ninguno de estos dos propósitos le produce excitación sexual a la mujer. Mientras que la penetración del pene en la vagina le produce mucho placer al hombre, no es igual para la mujer. De hecho, el cilindro vaginal tiene muy pocas terminaciones nerviosas y, como resultado, es prácticamente insensible a la estimulación sexual. Es por esto que muchos esposos "pierden" a la esposa cuando insisten en penetrar demasiado pronto. Cuando esto ocurre, la excitación sexual de la esposa básicamente se termina. Lo único que queda es el orgasmo, y por lo general en ese momento ella no está lista para tenerlo. **Lo que más placer le produce a ella son las caricias en la vulva y el borde exterior de la vagina, no la inserción de nada en la vagina.**

Ya que en la mujer el área que se llena de sangre es mucho más extensa que la del pene en el hombre, la etapa de excitación para ella toma más tiempo y *no se puede apresurar*. El esposo necesita tomar tiempo para prepararla para las reacciones físicas que pronto se producirán. A continuación, los labios mayores se llenan de sangre y se separan. Al mismo tiempo los labios menores pueden aumentar hasta el doble o el triple de su tamaño normal. Además las dos terceras partes del interior de la vagina se extienden en anticipación a la inserción del pene. Es ahora cuando ella posiblemente muestre otras reacciones físicas: el rubor sexual, la erección

de los pezones y el aumento del pulso y la respiración.

SEGUNDA ETAPA:

Meseta. Durante esta fase, tanto en los hombres como en las mujeres aumenta el ritmo cardíaco, la presión arterial a menudo aumenta, y la respiración se intensifica. Pero una vez más, a la mujer le suceden cambios más notables que al hombre. En la segunda parte de la etapa de meseta ocurre lo opuesto. **Durante esta fase el cilindro vaginal aumenta de tamaño y se forma un área parecida a un saco que es donde el semen será depositado.** Al mismo tiempo, la tercera parte desde la entrada de la vagina se hace más pequeña. Esta combinación de cambios crea un repositorio ideal para que los espermatozoides tengan las mejores probabilidades de fertilizar al óvulo.

La caricia es la raíz de nuestras más profundas emociones.

Al mismo tiempo, las glándulas de Bartholin, situadas a ambos lados de la entrada (vestíbulo) de la vagina, secretan una substancia mucosa diseñada para crear el ambiente alcalino necesario para que los espermatozoides vivan suficiente tiempo para fecundar el óvulo. Sin esta secreción, la vagina sería demasiado ácida, y los espermatozoides no podrían sobrevivir. ¡Dios en su infinita sabiduría no deja nada librado a la casualidad!

Durante esta fase, el esposo puede disfrutar

de acariciar los senos de la esposa, y sus caricias y besos en toda probabilidad serán tan excitantes para ella como para él. Sus manifestaciones de cariño deberían hacerse más intensas en estos momentos a medida que la excitación de ella aumenta, e incluir besos suaves y caricias en el área de los pezones. **Los pezones de ella se harán más firmes y se proyectarán erectos de los senos.** A medida que aumenta la excitación, es posible que parezca que el pezón se desaparece porque los senos y los tejidos a su alrededor se hinchan. **Posiblemente los senos sean más sensibles al tacto durante esta etapa.**

Las caricias suaves de los genitales de ella aumentarán la excitación sexual. **Los toques tiernos, imaginativos y amantes serán mejor recibidos que un toque fuerte y demandante.**

Los labios menores cambian de color a un rojo brillante y aumentan de tamaño como un minuto antes del orgasmo. **El clítoris continúa aumentando de tamaño pero se esconde debajo del capuchón a medida que la excitación continúa y se hace más difícil de localizar.** A menudo la sensibilidad es tan extrema que no se puede tocar directamente.

Con propósitos de placer, el primer tercio de la vagina se hace más estrecho, lo cual provee estimulación adicional al pene y a la vagina. Esta primera porción de la vagina se contrae y produce un efecto de agarrar, aguantando al pene firmemente. Ya que sólo los primeros cuatro a cinco centímetros de la vagina contienen terminaciones nerviosas, la preocupación en cuanto al tamaño del pene es de poca consecuencia. *La porción más importante de la vagina es sus primeros cinco centímetros.*

Durante esta fase, es importante que la esposa se concentre en las sensaciones físicas y que le comunique su progreso al esposo en forma verbal o por medio de indicaciones no verbales. Esto es necesario para que él pueda interpretar el nivel de excitación de ella.

La Dra. Helen Singer Kaplan, una de las autoridades más reconocidas en asuntos de sexualidad, dice: "Nunca deberías hacer algo sexual que sea físicamente doloroso, moralmente o emocionalmente repugnante para ti.[9]

Desde el punto de vista médico, el sexo anal es arriesgado y debe ser evitado. No hay referencias bíblicas al sexo oral. Las leyes levíticas, que dan prohibiciones sexuales explícitas, no lo mencionan.

Durante la estimulación erótica la pareja debería involucrarse en juegos sexuales que los dos disfruten. Por lo general el esposo es el que está más dispuesto a iniciar una variedad mayor de experiencias sexuales, sin embargo él no debería forzarlas sobre una esposa que no esté dispuesta a participar de ellas. La clave aquí es el deleite mutuo, y la pareja puede experimentar con una gran variedad de experiencias amorosas y de placer si así lo desean.

Normalmente, durante el coito el pene no toca el clítoris. A consecuencia, el esposo amante debería masajear suavemente el área adyacente hasta que su esposa le indique que está lista para la entrada del pene. El clítoris es tan sensible que el esposo necesita tener cuidado mientras trata de acariciarlo. Guernsey asemeja la estimulación del clítoris a la sensibilidad de la córnea del ojo. Si algo te cae en el ojo, tú lo cerrarías y lo frotarías, usando el párpado como protección. Esto es similar a la sensibilidad del clítoris al toque directo. Es mejor poner presión indirecta dándole un masaje suave a su capuchón. Frotarlo descuidadamente con la mano produce dolor e irritación. **Lo que se necesita**

para llevar a la mayoría de las mujeres a su pináculo sexual es la estimulación suave del clítoris con presión indirecta.

A diferencia del estímulo interrumpido que les sirve adecuadamente a la mayoría de los hombres, la mujer requiere estimulación continua para llegar al orgasmo y el esposo debería de seguir acariciando el clítoris durante este período de actividad erótica. **Con práctica, el hombre puede aprender a introducir el pene mientras que continúa las caricias suaves al área del clítoris.**

Es posible que también se puedan notar cambios en los senos. Por lo general éstos aumentan de tamaño, haciéndose más redondos y llenos, con los pezones obviamente erectos. Si la mujer dijera que ella no siente excitación sexual, tanto el esposo como ella deberían vigilar la erección de los pezones y la lubricación. Esto ocurre con frecuencia sin que ella se dé cuenta de su despertar físico y emocional. Una vez que se da cuenta, se la puede animar para que busque la dimensión emocional.

Durante todo este proceso el hombre debe recordar que su esposa es una persona completa —no tan sólo una vulva o un clítoris— y debe de darle a ella un placer total. **La estimulación erótica consiste en los besos, en jugar con sus senos, y en acariciar la vulva y el clítoris.**

Relativamente pocos cambios suceden en el hombre durante la fase temprana de la meseta. El color de la "cabeza" o el glande del pene se oscurece, debido al aumento de la congestión de sangre y aumenta de tamaño levemente en preparación para el orgasmo. **Durante los juegos de amor extensos, una pequeña cantidad de líquido preeyaculatorio gotea del pene. Este líquido contiene**

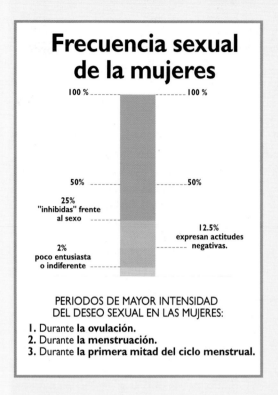

Frecuencia sexual de la mujeres

100 % ----------- 100 %

50% ----------- 50%

25% "inhibidas" frente al sexo

12.5% expresan actitudes negativas.

2% poco entusiasta o indiferente

PERIODOS DE MAYOR INTENSIDAD DEL DESEO SEXUAL EN LAS MUJERES:
1. Durante **la ovulación.**
2. Durante **la menstruación.**
3. Durante **la primera mitad del ciclo menstrual.**

espermatozoides vivos y puede embarazar a la mujer. La piel del escroto continúa engrosándose, y el testículo derecho se ciñe más cerca del cuerpo. Hay también un aumento marcado en el tamaño de los testículos.

Al final de la fase de meseta, él llega al punto en que siente que "no resiste más": un punto en su excitación cuando no puede evitar de eyacular; es incapaz de detenerse o retroceder. El hombre se siente como un globo lleno, listo para estallar. Cuando el hombre llega al punto en que no resiste más, él va a eyacular. Nada se lo podrá impedir; aunque suene el teléfono, o se caiga de la cama, aún así va a eyacular.

El hombre tiene que aprender a demorar este "punto en que no resiste más" tanto como sea necesario para satisfacer a

su esposa. Por lo general, lo que empuja al hombre más allá de este punto es la presión continua en el glande o el cuerpo del pene. Con práctica él puede aprender a hacer una pausa antes del punto en que no resiste más y relajarse antes de cruzar la línea. A menudo tan sólo unos segundos de pausa aminoran la presión. Con práctica, el hombre puede llegar más y más cerca de este punto sin eyacular. **Mientras más pueda esperar (hasta cierto límite) más son las posibilidades de que le dé placer a su esposa.**

TERCERA ETAPA:

Orgasmo. En el hombre el esfínter del músculo de la vejiga se cierra para que no se escape la orina durante la eyaculación. **Es por ello que es prácticamente imposible para un hombre orinar inmediatamente antes o después de la eyaculación.** El orgasmo masculino ocurre en dos fases. Cuando la sangre en sus órganos sexuales ha llenado todos los espacios posibles, el músculo de la base del pene se contrae, y lanza aproximadamente unos 3 centímetros cúbicos de fluido seminal desde la punta del pene. **En los hombres más jóvenes, el líquido sale en chorros más grandes, pero esta fuerza disminuye con la edad.** Su orgasmo termina cuando ha expulsado todo el fluido seminal. El semen se compone principalmente de proteína, similar a la clara de huevo, y no es ni sucio ni antihigiénico, aunque tiene un olor singular. El fluido seminal expelido contiene de 250 a 500 millones de espermatozoides que pueden permanecer activos en la vagina hasta 10 horas.

El orgasmo masculino se completa con tensión muscular involuntaria y contracciones que se centran en el pene, la próstata y las vesículas seminales. Normalmente

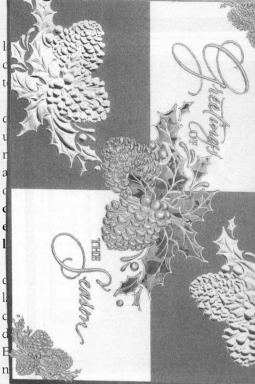

placer mutuamente. **Debiera ser el deseo natural del esposo proveer a su esposa todo placer. Sin embargo, un plan mejor sería que él la lleve a ella al orgasmo primero. Observar las reacciones de ella aumentará el placer de él, y entonces él puede buscar el clímax.**

Para la mujer, el orgasmo empieza con una sensación que ha sido descrita como de estar "suspendida", probablemente causada por las contracciones uterinas, seguida por una ola de calor que corre por todo su cuerpo. Las contracciones musculares y el escurrimiento de líquido crean la emoción del orgasmo y una inmensa sensación de alivio. Generalmente la mujer tiene más contracciones que el hombre porque ella tiene un área más grande en donde se acumula la sangre, y se requieren más contracciones para sacar el líquido de allí; esto también explica su mayor intensidad orgásmica.

Debiera ser el deseo natural del esposo proveer a su esposa todo placer.

El resultado final es una experiencia extremadamente placentera. **Tres a cinco contracciones denotan un orgasmo leve; ocho a doce contracciones un orgasmo intenso. Estas contracciones ocurren a intervalos de menos de un segundo.** El clímax es una sensación física maravillosa diseñada por el Creador, un momento cumbre mejor des-crito como "éxtasis". Esto explica por qué tantas personas lo buscan tan a menudo.

Si la mujer no llega a experimentar el orgasmo, queda en un estado extremadamente incómodo. Su cuerpo ha sido preparado para la descarga sexual, pero cuando el orgasmo no ocurre, no hay contracciones que fuercen el líquido a salir de sus genitales. La excitación sexual se convierte en una irritación, debido a una incomodidad genuina. ¡Para el hombre sería como tratar de pasar todo el día con una erección que no se va! La sangre que podría haberse vaciado en menos de quince minutos después de la descarga orgásmica ahora se toma hasta doce horas para vaciarse. Si esta situación se llegara a repetir con frecuencia, ella se sentirá sexualmente desanimada. Mujeres a quienes se deja así a menudo, evitan el sexo después de tales encuentros.

CUARTA ETAPA 4:

Resolución. Después de la satisfacción sexual la pareja entra en una etapa de calma durante la cual las funciones del cuerpo regresan a sus niveles normales. En esta fase se experimenta una de las diferencias principales entre la respuesta sexual del hombre y la de la mujer. El cuerpo del hombre típicamente regresa a la normalidad abruptamente. La sangre que llenaba el área del pene se vacía rápidamente. La erección se termina; los testículos disminuyen en tamaño y una vez más bajan a su posición original. Una vez que la congestión disminuye, si el hombre fuera a seguir su inclinación natural, probablemente se daría la vuelta y se dormiría.

Debido a la mayor participación física de la mujer, la etapa de resolución requiere más tiempo para ella que para el hombre. Por lo general se toma diez a quince minutos; en cambio el hombre necesita tan sólo uno o dos minutos. Para la mujer, el orgasmo no significa el final de la experiencia amorosa, sino tan sólo la entrada a una nueva fase: el "resplandor crepuscular". **Después del orgasmo, la mujer parece tener una necesidad subconsciente de mantenerse en contacto con su esposo.** Es probable que él quiera alejarse y conseguir el muy necesitado descanso, pero frente a tales actitudes la mujer se siente rechazada y "usada" por su esposo. Este es el momento de acariciarla y besarla y de hablarle; cólmala con besos y abrazos tiernos.

La pareja debería acostarse uno en los brazos del otro, y simplemente disfrutar de estar cerca. Esto asegura que juntos hagan una transición agradable a la relajación completa. Después del orgasmo algunos hombres dicen que la cabeza del pene se hace muy sensitiva al contacto y que por ello quieren retirarse inmediatamente. Sin embargo, es posible que la mujer interprete esta actitud como una señal de rechazo. Un esposo amante debe confiarle a su esposa que siente molestia poseyaculatoria para que ella sea comprensiva y pueda simpatizar con él en vez de sentirse rechazada.

Notemos que el hombre puede alcanzar y completar cada etapa con mayor rapidez que la mujer. **Es por esto que él necesita ser extremadamente paciente con ella y tomar tiempo; ¡nunca apurar el acto! Para la mujer el sexo no es un acto, sino un evento.**

Orgasmos simultáneos

Muchas parejas piensan que el ideal del coito es lograr orgasmos simultáneos. Puesto que tan sólo aproximadamente 17 por ciento de todas las parejas tienen orgasmos simultáneos —y aún a ellos les sucede sólo de vez en cuando— esta meta hace que muchos matrimonios se sientan inadecuados. Sin embargo, el reporte Janus mostró que sólo 24 por ciento de los hombres y 14 por ciento de las mujeres sentían que el orgasmo simultáneo era vital para su felicidad sexual.[10]

Tratar de lograr el orgasmo al mismo tiempo puede en efecto hacer el sexo menos satisfaciente. Cuando una pareja logra el orgasmo a la misma vez, cada uno está tan absorto en su propio placer intenso que toda la atención está concentrada en sí mismo. En un momento ella está disfrutando la atención completa de él; al siguiente minuto él está absorto en sí mismo. De la misma forma, él perderá la oportunidad de disfrutar del alcance pleno del placer de ella por estar concentrado en la intensidad de su propia experiencia.

Si él logra que ella alcance su orgasmo primero, entonces puede ayudarle a intensificar su orgasmo y puede disfrutar completamente del placer de ella. Después, ella está libre para experimentar el orgasmo de él. Es casi como tener dos orgasmos en vez de uno solo. Las dos personas experimentan por completo el orgasmo de ella, y entonces los dos experimentan el de él. Si él llegara a tener su orgasmo primero, ella se distrae de su propia excitación. Aún si ella llegara al orgasmo, él ya no está tan interesado porque no está completamente excitado.

Noten por favor que la mujer puede sentirse suficientemente satisfecha, aunque no experimente un orgasmo, si no se siente presionada por las expectativas del esposo. Algunas veces los hombres miden su destreza sexual en base a los orgasmos de la esposa (lo cual fue evidente en el reporte Janus). Si ella no llega al orgasmo, él pone mala cara. Esto presiona a la mujer para que actúe en una forma que cumpla con las expectaciones de él, aún cuando ella no siente el deseo. El hecho de que la mujer sienta que tiene que actuar de cierta forma o tenga que fingir el orgasmo, puede impedir que experimente orgasmos reales.

Un requisito para lograr relaciones sexuales extraordinarias, es que la mujer no sienta ninguna presión de actuar de alguna forma específica. Una vida sexual extraordinaria significa que a veces el sexo será fantástico y en otras será tan sólo ordinario o tal vez ni siquiera ordinario. Sin embargo, no importa la intensidad, siempre debe de ser amoroso. Esto por lo general significa que el hombre tiene su orgasmo y la mujer recibe el afecto físico que desea; entonces los dos ganan.

Orgasmo centrado en el clítoris versus orgasmo vaginal

Ha surgido mucha confusión debido a la teoría del orgasmo vaginal versus el orgasmo centrado en el clítoris.

Hasta la fecha ninguna investigación ha comprobado jamás que el orgasmo centrado en el clítoris sea inferior al vaginal. Es más, hoy en día está bien documentado que un orgasmo es un orgasmo. **No es de importancia si es una reacción clitoral o vaginal, ya que el cerebro y los órganos sexuales trabajan juntos para producir el orgasmo.** Todos los expertos concuerdan en que la

mujer puede experimentar sólo un tipo de orgasmo. Todos los orgasmos, ya sea que se originen en la vagina o en el clítoris, producen la misma reacción. Se forma la plataforma orgásmica, las contracciones en el primer tercio de la vagina y las contracciones del útero.

CONSEJOS PARA AUMENTAR EL PLACER

CINCO FACTORES pueden aumentar la intensidad del placer en el hombre:
1. ESPERAR veinticuatro horas después del último orgasmo para permitir que se acumule una mayor cantidad de líquido seminal.
2. AUMENTAR EL TIEMPO dedicado a los juegos sexuales y la excitación con el fin de que el pene esté erecto por veinte minutos o más.
3. AUMENTAR LA IMAGINACIÓN viendo y sintiendo la respuesta extática de la esposa como reacción a su manipulación experta.
4. CONTRAYENDO VOLUNTARIAMENTE los músculos del esfínter del ano durante el orgasmo.
5. AUMENTANDO LA FUERZA de los movimientos de entrada y salida del pene en la vagina durante el orgasmo.
La mujer puede aumentar la intensidad de sus sensaciones físicas al fortalecer voluntariamente las contracciones musculares y añadiendo los movimientos de su pelvis a los de él a medida que se entrega buscando el clímax.

La mujere tiene dos centros de reacción orgásmica. Ella siente el orgasmo no sólo en la vagina sino también en el útero. El útero experimenta contracciones similares a la primera etapa de parto. Ya que se trata de una reacción normal, las mujeres aprenden a disfrutar la intensidad de estas contracciones en vez de sentirlas como dolorosas. Aunque el centro de la respuesta está en la vagina y el útero, las sensaciones incluyen el cuerpo entero. Los Penners describen la sensación como análoga a dejar caer una piedra en un charco de agua. La reacción más intensa es en el centro donde la piedra cae, pero la reacción continúa moviéndose hacia afuera en círculos más y más grandes. Este es el caso, no importa cuál sea la fuente de la estimulación. Algunas mujeres reportan un aumento en la satisfacción emocional cuando el pene está en la vagina, pero esto es estrictamente un asunto de gusto personal. **No hay nada de malo con tener un orgasmo como resultado de la estimulación externa.** Es más, algunas mujeres reportan orgasmos más intensos cuando el pene no está en la vagina.

> *Es fácil permitir que una parte vital de nuestro matrimonio sea rutinaria. El paso acelerado de la vida y las múltiples distracciones tienden a interferir con nuestra expresión sexual".*
>
> H. Norman Wright

El reporte Hite encontró que sólo 30 por ciento de las 300,000 mujeres de la investigación podían lograr el orgasmo en forma regular sin tener estimulación del clítoris. **Esto significa que para aproximadamente 60 a 70 por ciento de la población femenina los movimientos de entrada y salida del** pene en la vagina no las lleva al orgasmo en forma regular.

La renuencia de una pareja amante de incorporar la estimulación del clítoris como una parte significativa de los juegos sexuales ha impedido a más mujeres alcanzar la satisfacción orgásmica que cualquier otro factor único. **Las parejas no deben confundir la estimulación manual del clítoris con la masturbación.** La masturbación involucra la manipulación de los genitales propios. Es básicamente egoísta y excluye la felicidad de la otra persona. Este no es el caso en la estimulación del clítoris durante el coito. **Dios diseñó el clítoris para ser usado en la expresión sexual y constituye un juego sexual aceptable entre esposo y esposa, y para una mayoría de las mujeres constituye el único medio para la satisfacción sexual.**

Orgasmos múltiples

Nuevos estudios acerca de la sexualidad femenina han demostrado que algunas mujeres pueden tener varios orgasmos en un período de tiempo breve. Los hombres a veces encuentran esto difícil de comprender, ya que en la mayoría de los casos ellos son incapaces de recuperar su habilidad de tener un orgasmo sin mediar un período de descanso. **Pero una mujer estimulada continuamente es capaz de tener cinco o más orgasmos que a menudo van aumentando en intensidad.** La mayoría de las mujeres en el reporte Hite no sabía esto.

En vista de que la mujer puede tener clímaxes repetidos, un hombre considerado inmediatamente después de su eyaculación a menudo estimulará el área del clítoris de su esposa para que ella pueda repetir la experiencia. **Es la reacción natural de un esposo** amante desear proveerle a su esposa todo placer. *Pero los orgasmos múltiples no deberían ser forzados sobre la mujer, ni deberían ser esperados en cada encuentro sexual.* La mayoría de las mujeres prefieren dicha experiencia en aquellas ocasiones cuando las circunstancias, el estado de ánimo, y todos los demás factores trabajan juntos. Un solo orgasmo es todavía la respuesta más frecuente para la mujer, y en la encuesta Hite la mayoría de las mujeres reportó que deseaba sólo un orgasmo.

Problemas que pueden arruinar su vida sexual

Los problemas sexuales son comunes en cualquier sector de la población humana. Una cantidad de factores orgánicos (como la enfermedad y las drogas), factores psicológicos (la ira y la ansiedad por tener que actuar de cierta forma) y de influencias culturales (la vergüenza y la culpabilidad) pueden intervenir en el delicado mecanismo sexual y a veces desviarlo completamente.

En un estudio, cien parejas que consideraban que su matrimonio era "feliz" o "muy feliz" fueron interrogadas extensamente acerca de su vida marital. **Entre estas personas satisfechas, aproximadamente la mitad de las mujeres reportaron dificultad en excitarse sexualmente y 46 por ciento dijeron que tenían dificultad para tener orgasmos.** Las disfunciones sexuales eran menos comunes entre los hombres; sin embargo el 10 por ciento admitió que tenían dificultad con la erección, y más de la tercera parte reportó eyaculación precoz.

Por lo tanto, la suposición de que las parejas felizmente casadas se encuentran libres de problemas sexuales no es necesariamente válida. **Ni tampoco se puede admitir que un problema sexual sea sinónimo de un matrimonio desdichado.** Los investigadores informaron que el aspecto más significativo de sus descubrimientos fue comprobar que muy pocas personas tienen vidas libres de problemas sexuales, a pesar de que su matrimonio sea feliz.

> *Dios no sólo creó los impulsos de placer que llevamos adentro, sino que también creó el contexto apropiado para su completa expresión y satisfacción".*
>
> *H. Norman Wright*

Hablando en forma realista, ¿qué puede y debe hacerse en cuanto a los problemas sexuales? Los estudios realizados sobre el tema demuestran que los problemas sexuales pueden ser manejados en forma muy efectiva mediante la educación sencilla y las técnicas de comportamiento. Así como hemos desarrollado un concepto más claro de lo que puede fallar durante las varias etapas del ciclo de la respuesta sexual, también podemos adoptar métodos específicos para lidiar con los diferentes problemas.

Una palabra para las mujeres preorgásmicas

No hace muchos años la mujer sexualmente insatisfecha debía sufrir sola su frustración sexual. Pero ese tiempo ya pasó, y los estudios expertos han comprobado que todas las mujeres casadas son capaces de experimentar el orgasmo. El término "frígida" ya no se usa para las mujeres que son sexualmente indiferentes. El término "preorgásmica" es más descriptivo, ya que para las mujeres el orgasmo es una experiencia que se

La respuesta orgásmica de la mujer está estrechamente relacionada con sus sentimientos acerca de sí misma.

aprende. **La mujer que no está llegando al orgasmo simplemente no ha aprendido todavía cómo alcanzarlo.** Ciertamente ninguna mujer cristiana debería conformarse con menos, puesto que tanto ella como su esposo merecen gozar de esa experiencia.

La respuesta orgásmica de la mujer está estrechamente relacionada con sus sentimientos acerca de sí misma. **El resentimiento, la amargura, la mala información y las actitudes motivadas por el cansancio levantan barreras sexuales en la mujer, que le hacen difícil, si no imposible, responder a su marido.** Y puesto que el órgano sexual más importante es el cerebro, a menos que él diga, "Muy bien, adelante", ella no puede ser satisfecha sexualmente.

Cuando la mujer encuentra que tales actitudes están bloqueando su satisfacción sexual, necesita contribuir a la solución de su problema adoptando actitudes más positivas. Libros tales como *El don del sexo* (*The Gift of Sex*) pueden ofrecer discernimiento acerca de sus problemas. Si tales esfuerzos fracasan, ella debería consultar a un médico de confianza o buscar el consejo de un especialista.

Otra forma de aumentar el placer sexual tanto de los hombres como de las mujeres consiste en fortalecer el músculo pubococcígeo. En 1940 el Dr. Arnold H. Kegel —un especialista en enfermedades de la mujer— accidentalmente descubrió que un ejercicio que se practicaba para fortalecer un músculo de la vejiga debilitada también aumentaba la satisfacción sexual de la mujer. El ejercicio recomendado por Kegel no sólo curó el problema urinario de la paciente, sino que también le permitió experimentar el orgasmo por primera vez en quince años de matrimonio. Reportes extensos ahora confirman el descubrimiento original del Dr. Kegel. Desde entonces los ejercicios Kegel han sido recomendados por muchos médicos para mejorar la respuesta sexual de las pacientes, ya que tal vez hasta dos tercios de todas las mujeres norteamericanas sufren de debilidad del músculo pubococcígeo suficientemente severa como para interferir con el funcionamiento sexual. Un conocimiento claro de cómo funciona dicho músculo puede aliviar muchos casos de insuficiencia sexual.

El músculo pubococcígeo corre entre las piernas desde la parte frontal hacia la parte trasera como si fuera un cabestrillo. Le da soporte al cuello de la vejiga, a la parte inferior del recto, al canal del parto, y a la parte inferior de la vagina. En dos de cada tres mujeres, este músculo ancho está débil y flácido, e interfiere así con la función sexual.

Los ejercicios Kegel para fortalecer este músculo consisten en una serie de contracciones como las que se utilizan cuando se evacua la orina. Si se puede interrumpir el flujo de la orina, el músculo pubococcígeo ha sido contraído. Una vez que se ha aprendido a tener control de este músculo, el ejercicio puede ser hecho en cualquier momento. La mujer debiera comenzar con cinco a diez contracciones seis veces al día durante la primera semana. En un período de seis semanas, debería aumentar el número de

contracciones en cada una de las seis sesiones diarias a cincuenta contracciones. Ya en el curso de la tercera semana la mayoría de las mujeres notarán cambios en su desempeño sexual. Después de seis a ocho semanas, una pequeña cantidad de ejercicio mantendrá el buen tono muscular.

El fortalecimiento del músculo pubococcígeo puede estrechar una vagina que haya sido estirada al tener hijos. Una vagina estirada puede producir una reducción considerable de placer para ambos cónyuges. La contracción de estos músculos durante el coito es otra manera de intensificar la satisfacción.

> *Cuando las cosas están fuera de equilibrio en el departamento sexual, el esposo hará bien en mirarse a sí mismo, porque a menudo la razón de tener una esposa desinteresada es un esposo que no logra satisfacer las necesidades emocionales de ella.*

Eyaculación precoz

La eyaculación precoz (EP) puede ser una fuente de aflicción para el marido y su esposa. A menos que los dos sean muy comprensivos y maduros, esta condición puede tener un impacto destructor sobre la vida sexual de la pareja y es posible que finalmente llegue a afectar toda la relación. **La mayoría de los hombres puede elegir entre mantenerse excitados por un rato o llegar al clímax rápidamente.** Pero el individuo que sufre de eyaculación precoz no tiene ese control. Él llega a la cima rápidamente y sigue, sin detenerse, de la meseta al orgasmo, lo cual pone fin a la experiencia sexual contrariamente a su deseo. Una nueva definición de eyaculación precoz se centra en el hecho de que el hombre carece de control eyaculatorio voluntario adecuado, con el resultado de que llega al clímax involuntariamente antes de tiempo. Su control eyaculatorio debería ser natural, fácil y voluntario.

La eyaculación precoz se divide en las formas primaria y secundaria. **La primaria siempre ha sido asociada con las experiencias sexuales precoces y a menudo se le atribuye a la masturbación.** Ya que él tiene que agradarse solamente a sí mismo, por lo general eyacula en cuestión de uno o dos minutos. Con la repetición, este ritmo puede grabarse en su subconsciente. Otros encuentros sexuales precoces —que requieren prisa— también pueden ser factores contribuyentes. Sin embargo, puesto que se trata de una conducta aprendida, también puede ser desaprendida.

La eyaculación precoz secundaria se produce cuando después de años de eyaculación normal, la duración del coito se hace progresivamente más corta. En algunos casos severos, el hombre eyacula durante los juegos eróticos, inclusive antes de la penetración. La eyaculación precoz secundaria se debe a causas físicas. El índice de curación se acerca al 100 por ciento.

Aunque se trata esencialmente de un problema masculino, rectificarlo requiere un esfuerzo combinado. El esposo necesita admitir su problema, y la esposa debe mostrar comprensión paciente. Habrá ocasiones cuando ella se frustre tanto que se aíre y "estalle" contra su esposo por ser tan "rápido", pero tales reacciones sólo servirán para aumentar los sentimientos de insuficiencia de él y complicar la situación.

Afortunadamente el tratamiento para esta disfunción devastadora ha mejorado dramáticamente las perspectivas para los hombres que llegan al clímax demasiado rápido. Hoy en día el índice de curación se acerca al 100 por ciento, dentro de un promedio de catorce semanas de tratamiento. De modo que las parejas antes desafortunadas ahora pueden disfrutar de una vida sexual mucho más gratificante en sólo unos pocos meses de tratamiento.

Hay dos métodos principales para tratar la eyaculación precoz: (1) la "técnica de apretar" de Masters y Johnson y (2) el procedimiento de "empieza-para". Vamos ahora a explorar este último método. Involucra varios pasos:

1 *Lleva a la esposa al orgasmo primero.* Ya que el eyaculador precoz no puede concentrarse en resolver su problema mientras se esfuerza por llevar a su esposa al orgasmo, **él debe de ayudarla a llegar al clímax primero, para que más tarde pueda concentrarse completamente en sus propias sensaciones.** El esposo puede ayudar a su esposa a llegar al orgasmo mediante la estimulación manual del clítoris o alguna otra técnica que hayan acordado.

2 *Dedica tiempo a los juegos de amor.* A menudo la esposa prefiere no tocar el pene de su esposo, porque reconoce que el aumento de las caricias intensifica la excitación del hombre. En un esfuerzo por evitar la tensión sexual excesiva, proceden directamente a iniciar el coito. Sin embargo, **cuando la penetración a ese medio cálido y familiar ocurre sin estimulación previa, es posible que el esposo empuje y eyacule**

más rápido debido al repentino shock que recibe su sistema. Por lo tanto, la esposa debería acariciar amorosamente los genitales de su esposo —especialmente la parte de abajo y la cabeza del pene— pero no hasta el punto de hacer que eyacule.

3 *Entrar y salir.* Durante esta etapa el esposo introduce el pene (desde la posición del hombre arriba en la cual él tiene mejor control) *lentamente* en la vagina, dejando de penetrar o saliendo cada vez que siente que está a punto de eyacular. (La fricción de salir completamente puede provocar la eyaculación, de modo que es preferible que el pene permanezca en la vagina si es posible.) La suspensión del movimiento no hará que la erección disminuya, sino que simplemente retrazará el deseo de eyacular. **Cuando nuevamente se sienta bajo control, él puede empezar a penetrar lentamente otra vez. Si el deseo de eyacular aumenta nuevamente, debería detener el movimiento o retirarse de inmediato.** Es posible que un hombre con un problema severo no pueda introducir más que la cabeza del pene antes de verse obligado a detenerse para recuperar el control.

4 *Controlar el punto en que ya no puede más.* Tarde o temprano todo hombre llega al punto en que ya no puede más, y continúa los movimientos hacia adentro y hacia afuera hasta que la eyaculación sea completa. No puede echar para atrás. Durante esta parte del tratamiento, el hombre debería aproximarse al punto en que ya no puede más, pero debe mantener el control interrumpiendo los movimientos. **Después de posponer la eyaculación él**

debería descansar de unos quince segundos a dos minutos o más, dependiendo de la agudeza de su problema, regulándose cuidadosamente por medio de un reloj con un segundero. Aunque esto suene poco romántico y clínico, es importante que lo haga de este modo hasta que pueda reconocer consistentemente la sensación que precede a la eyaculación. Durante el tiempo de pausa, él no empuja y ella no se mueve, no tose, no estornuda ni hace nada, porque el más mínimo movimiento podría indicar "el final" para él.

5 *Para extender la duración del coito.* Una vez que el esposo aprende a reconocer la sensación que ocurre justo antes del punto en que ya no puede más, él comienza a hacer movimientos *leves* de entrada y salida. El objetivo es poco a poco tolerar mayores cantidades de actividad. Al principio tendrá dificultad para controlar sus movimientos porque su instinto y la excitación del momento lo motivarán hacia movimientos más profundos. Sin embargo, los movimientos profundos por lo general no producen una mayor cantidad de satisfacción para la mujer y pueden inclusive producir incomodidad. **Tanto para el esposo como para la esposa es más ventajoso concentrar los movimientos más cerca de la entrada de la vagina, que en la penetración profunda.** Es mejor para ella porque tan sólo los primeros cinco a siete centímetros y medio de la vagina contienen tejido sensible, y le ayudará a él a reducir la excitación induciéndolo a aprender a tener control eyaculatorio.

6 *Control eyaculatorio duradero.* Una vez que el hombre aprende a reconocer la sensación que precede a la eyaculación y es capaz de tolerar los movimientos leves de entrada y salida con períodos de descanso, está bien encaminado para ejercer control eyaculatorio. Después que pueda controlar la eyaculación por quince segundos, deberá aumentar el tiempo a cuatro períodos de quince segundos. Si él puede aprender a añadir un minuto, entonces será capaz, con el tiempo, de añadir dos. Y si puede añadir dos minutos, entonces puede añadir tres. Pronto logrará comenzar movimientos ligeros, acercarse al punto de ya no poder más, dejar de empujar, y perder el deseo de eyacular inmediatamente. Después de extensas prácticas, él será capaz de mantener el coito tanto tiempo como él y su esposa deseen. **El hombre adquiere control eyaculatorio completo cuando él puede decidir en qué momento va a ocurrir su orgasmo.**

Las sesiones de "empieza y para" pueden producir un aumento de placer para la pareja. **El esposo fortalece su habilidad de demorar la eyaculación, y por lo tanto de prolongar los placeres del coito, y la esposa puede comenzar a sentir una excitación sexual que antes no conocía.** Si no ha tenido orgasmos antes, es posible que ahora sí los tenga. Si ya ha logrado este nivel, puede ir más allá —si lo desea— hasta disfrutar de orgasmos múltiples. Muchas parejas descubren también que esto los libera para experimentar posiciones variadas, una opción nunca antes disponible para ellos, por la limitación del tiempo. Mediante el esfuerzo conjunto, habrán desarrollado técnicas valiosas de comunicación verbal y no verbal, a la vez que practican su recién descubierta interdependencia para proveerse satisfacción sexual mutua.

Disfunción eréctil

La impotencia, o disfunción eréctil, se define como la inhabilidad de alcanzar o mantener la erección suficiente tiempo como para lograr un desempeño sexual satisfactorio. De 10 a 20 millones de norteamericanos sufren de impotencia alguna vez en su vida. Cuando se incluyen los individuos con disfunción eréctil parcial, el número aumenta a unos 30 millones. **Las posibilidades de disfunción eréctil aumentan con la edad, pero no son una consecuencia inevitable del envejecimiento.**

Para los ancianos y para otros hombres, la disfunción eréctil puede ocurrir como consecuencia de una enfermedad específica o del tratamiento médico de algunas enfermedades, resultando en temor, pérdida de la autoconfianza y depresión. Aproximadamente 5 por ciento de la disfunción se observa alrededor de los cuarenta años, aumentando hasta 15 y 25 por ciento para los 65 años o más. Sin embargo, se le puede dar tratamiento a cualquier edad.

La impotencia no está toda en la cabeza del hombre. Aproximadamente un 85 por ciento de todos los casos de impotencia son causados por enfermedad, particularmente la diabetes y las enfermedades del corazón, que limitan el flujo de sangre. **Las causas más comunes incluyen: enfermedades vasculares, diabetes, deterioros o daños neurológicos, lesiones pélvicas, medicamentos prescritos, desequilibrios hormonales y la enfermedad de Peyronie.**

Aspectos psicológicos como la falta de confianza en sí mismo, la ansiedad, y la comunicación deficiente y conflictos con la esposa a menudo son factores contribuyentes importantes. El problema también se rela-

Una conversación franca y directa permitirá disfrutar de nuestras intimidades.

ciona con la depresión, la pérdida de la autoestima, los sentimientos de inferioridad, los aumentos de ansiedad o tensión con la esposa y entre los que buscan aventuras extramaritales, el temor y la ansiedad de contraer una enfermedad sexualmente transmitida, incluyendo el SIDA. **Otros factores, como la obesidad, o un nivel inadecuado de aptitud física, al igual que fumar y consumir bebidas alcohólicas en grandes cantidades, pueden contribuir a la disfunción eréctil.**

Para muchos hombres, la disfunción eréctil crea estrés mental que afecta su interacción con la familia y los conocidos. Para algunos hombres la virilidad y la autoestima están tan íntimamente entrelazadas que la discusión del tema se puede hacer difícil y vergonzosa aún con personas de confianza, tales como la esposa o su médico. A pesar de que 85 por ciento de los casos de impotencia son el resultado de causas físicas, después que se perciben problemas con la erección, los factores emocionales a menudo empeoran la situación.

Se debería reconocer que el deseo, la capacidad orgásmica y la capacidad de eyacular pueden estar intactos a pesar de la disfunción eréctil, o pueden estar deficientes hasta cierto punto y contribuir así a la percepción de función sexual inadecuada.

Muchos adelantos han ocurrido tanto en el diagnóstico como en el tratamiento de la disfunción eréctil. Los cuatro tratamientos más frecuentemente prescritos incluyen: aparatos de succión, terapia de inyección, prótesis en el pene, pelotillas intrauretrales, y otros tratamientos. **Hay nuevas pastillas que prometen restaurar la función sexual sin la incomodidad y la vergüenza de las terapias tradicionales.** También se pueden elegir medicamentos antihipertensivos, antidepresores y antipsicóticos para disminuir el riesgo de la deficiencia eréctil.

Muchos pacientes y muchos proveedores del cuidado de la salud no tienen conocimiento sobre estos tratamientos, y la disfunción eréctil a menudo continúa sin atenderse, complicada por su impacto psicológico.

La disfunción eréctil no es permanente. Cerca del 95 por ciento de todos los casos pueden ser tratados con éxito, una vez que las causas hayan sido determinadas. **La disfunción eréctil no es problema del hombre solamente.** Puesto que puede causar problemas en el matrimonio, en las relaciones y en la forma como la persona se siente acerca de sí misma, se convierte en un problema de la pareja. **Las posibilidades de que el tratamiento tenga éxito son más altas cuando los cónyuges están involucrados.**

Es posible que las actitudes mentales relativas al problema sean el mayor obstáculo para la curación. Mientras más piensa el hombre que está acabado sexualmente, más real se convierte dicha posibilidad. Cuando el hombre se enfrenta por primera vez a la disfunción eréctil, debería hacerse un examen médico completo, asegurándose que el médico sepa de su impotencia. Si no hay ninguna enfermedad física, entonces puede ajustar sus actitudes en forma más positiva hacia el éxito. **El primer paso para la recuperación es admitir que existe un problema y pedir ayuda.**

Pornografía

Muchos hombres usan la pornografía como estimulante sexual aún después de estar casados. El hecho de tener una esposa no elimina su necesidad de pornografía ni de masturbación. Estos hábitos continúan por mucho tiempo después que se establecen.

El Janus Report (Informe Janus) indica que entre 24 y 32 por ciento de los hombres se masturban regularmente, pero no está claro qué porcentaje de ellos son casados[11]. El estudio de Archibald Hart indica que 15.5 por ciento de los hombres casados y 6.8 por ciento de los clérigos casados continúan usando la pornografía para masturbarse.

¿Por qué la pornografía es tan popular? Porque es el resultado de un acondicionamiento adquirido a una edad temprana, es una forma de satisfacer la curiosidad, un deseo de mejorar el desempeño sexual y una tendencia a habituarse a dicha estimulación. Algunos hombres se vuelven hacia el eros para restaurar el interés perdido o para revitalizar una vida sexual que se está debilitando.

Un hombre hizo esto después de diez años de matrimonio y una vida sexual que se había reducido a lo que él llamaba "aburrida". Comenzó a visitar teatros sórdidos de películas triple X, compró algunos videos y revistas eróticas y se declaró a sí mismo nuevamente vivo por completo. Funcionó; consiguió que sus hormonas lo estimularan otra vez. Pero esta mejoría duró poco tiempo. Se hizo dependiente del erotismo. Sin éste no podía funcionar. Pronto se encontró interesándose en el sadomasoquismo, con el cual se causa dolor y sufrimiento. Finalmente se halló interesado en la pornografía de niños antes de reconocer cuán profundamente vasto y grosero era el efecto de la pornografía en su vida.

La pornografía destruye la intimidad porque, por definición, introduce a una tercera persona en la relación. La dependencia no es perjudicial tan sólo para el esposo y la vida sexual de la pareja, sino que es devastadora para la autoestima de la esposa, al igual que menoscaba su sentido de seguridad dentro del matrimonio y daña su confianza en el marido. **Las adicciones sexuales pueden ser vencidas, pero sólo cuando el hombre admite su problema y se inscribe en un programa diseñado para romper la adicción.**

Hablemos de esto

POR QUÉ EL TEMA más fascinante que la humanidad conoce es el más difícil de discutir para una pareja? Un matrimonio que puede pasar horas examinando los planos de una casa se queda mudo cuando se enfrenta con la oportunidad de hablar de su vida sexual.

Las personas pueden recurrir a las formas más infantiles de comunicación cuando el asunto tiene que ver con el sexo. Las rabietas, el silencio, el poner mala cara, la irritabilidad, los apodos y las amenazas son algunas de las tácticas que se usan cuando se discuten asuntos sexuales. Aparentemente cualquier cosa se acepta menos una conversación abierta y honesta.

Una investigación hecha por Jessie Potter, un educador sexual, terapeuta y director del Instituto Nacional de Relaciones Humanas de Chicago, mostró que 87 por ciento de los adultos sexualmente activos no conversan entre ellos acerca de lo que les gusta en la cama. Y mi sospecha es que aún los que dicen que sí pueden hablar de sexo con su esposo/a admitirían que hay un límite en cuanto a lo que pueden hablar.

Cuando un problema sexual, una dificultad o una crisis no se enfrentan, pueden hacer de todo menos desaparecer; y por lo general tienden a crecer en importancia y en efectos. **Todas las encuestas indican que mientras más abierta es la comunicación referente a los gustos y preferencias sexuales, más feliz es la vida íntima; por lo tanto, los resultados de discutir abiertamente los problemas relativos al sexo en el matrimonio, justifican el esfuerzo de intentarlo.**

Un problema sexual, una dificultad o una crisis pueden separar a la pareja o acercarla mutuamente, dependiendo de la forma como reaccionen al asunto. Si están dispuestos a tenerse confianza y compartir sus temores, pueden cimentar más firmemente su relación. **El sexo es así; puede dividir a una pareja o unirlos más estrechamente.**

Para más información en cuanto a cómo la pareja puede hablar más libremente acerca del sexo, vea el capítulo 7, "Hablando Sexualmente: Desconocidos en la noche" ("Sexually Speaking: Strangers in the Night") de mi libro, *Cómo hablar para que tu cónyuge escuche y cómo escuchar para que tu cónyuge hable (How to Talk so Your Mate Will Listen and Listen So Your Mate Will Talk).*[12]

La complacencia egoísta debe ser erradicada en beneficio de la salud marital; al hacerlo se evitarán frustraciones íntimas que perjudican la relación conyugal.

Lo que los hombres necesitan entender acerca de la respuesta femenina

La mujer responderá al hombre en proporción directa a la habilidad que él manifieste de satisfacer las necesidades emocionales de ella. Su fracaso en crear una atmósfera en la cual su esposa pueda responder, hará que el hombre se prive del placer sexual que es tan importante para su propia felicidad. Es posible que él se pregunte cómo ella puede aseverar que todavía lo ama y sin embargo negarle lo que él quiere y necesita más que nada. **Pero cuando las cosas están fuera de equilibrio en el** departamento sexual, el esposo hará bien en mirarse a sí mismo, porque a menudo la razón de tener una esposa desinteresada es **un esposo que no logra satisfacer las necesidades emocionales de ella.**

A pesar de que los hombres de hoy en día poseen mucho más conocimiento sexual que en cualquier generación previa, tienen mucho que aprender acerca de satisfacer a la mujer. Y la mujer se satisface sexualmente en formas muy diferentes que el hombre. El hombre puede tratar de hacer lo que él piensa que la satisface a ella pero nunca está seguro de si aquello realmente la satisface.

Secretos para matrimonios amorosos y excelentes

1 *Primero, trátala con amor fuera de la habitación.* La intimidad sexual es una experiencia profundamente emocional para la mujer. **A ella la estimula la cantidad de atención cariñosa que el esposo le haya mostrado durante el día y considera cada relación íntima como un momento de amor profundo y una parte importante de su vida.** Si el esposo parece considerar la vida sexual de su esposa como algo natural, ella puede sentirse profundamente herida y ofendida. Es posible que las afirmaciones repetidas le parezcan innecesarias y teatrales a él; pero en el caso de ella no es así; ella no las necesita por ser vanidosa o porque esté buscando cumplidos, sino porque la mujer se retrae instintivamente de los encuentros sexuales faltos de amor y admiración.

Sé cariñoso con ella tocándola con amor, con caricias y abrazos durante todo el día, tocándola sin ninguna insinuación sexual. Tómala de la mano cuando estén en el carro, o mientras andan caminando. Si sólo la tocas cuando quieres sexo, ella aprenderá que cualquier abrazo y contacto físico significa un viaje a la habitación, y lo resentirá.

La mujer necesita escuchar palabras de cariño y experimentar sentimientos amorosos antes de poder responder en la cama. Cuando a una mujer se le preguntó qué cosa, solamente una, querría ella cambiar en la habilidad de su cónyuge como amante, ella contestó: "Que él se diera cuenta que el ambiente para la intimidad sexual comienza cuando él se levanta de la cama en la mañana, no cuando se mete en la cama en la noche. Lo que necesito son sus pequeñas atenciones, las palabras amables, su preocupación por mí, que

me acaricie y me ponga de humor". Cualquier esposo que piensa que él puede meramente entrar en la habitación y esperar que su esposa se excite sin ninguna preparación, no entiende la sexualidad femenina.

Dos cosas excitan a la mujer más que nada: el contacto físico y las palabras. El amante sabio es capaz de acariciar a su esposa con palabras: "Eres todo para mí". "El mejor día de mi vida fue cuando te encontré". "Soy el hombre más dichoso del mundo porque tú eres mi esposa". Tales palabras despiertan los sentimientos amorosos de la mujer y la preparan para la intimidad sexual. Cuidado con usar palabras o términos vulgares durante la relación amorosa con tu esposa. Es posible que para ti sean estimulantes, pero la mayoría de las mujeres las encuentran ofensivas.

Los que saben escuchar bien son buenos amantes.

2 *Tómate tiempo durante los juegos amorosos.* Los hombres tienden a concentrarse en el coito. Es lo que ellos quieren, y lo quieren *ahora*. Pero lo deseable para el esposo a menudo no lo es para su esposa. Muchos hombres son amantes apurados. Y los amantes apurados pocas veces son buenos amantes. A menudo son hombres que sólo consideran que necesitan el orgasmo rápidamente. **Lo más importante que se debe recordar es que se requiere un promedio de quince a veinte minutos con el fin de preparar a la mujer para la experiencia sexual; y una**

mujer recién casada y sin experiencia, o una mujer con un problema sexual puede requerir treinta minutos o más. Sólo porque ella es más lenta no quiere decir que haya algo anormal con su funcionamiento. Sucede así porque es el diseño de Dios. Si a los hombres les tomara tanto tiempo como a la mujer, no seríamos tan fructíferos ni nos multiplicaríamos conforme al mandato divino, y si los dos sexos llegaran a la satisfacción con la rapidez del hombre, se eliminarían muchos de los juegos sexuales. Cuando el hombre decide demorarse, cuando pone de lado sus necesidades urgentes con el fin de cortejar y preparar a su esposa, toma un acto que podría ser puramente egoísta y lo convierte en un acto de amor generoso. **Cuando un hombre es paciente con su esposa, logra conducirla hacia la mutua satisfacción de la experiencia sexual.**

La relación íntima no debería ser una calle de una sola vía donde solamente el esposo satisface a su esposa. Él necesita y quiere una esposa que sepa cómo satisfacerlo a él durante el coito.

3 **Entiende las zonas de placer de la mujer.** Es importante que los hombres entiendan la interrelación que existe entre los tres componentes separados del aparato sexual de su esposa: las zonas erógenas de su cuerpo, la vulva y el clítoris. **En el hombre, la mayor parte del enfoque sexual se centra en el pene, pero la mujer tiene diversas áreas potencialmente erógenas. Sus senos, oídos, boca y vagina se prestan a la exploración sexual, dependiendo de la sensibilidad y voluntad de la mujer.** El esposo creativo no teme usar las manos y la boca para explorar el cuerpo de ella, buscando sus áreas más sensibles.

Para complicar más las cosas, ¡lo que es sexualmente placentero para ella en una ocasión puede ser completamente desagradable en otra! Un esposo hábil aprende a localizar las áreas que la excitan y explorarlas en formas apropiadas y agradables para ella. **Idealmente, los dos pueden hablar acerca de lo que la esposa necesita de él, de modo que el marido varíe su estilo y se ajuste al estado de ánimo de ella.** La rutina y la monotonía son tan fatales para la sensibilidad de la mujer como lo son para el hombre. **El esposo creativo necesita variar el ritmo y la presión de sus caricias, siempre manteniendo en mente que su meta es darle placer a ella.**

4 **Aprende a prolongar los juegos amorosos.** Tarde o temprano durante el coito, el hombre llega al "punto sin retorno" y tiene que eyacular. Sin embargo, una vez que aprende a identificar las sensaciones que preceden la eyaculación, es capaz de habituarse a controlar la eyaculación y extender el tiempo dedicado al juego erótico. **Cuando el hombre logra este tipo de control, está aprendiendo a ser un gran amante.** Y es posible que empiece a darle placer a su esposa de modo que ella disfrute la relación íntima más que nunca. Si hasta ahora había tenido orgasmos sólo de vez en cuando, es posible que ahora los empiece a tener más frecuente y consistentemente. Si nunca había tenido uno, es posible que ahora empiece a tenerlos y con vehemencia. O es posible que empiece a experimentar orgasmos múltiples.

5 **Entra por invitación.** Antes del orgasmo el esposo introduce el pene en el cuerpo de su

esposa. Aunque ella haya dado ciertas señales físicas de que está lista, como la lubricación vaginal, el esposo debe esperar hasta que la reacción emocional de ella esté a tono con su condición física. Denominado "entrada por invitación", este método le concede a ella el control de cuándo y cómo su cuerpo va a ser penetrado. Si alguien entrara a tu casa sin que lo invitaras, tú sentirías que esa persona ha invadido tu recinto privado, y no sería bienvenida. **Es igual con la mujer. Cuando ella está lista te pedirá que entres. Todos nos sentimos más bienvenidos cuando alguien nos ha invitado para que entremos en su hogar.** Lo mismo es cierto con el cuerpo de una mujer. Es posible que la invitación no sea verbal, o puede ser por medio de una palabra escogida que ambos conocen y entienden. Ella podría sentirse víctima de una invasión si su esposo trata de forzar la entrada.

Un amante competente entra al cuerpo de la mujer tan sólo cuando ella se lo indica, y aún entonces sólo lentamente, siempre recordando que la vagina no tiene casi ninguna terminación nerviosa después de los primeros dos y medio a cinco centímetros más o menos. Él concentrará sus esfuerzos alrededor de la entrada de la vagina, donde ella experimenta el mayor placer a excepción del clítoris.

6 *Placer sexual y deleite sin exigencias.*
La mujer no necesita tener un orgasmo en cada ocasión para poder disfrutar del sexo. Muchas mujeres pueden participar de la relación sexual sin llegar al orgasmo y con todo sentirse completamente satisfechas aunque no hayan disfrutado de un clímax extático. **El esposo nunca debería exigir que su esposa tenga un orgasmo, ya que dicha exigencia la colocaría frente a un problema**

sin solución. Como consecuencia ella podría perder completamente el interés en el sexo, o puede comenzar a fingir el orgasmo. La mayoría de los hombres odian la farsa y, como dice el Dr. James Dobson: "Una vez que la mujer empieza a fingir en la cama, no tiene dónde detenerse. Para siempre procurará que su esposo piense que ella está en un prolongado viaje de placer cuando en realidad su carro todavía está en la cochera".

> *Es fácil permitir que una parte vital de nuestro matrimonio sea rutinaria. El paso acelerado de la vida y las múltiples distracciones tienden a interferir con nuestra expresión sexual".*
> H. Norman Wright

El hombre que insiste en tener una breve relación sexual en la noche no obstante el estado de ánimo de su esposa o el estado de su salud siempre terminará decepcionado con la calidad de la vida sexual de ellos. **Un hombre altamente sexual y egocéntrico podrá sentir el alivio máximo, pero alcanzará una satisfacción mínima, ya que nunca habrá aprendido el verdadero significado del amor genuino.** Su placer sexual rara vez se elevará más allá del nivel de una frustración.

En gran medida, los hombres son los buscadores y las mujeres las que responden. Pero la mujer tiene que tener algo a lo cual responder. Aun la mujer inhibida puede ser sensible si su esposo la enamora en forma tierna, lenta, con paciencia y con creatividad. ¿Qué podría ser más excitante o desafiante para un hombre que mejorar su vida sexual? **Cualquier hombre puede convertirse en un mejor amante, inclusive en un amante excelente, si se esfuerza.**

Lo que las mujeres deben aprender acerca de la reacción masculina

A LA MAYORÍA de las mujeres se les ha enseñado que en lo que concierne a la relación íntima le deben permitir al esposo tomar la iniciativa. Se supone que él tendrá la relación sexual con ella. Por lo tanto, la mayoría de las mujeres esperan que su esposo les exprese amor; que sea sensible a sus necesidades y deseos. ¿Pero qué desea y necesita el hombre? ¿Cuáles son algunos de los placeres sexuales más agradables a los cuales el hombre responde?

La relación íntima no debería ser una calle de una sola vía donde solamente el esposo satisface a su esposa. Él necesita y quiere una esposa que sepa cómo satisfacerlo a él durante el coito. La mayoría de las mujeres nunca han pensado en tomar una parte más activa en la relación sexual.

Digamos que tú sientes que deberías hacer algunos cambios. ¿Cómo empezarías?

1 *Hazle sentir que lo encuentras sexualmente atractivo.* La mujer necesita sentirse amada antes de poder responder a las necesidades sexuales del esposo; pero para él, el caso es al revés. **Él necesita saber que ella lo encuentra sexualmente atractivo antes de poder atender las necesidades emocionales de ella.**

Una encuesta publicada en la revista *Ladies Home Journal* (Diario del Hogar de la Mujer) que se les aplicó a más de 4,000 hombres reveló que una mujer indiferente, fria o desinteresada es el mayor desaire y lo que más irrita a los hombres durante el coito.

Los expertos han llegado a la conclusión de que durante las fases iniciales del juego erótico, la mujer responde automáticamente a la estimulación hábil. Pero ella tiene que *aprender* a buscar activamente el "descargo" orgásmico. No puede lograrlo mediante la pasividad, no importa cuán expertas sean las técnicas de su esposo. La esposa debe rendirse, no sólo a su esposo, sino también a su propio impulso hacia el alivio de la tensión sexual.

Dicho sencillamente, él quiere sentirse deseado, no tan sólo tolerado. Algunas mujeres hacen los ademanes del sexo como si estuvieran pagándole cuotas obligatorias a una organización. ¡Si la esposa quiere tener un esposo feliz, que la ame y la enamore, ella debe decirle cuánto lo desea y cuán excelente es como amante!

2 *Entiende cuáles son los estímulos que excitan a un hombre.* Lo que excita al hombre no es lo mismo que estimula a la mujer. Un vistazo de ella en un ropa de dormir medio transparente puede ser todo el estímulo que el marido necesite para que sus pensamientos corran con excitación mientras imagina lo que está por venir. Pero ella está creada en forma diferente. Aunque es posible que admire el cuerpo musculoso de él y disfrute de verlo vestido con una ropa sport provocativa, rara vez se encenderá sexualmente por ello. En forma similar, un beso apasionado lo entusiasma a él mucho más que a ella.

Dios creó al hombre para que fuera

La esposa debe rendirse, no sólo a su esposo, sino también a su propio impulso hacia el alivio de la tensión sexual.

sexualmente sensible a los estímulos externos. Sus genitales están afuera y también lo está su sexualidad. Él es extremadamente vulnerable a la estimulación visual y a los movimientos táctiles. **A los hombres les encanta mirar la figura femenina y se excitan con sólo una mirada a una mujer desnuda o parcialmente desnuda.** Sin embargo, una mujer pensaba —como muchas otras— que su esposo era un "viejo pervertido" simplemente porque se excitaba cuando ella se desvestía delante de él en la noche. Esto siempre los frustraba, hasta que ella entendió que la actitud excitable de él no constituía ninguna corrupción de su parte. En realidad, él reaccionaba de este modo porque Dios diseñó su cuerpo para reaccionar así.

Con esto en mente, señoras, si visitáramos nuestras casas, y abriéramos el buró donde guardamos las batas de dormir, ¿qué encontraríamos? ¿Batas de baño manchadas, pijamas de franela y batas de dormir que parecen trapos? ¿O tal vez esa vieja camiseta de dormir color rosa? Es hora de desechar esos trapos viejos y darnos un gusto con algunas nuevas batas de dormir de colores atractivos y de estilos largos y bonitos. ¡Hasta ahora no he visto que ningún hombre se queje por un gasto tal!

A veces las mujeres se preocupan por el versículo de Mateo 5:28, que dice: "Pero os digo, el que mira a una mujer para codiciarla, ya adulteró con ella en su corazón" (NRV-90).

La mujer considera un abrazo o una caricia como una muestra de ternura y cariño. Los hombres ven el mismo abrazo o caricia como un preludio a la actividad sexual.

su inclinación sexual. La actitud del hombre "listo-en-cualquier-momento" no es el producto de la perversión, sino el resultado de cómo fue creado por Dios. Si no hay una erección, no hay relación sexual. Si no hay coito, no hay reproducción. Por lo mismo, Dios creó al hombre para que se excitara sexualmente mediante estímulos externos como garantía para la propagación de la especie.

Este versículo quiere decir que la acción de mirar se convierte en un pecado solamente si está motivada por la lujuria. Si todo anda bien en el hogar de un hombre, el hecho de ver el cuerpo de otra mujer no lo inducirá a desear una relación sexual con ella. Las primeras semillas de descontento por lo general comienzan con la ira, la amargura y el resentimiento, en vez de ser el resultado de la lujuria.

Un hombre normal, saludable y viril responde naturalmente a lo que ve y toca. Por ejemplo, mientras más la esposa se acurruca junto a él en la noche, más se estimula

3 *Halágalo con caricias.* Hablando en forma general, los hombres responden a ser tocados en forma diferente que la mujer. En gran medida los hombres igualan la acción de tocar con una meta, y la meta por lo general es sexual. Más aún, los hombres desean un tipo de contacto físico diferente. Ellos quieren estimulación genital directa e inmediata. **Las mujeres disfrutan más de caricias no sexuales a través de todo el día.** Lamentablemente muchos hombres consideran esto como un deber, algo que tienen que hacer para complacer a la esposa. Para el hombre, las caricias no sexuales son una serie de pasos en el progreso para llegar al toque de los genitales.

Entonces, ¿qué tipo de caricias busca el hombre? **Durante el juego erótico el hombre prefiere y parece necesitar una caricia más firme y fuerte, especialmente en el área de los genitales.** Y tiene la tendencia de desearla pronto, durante el período de excitación o primera fase de la relación íntima. **La mujer tiende más a desear las caricias genitales sólo en las últimas fases.** Sin embargo, ella también debería darle a conocer las zonas erógenas de su cuerpo, tales como las orejas, el cuello, los pezones, las nalgas y la parte interior de los muslos (especialmente cerca de los genitales).

4 *Prolonga el tiempo de la relación amorosa.* Generalmente las mujeres creen que el hombre debería llegar al orgasmo más o menos rápido. Sin embargo, se requiere bastante más tiempo para que el hombre logre experimentar un orgasmo intenso. Y alcanzar un orgasmo intenso es lo que distingue una relación sexual amorosa del coito rutinario. **Mientras más estimulación tenga el hombre, más intenso será su orgasmo.** Si él recibe de quince a veinte minutos de caricias estimulantes antes del coito su orgasmo tendrá una mayor intensidad. **Se lo puede estimular hasta el momento justo antes de la eyaculación; detenerse por unos segundos y entonces empezar de nuevo.** Esto aumenta la tensión sexual y el proceso de ir más despacio le da una intensidad extraordinaria a su orgasmo. Después de aprender esta técnica, la mayoría de los hombres podrá tolerar dos, tres, cuatro o más de estos ciclos. Puedes darte

cuenta de cuándo el orgasmo está cerca porque el escroto se hace compacto y asciende hacia el cuerpo. Generalmente lograrás detener la eyaculación deteniendo tus movimientos. Por medio de la experimentación le proporcionarás a tu esposo una experiencia de la cual hablará por mucho tiempo.

5 *Siéntete bien respecto de ti misma y de tu cuerpo.* La mayoría de las mujeres no se sienten cómodas con su cuerpo. Veamos el caso de Rowena, por ejemplo. Ella es una atractiva maestra de treinta y siete años con ojos preciosos y el tipo de cutis con el cual sueña la mayoría de las mujeres. Pero si le preguntaras cómo se siente acerca de su cuerpo ella diría: "Mientras estoy vestida estoy bien. Pero en cuanto me quito la ropa me quiero esconder. Mi esposo me dice que soy bella, pero yo no lo creo".

> *El esposo debería darle cumplidos a su esposa, traerle flores y decirle cuánto se interesa por ella. Estos son los ingredientes de la pasión genuina".*
>
> *James Dobson*

Muchas mujeres son como Rowena. Necesitan tener las luces apagadas o por lo menos tener poca luz cuando tienen relaciones íntimas. Experimentan temor de enseñar demasiada piel. **Pero si tú misma no te consideras atractiva, no puedes ser sexy. La mujer no tiene que ser una reina de belleza, pero tiene que sentirse bien acerca de su cuerpo y de sí misma.** Si te sientes cómoda con tu cuerpo y te consideras atractiva, tu esposo también sentirá igual. Cuando te sientes bien acerca de ti misma,

El encuantro sexual de los esposos que se conocen mutuamente proporcionará experiencias inolvidables.

también experimentarás un mayor grado de confianza propia en el cuarto.

6 *Haz del sexo una prioridad.* Uno de los mayores obstáculos que impiden a las mujeres interesarse en el sexo es la fatiga. Después de batallar con un día de dieciocho horas, el sexo puede ser lo que menos la preocupe, y lo más probable es que si tiene que complacer a su marido, lo haga mal. **La esposa amorosa arreglará sus prioridades de tal manera que el sexo no quede en último lugar.** Cuando lleguen las 9:00 de la noche, ella resistirá el impulso de empezar un último proyecto antes de irse a la cama. La esposa que considera que el aspecto sexual de su matrimonio es importante va a reservar

tiempo y energía para atenderlo.

Es posible que la mayor parte de lo que ha sido presentado en este capítulo te resulte familiar. Pero hay una diferencia entre saber y hacer. Una cosa es tener conocimiento acerca de por qué y cómo responde tu cónyuge en forma diferente a la tuya, y otra cosa es aceptar las diferencias y modificar tu conducta según corresponda. **En gran medida la mujer controla las reacciones sexuales de su esposo.** Ella puede hacerlo sentir tremendamente bien acerca de su sexualidad o lo puede hacer sentir como un inadecuado. Cuando la esposa hace que su esposo se sienta sexualmente como un rey, es mucho más probable que él se comporte de ese modo y la haga sentir a ella como una reina.

Se necesita fidelidad

Uno de los factores claves para lograr una vida sexual excelente es mantener la dedicación a una sola persona. Esto se llama fidelidad. **La restricción de la intimidad sexual exclusivamente a una persona por toda la vida es la única forma de construir una relación estable y emocionalmente saludable.** Escoger limitar el enfoque sexual de uno a su esposo/a por la vida entera es un elemento básico para el desarrollo del carácter. Tu carácter define quién eres. Pablo escribió, "... que cada uno de vosotros sepa dominar su propio cuerpo en santidad y honor" (1 Tesalonicenses 4:4, NRV-90).

El dominio propio es un ingrediente esencial en toda expresión sexual. **Sin dominio propio no sólo se desintegra la sociedad, sino que la persona se torna impredecible y peligrosa.**

Amantes casados

Los esposas y las esposas deberían aspirar a ser amantes imaginativos, creativos y dispuestos. Dios diseñó que la actividad sexual —libre del egoísmo—fuera excitante, agradable y satisfaciente. **Por lo tanto, la intimidad aceptable es el producto de una relación satisfactoria.** Si hubiera problemas sexuales, incluso presiones de tiempo y energía, pídele ayuda a Dios para resolver el problema. Ora también para que seas capaz de poner tu vida en orden de tal manera que le des a tu cónyuge la energía, el tiempo y la creatividad necesarios para disfrutar de una vida sexual superior. **Recuerden, el sexo bueno no ocurre por casualidad.**

Referencias

1. **Archibald D. Hart,** *The Sexual Man* (El hombre sexual), **Dallas, TX: Word Books, Inc., 1994,** págs. 126, 127.
2. **Nota:** *Sex in America* (El sexo en Norteamérica) es un reportaje de 290 páginas del estudio científico más preciso que se ha hecho en Estados Unidos en relación a la sexualidad. Cerca de 3,500 adultos fueron escogidos al azar y entrevistados a fondo.
3. **Patricia Love y Jo Robinson,** "Not Tonight, Dear" (Esta noche no, querido), *Ladies Home Journal,* **Marzo, 1994,** pág. 64.
4. **David Reuben,** *Everything You Always Wanted to Know About Sex* (Todo lo que siempre quisiste saber acerca del sexo), **New York, NY: Bantam Books, 1969.**
5. **Seymour Fisher,** *Understanding the Female Orgasm* (Para comprender el orgasmo femenino), **New York, NY: Bantam Books, 1973.**
6. **Dennis Guernsey,** *Thoroughly Married* (Bien casados), **Waco, TX: Word Books, Inc.,** pág. 47.
7. *Id.,* pág. 49.
8. Los siguientes libros han contribuido en gran manera a mi comprensión de las reacciones sexuales de la mujer y el hombre y son las fuentes de donde he extraído la mayor parte de mi conocimiento:
William H. Masters y Virginia E. Johnson, *Human Sexual Response* (Respuesta sexual humana).
Clifford y Joyce Penner, *The Gift of Sex* (El don del sexo), **Waco, TX: Word Books, 1981.**
Ed y Gaye Wheat, *Intended for Pleasure* (Hecho para experimentar placer), **Old Tappan, NJ: Fleming H. Revell Co., 1977.**
9. **Helen Singer Kaplan, M.D., Ph.D.,** *The New Sex Therapy* (La nueva terapia sexual). **New York, NY: Brunner/Mazel Publishers, 1974.**
10. **Samuel S. Janus y Cynthia L. Janus,** *The Janus Report on Sexual Behavior* (El reporte Janus de comportamiento sexual). **New York, NY: Wiley and Sons, 1993,** págs. 80, 81.
11. *Id.,* pág. 31.
12. **Nancy L. Van Pelt,** *How to Talk so Your Mate Will Listen and Listen So Your Mate Will Talk.* Grand Rapids, **MI: Baker Book House, 1989.** Vea el capítulo 7, "Sexually Speaking: Strangers in the Night" (Hablando sexualmente: Desconocidos en la noche).
13. **Harry Hollis, Jr.,** *Thank God For Sex* (Gracias a Dios por el sexo). **Nashville, TN: Broadman Press, 1975,** págs. 109-111.
13. **Harry Hollis, Jr.,** *Thank God For Sex* (Gracias a Dios por el sexo). **Nashville, TN: Broadman Press, 1975,** págs. 109-111.

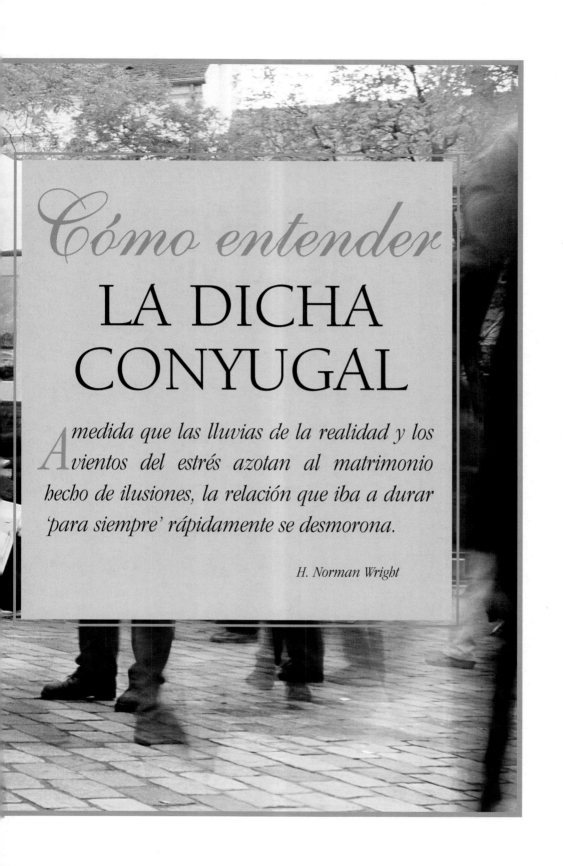

Cómo entender
LA DICHA
CONYUGAL

A medida que las lluvias de la realidad y los vientos del estrés azotan al matrimonio hecho de ilusiones, la relación que iba a durar 'para siempre' rápidamente se desmorona.

H. Norman Wright

8

Ideas creativas para conservar el amor de tu vida

CAROL Y PHILLIP se conocieron, se enamoraron, se casaron y tuvieron tres hijos. Sin embargo, durante los años de crianza y educación de la familia ocurrió algo inesperado. Su matrimonio comenzó a romperse en las costuras. Sus sueños se perdieron entre las ilusiones juveniles y la cruda realidad de criar niños. Lo que esta pareja descubrió —lo mismo que se ha comprobado en un estudio de diez años de duración, llevado a cabo entre otras noventa y seis parejas—, es que los bebés pueden llegar a ser una verdadera prueba para la relación de los padres.[1] Repentinamente los detalles rutinarios de la vida doméstica se convierten en explosivas minas emocionales.

"Las parejas que no se preparan para cambios en su vida sentimental con el tiempo van a llegar a preguntarse si de veras estaban enamorados al principio o no". — H. Norman Wright

Con frecuencia los padres se involucran tanto en la vida de sus hijos que olvidan hacer de su matrimonio una prioridad. Si este patrón continúa, sus hijos se convertirán en el único lazo que los mantendrá juntos. Este tipo de pareja no se da cuenta de que ha descuidado su matrimonio. El problema empieza con un cambio sutil en las prioridades y a menudo continúa sin ser detectado hasta que los niños han crecido. El hecho de cumplir cuarenta años, la fiesta de graduación de preparatoria de los hijos, u otros indicadores de la vida media, se convierten en un rudo despertar. Una vez que los hijos han emprendido el vuelo, los cónyuges se miran mutuamente y se preguntan acerca de la identidad de esa persona casi desconocida que se sienta al otro lado de la mesa del desayuno.

No es fácil mantener el matrimonio saludable y amoroso. Lori lo explica de la siguiente forma: "Después que tomamos unos días de vacación para celebrar nuestro décimo aniversario, me quedé sorprendidísima al darme cuenta de que hacía más de siete años que no habíamos tenido más de un fin de semana juntos fuera de la casa. No es que resintiera el hecho de no haber tenido vacaciones, sino que nos resultó encantador poder hacer *lo* que quisiéramos, *cuando* quisiéramos, *donde* quisiéramos, sin que los niños estuvieron con nosotros. Era como si hubiera estado usando un *beeper* por nueve años y de repente me deshiciera de él por una semana entera. ¡Me sentí tan libre! En la casa nunca puedo relajarme mucho. Sin niños nuestras vacaciones fueron muy parecidas a nuestra luna de miel."

Después de unos cuantos años de casados, la tendencia es que nuestras energías más frescas se las dediquemos al trabajo y a los hijos; el matrimonio recibe lo que sobra. Pero si la pareja ha de gozar de un matrimonio saludable que perdure, el trato amoroso y las actividades divertidas deben ser parte destacada de su experiencia diaria. **Si no se dedica tiempo para esto, la paciencia mutua empieza a disminuir.**

Notemos que las parejas mencionadas no

pensaban en el divorcio y probablemente tenían una relación mejor que muchos otros; pero no eran felices. Para ellos estar casados no era satisfactorio; algo que sucede en muchos matrimonios. **La rutina, la monotonía, el aburrimiento y la preocupación por los niños se vuelven absorbentes.** Este tipo de parejas corren el riesgo de ser víctimas de lo que podríamos llamar "Hastío Matrimonial".

¿Qué es el hastío matrimonial?

Es un estado de intenso cansancio físico, emocional y mental, acompañado de un agotamiento nervioso, causado por las actividades propias de la vida matrimonial. Les sucede a las personas que esperan que el matrimonio le dé significado a su vida, cuando finalmente se dan cuenta de que, a pesar de todos sus esfuerzos, su matrimonio no les está proveyendo lo que ellos esperaban.

El hastío matrimonial no sucede de la noche a la mañana. Más bien es un proceso gradual, una convicción creciente de que el matrimonio ya no es tan bueno como parecía ser antes, que el cónyuge ya no es tan interesante como se lo consideraba antes.

Es tan fácil dar al esposo o la esposa un lugar secundario, especialmente cuando hay niños. **No hay tiempo para cultivar el amor. Todo tu tiempo y tu energía se consumen en el trabajo o en el cuidado de los niños y del hogar.** ¿Cómo puede una pareja lograr que el amor se mantenga lozano una vida entera?

Cuando compras una computadora, viene incluido un manual —instrucciones detalladas referentes al modo de usarla— y la asistencia técnica si algo se rompe. Cuando se trata del matrimonio, no existe un manual, no

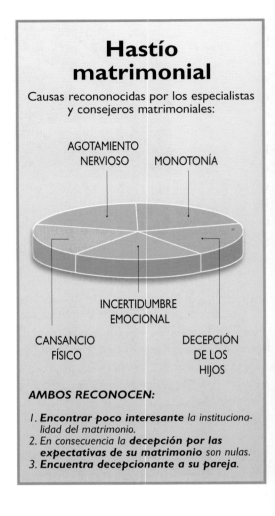

Hastío matrimonial

Causas recononocidas por los especialistas y consejeros matrimoniales:

AGOTAMIENTO NERVIOSO   MONOTONÍA

INCERTIDUMBRE EMOCIONAL

CANSANCIO FÍSICO   DECEPCIÓN DE LOS HIJOS

AMBOS RECONOCEN:
1. **Encontrar poco interesante** la institucionalidad del matrimonio.
2. En consecuencia la **decepción por las expectativas de su matrimonio** son nulas.
3. **Encuentra decepcionante a su pareja.**

hay instrucciones minuciosas ni asistencia técnica cuando lo que se consideraba amor y la ternura empiezan a marchitarse. **Cuando el cariño se marchita, la mayoría de las parejas se dirigen a las cortes de divorcio.**

Tal vez sea tiempo de memorizar esta Segunda Ley de Termodinámica y aplicarla a tu matrimonio: *"Todo lo que se descuida tiende a transformarse en un desorden".* Ya no es suficiente vivir en la misma casa, ser de la misma religión, ser padres de los mismos hijos y compartir la misma cama.

Cuando se llega a este punto, hay que hacer algo, de lo contrario las cosas irán de mal en peor. Los períodos de descontento serán más frecuentes, los sentimientos leves de fastidio se convertirán en ira latente. Las sensaciones leves de cansancio se convertirán en agotamiento total. **Las presiones que hay sobre un hombre y una mujer que comparten una vida entera juntos, son enormes.** Es inevitable que, en ocasiones, los problemas sean intensos y aparentemente insolubles. ¿Qué se puede hacer para proteger a una pareja del hastío matrimonial y el fracaso a largo plazo?

Cómo mantener saludable la relación

1 *Aparta un tiempo en tu programa para la interacción afectuosa.* Dedicar un tiempo del programa diario al cultivo del cariño y las actividades especiales juntos es esencial para que el matrimonio sea altamente eficaz. **La cantidad de tiempo que dediquen a estar juntos se manifestará en la calidad general de su matrimonio.** El consejero Willard F. Harley recomienda que si la situación matrimonial es saludable y tanto el esposo como la esposa están altamente satisfechos con su matrimonio, un mínimo de quince horas por semana de atención completa, sin distracciones, es por lo general suficiente para mantener el matrimonio vigoroso. Noten que esta cantidad de tiempo es la cantidad *mínima* necesaria. Él recomienda que este tiempo esté equitativamente distribuido a lo largo de la semana en vez de amontonarlo todo durante el fin de semana.[2]

Pero cuando las parejas son víctimas de problemas matrimoniales, cuando se están recuperando de las secuelas de un amorío o de algún otro problema serio, se recomienda aún más tiempo. **Veinte a treinta horas semanales son necesarias para restaurar el amor mutuo que la pareja tenía al comienzo.** Harley recomienda en estos casos que, para poder salvar el matrimonio, posiblemente los cónyuges tengan que salir de vacación para que puedan pasar todo el tiempo restaurando la intimidad que se ha perdido entre ellos. Por lo general dos a tres semanas de atención completa sin distracciones lleva a la pareja a un punto donde pueden hacer una decisión inteligente acerca de su futuro.

Muchas parejas sostienen que ellos simplemente no disponen de tanto tiempo para dedicarlo a su relación. Pero si alguno de los dos estuviera enredado en un amorío clandestino, seguro que encontraría el tiempo para atenderlo. Es sencillamente un asunto de prioridades. **El problema real es que ellos no quieren pasar tiempo juntos porque su relación ya no los satisface.** Pero si esta pareja con problemas pudiera aprender a recrear el tipo de eventos afectuosos que tenían cuando eran novios, hay esperanzas de poder restaurar el amor que una vez tenían el uno por el otro.

2 *Ofrece atención completa cuando estés en una cita matrimonial.* Tal vez sea necesario recordar lo que significa la atención completa: tiempo dedicado exclusivamente a interesarse con solicit indivisa el uno por el otro.

Noten: El tiempo dedicado a esta clase de cita matrimonial no debe de incluir a los hijos, a las amistades o a los familiares. ¿Por qué? Porque la pasión conyugal sólo puede desarrollarse en privado. Algunas parejas piensan que pueden ser sentimentales a pesar de que los hijos estén presentes. No. La comunión apasionada y los niños no se pueden mezclar. Se destruye la intimidad.

Recuerden: es casi imposible crear intimidad entre un esposo y una esposa cuando hay niños pequeños encaramándose arriba de uno, llorando en el otro cuarto, o un adolescente que viene a verte. Pero, como padres, ustedes tienen la responsabilidad de mantener a sus hijos conscientes de las posibilidades que hay en el matrimonio. **Una relación afectuosa entre ustedes dos es la respuesta y resolverá el problema.**

> *En caso de una recesión del amor, acepten lo que están experimentando y sintiendo como algo completamente normal".*
>
> *H. Norman Wright*

Estén de acuerdo en que no van a hablar de la próxima cita con el dentista, los sarpullidos causados por el roce del pañal, las prácticas de futbol, los cambios en los horarios, o los problemas con la transmisión del carro. El tiempo dedicado a una fiesta, a mirar la televisión, a ir a algún evento deportivo, a conciertos u obras de teatro, no cuenta tampoco, porque en esos casos están siendo entretenidos por fuentes externas y hay poco o nada de tiempo para la conversación íntima o la atención completa.

Se hace esencial, entonces, que la pareja cree actividades que suplan sus necesidades emocionales más importantes. Para la mayoría de las mujeres el cariño significa afecto y compartir mediante la conversación íntima; para los hombres significa interés común en alguna actividad recreativa y las relaciones sexuales.

3 *Arréglense bien.* En ocasión de la cita las dos personas tienen que vestirse de modo que se vean diferentes. Una mujer vestida como si estuviera lista para ir a limpiar el horno no será un deleite para los ojos del esposo. Ponte un vestido con un estilo que obligue a tu esposo a mirarte más de una vez. Arréglate el pelo, ponte perfume y ponte un par de zapatos que hagan que tus piernas se vean hermosas. Si los niños lloran y la nana se queda boquiabierta cuando te ve, ya sabrás que has tenido éxito.

Y hablando de vestirse para el evento, los hombres también necesitan hacer un esfuerzo. La barriga saliéndose por debajo de la camisa, las camisetas llenas de huecos y una cara sin afeitar no pasan la prueba de la imagen deseable. Los hombres con pantalones de mezclilla rotos, las uñas sucias y mal aliento tampoco la hacen. Por otro lado, un hombre que se pone un poco de loción para después de afeitarse (*después de afeitarse*), se pone una camisa limpia y planchada, un par de pantalones de vestir y unos zapatos con buen brillo, seguramente va a impresionar. Pero lo más importante es, ¡luce una sonrisa en el rostro!

La mujer siente que es especial cuando te tomas el tiempo de vestirte bien para ella. **Cuando haces un esfuerzo adicional para alistarte, ella lo toma como una prueba de que la amas; cuando no lo haces, ella supone que no la amas.** Cuando la estabas cortejando era importante presentarte atractivo para ella. Ahora necesita el mismo tipo de consideraciones. No se te habría ocurrido ir a una cita sin bañarte, sin cepillarte los dientes

Apartar todo el tiempo posible para los dos es un asunto de prioridad tal, que no deberíamos escatimar ni esfuerzo ni talento para hacer de este encuentro algo inolvidable.

o sin presentarte bien arreglado. Es lo que haces antes de ir al trabajo. ¿Qué mensaje le das a ella cuando haces todo esto para los demás, pero no lo haces para ella? Cuando lo único que ella reciba de ti sea una apariencia física cansada, sucia y un cuerpo sudado, seguramente va a pensar que en realidad no te importa.

Un hombre habló honestamente del corazón: "Es cierto, yo me visto bien todos los días para ir a la oficina. Pero después del trabajo y durante los fines de semana, lo único que uso es mi par de pantalones de mezclilla favoritos y una camiseta andrajosa.

Yo trato de acercarme y ser cariñoso con ella, pero me empuja a un lado, diciéndome que necesito afeitarme. La única vez que la excito es cuando voy saliendo para el trabajo en la mañana. Ahora sé por qué".

De vez en cuando traten de encontrarse en el lugar de la cita, en vez de salir de la casa juntos. Esto crea la sensación de que están por tener una cita con una persona excitante. Las noches durante la semana se prestan mejor para esta estrategia. Hay algo especial en entrar a un salón lleno de gente y permitirle a tu esposo que se llene los ojos antes de acomodarte en tu asiento.

4 *Flirteen el uno con el otro.* No es difícil distinguir entre las parejas de novios y las parejas de casados. Mientras que los novios se acarician mutuamente con las manos y los ojos, ¿qué hacen las parejas de casados? Comen. No se tocan, no se dan miradas íntimas y sin prisa, no hay sonrisas provocadoras. Si la pareja habla, la conversación suena algo así: "Cuidado, vas a botar..." Cuando la comida llega, se encogen de hombros y se concentran en mover el tenedor del plato a la boca. No encuentran nada que decir, porque ya lo saben todo en cuanto a la otra persona y no tratan de descubrir nada nuevo.

A pesar de que las parejas que llevan algunos años de casados están más allá de las primeras citas de descubrimientos, todavía quedan en la otra persona algunos misterios sutiles y cambiantes, que necesitan ser descubiertos tiernamente. **Eso es lo que el matrimonio es en realidad: un continuo proceso de descubrimiento. Y en eso consisten las citas matrimoniales después de estar casados.** A dónde van y qué hacen no es tan importante como hacer planes de estar solos y de no caer en la rutina.

Los esposos y las esposas necesitan aprender nuevamente a conquistarse mutuamente: un susurro en el oído, un abrazo juguetón, una notita en el maletín o un beso sin una razón específica pueden ayudar a las parejas a mantenerse conectados durante el día.

Las miradas agradables, las frases amables, una mirada de soslayo, una sonrisa encantadora, una mano suavemente sobre el brazo de tu cónyuge mientras ríes por algún comentario, todos producen un momento de verdadera alegría.

Y dejen ya cualquier complejo que tengan acerca de demostrar el afecto por su esposo/a en público (¡sin ser repugnantes!). Poner tu mano sobre la pierna de tu cónyuge, jugar con sus pies debajo de la mesa, susurrar algo al oído o invadir sutilmente su espacio personal, revelan un buen comienzo. **Si están cenando juntos, consideren la ocasión como un tipo de juego amoroso tentador: la sonrisa, el contacto visual, los toques sugestivos, y la conversación íntima van muy, pero muy lejos.**

SÉ NOVIO DE TU CÓNYUGE

ES IMPOSIBLE desarrollar una relación íntima y estrecha sin dedicar tiempo significativo a estar juntos. Yo recomiendo un par de horas por semana, o cada dos semanas si no pueden arreglar citas semanales.

Aquí hay algunas ideas creativas para citas:

1. Lleva a tu esposa/o a pasar juntos una minivacación: una tarde o una noche en un sitio donde puedan hacer algo que él o ella ha estado queriendo hacer.

2. Vayan a ver muebles en una tienda de muebles. (No cobran por mirar.)

3. Den un paseo por el parque. Súbanse a los columpios a ver quién puede columpiarse más alto.

4. Salgan a caminar en la noche. Conversen acerca de lo que está en su corazón.

5. Salgan a explorar: vayan a cualquier lugar donde uno de los dos quiera ir (dentro de lo que sea razonable). Visiten un escondite en las montañas, un pueblecito del cual han escuchado, o una tiendecita en un callejón.

6. Compren un par de botellas para hacer burbujas de jabón. Vayan al tope del lugar cercano más alto: un edificio, una montaña, el techo de la casa. Soplen las burbujas y obsérvenlas a medida que desaparecen.

7. Vayan al lago más cercano y denle comida a los patos. Tírenles pan viejo a los patos mientras los miran zambullir y pelear por la comida.

Actividades de pareja

Aquí hay algunas pautas para ayudar a que sus actividades se mantengan entretenidas:

1 *Tomen turnos en invitar a la otra persona para una cita.* El que invita a salir a la cita tiene que hacer todos los planes para la ocasión, escogiendo el restaurante, haciendo las reservaciones, haciendo los arreglos para el cuidado de los niños, etc.

2 *Sean aventureros.* Escalen una montaña; vayan a navegar aguas bravías; viajen a un país desconocido.

3 *Tomen una clase juntos* – de cocinar, de fotografía, de jardinería, de un idioma nuevo, o de alguna manualidad. Esto les proveerá un tema nuevo para conversar.

4 *Almuercen juntos un día a la semana.* Esto les dará algo que anticipar y romperá la monoto-

nía de la semana.

5 *Planeen una tarde en bicicleta por un vecindario preferido, por el campo o algún área interesante.* Mientras comen en un picnic, compartan ideas acerca de la casa de sus sueños. Tomen fotos para recordar la ocasión.

6 *Prueben una cita frente a la chimenea.* Esto es perfecto para una tarde nublada, fría y lluviosa. Enciendan unas velas, pongan la música romántica preferida y lean las cartas de amor que se escribían el uno al otro hace años. Añadan una taza de te y algunas galletas horneadas en casa, y ya tienen una noche interesante.

7 *Hagan una lista de seis actividades que les*

gustaría hacer juntos. Por lo menos una vez al mes, tomen turnos para escoger una actividad de la lista de cada uno y acompáñense de buena gana. Ya sea que vayan a montar a caballo, a bucear o a patinar, participen tan placenteramente como lo harían si fueran novios y no estuvieran casados.

> *No importa con quién te cases, seguramente a la mañana siguiente vas a descubrir que se trataba de otra persona".*
> Samuel Rogers

No permitan que la falta de alguien que cuide a los niños interrumpa el tiempo de la cita. No es necesario que cada cita sea una noche afuera. Las citas también pueden encontrar un escenario apropiado frente a la chimenea o en un baño acogedor convertido en un balneario lujoso para dos. Si utilizas muchos accesorios, las velas, la música y el aceite de baño aromatizado pueden llegar muy lejos. Prendan la máquina de contestar el teléfono y provean actividades entretenidas para los niños.

Tal vez han escuchado alguna vez acerca del campesino y su esposa que vivían en el oeste norteamericano. Un día un tornado los arrancó de la casa a los dos y los tiró en el corral. Cuando el polvo se asentó, el campesino vio que su esposa estaba llorando. "¿Por qué lloras, mujer?" le preguntó. "No estás herida".

"No estoy llorando porque esté herida, —ella respondió—. Es que, ¿te das cuenta que es la primera vez en catorce años que hemos estado juntos afuera?"

¡Ojalá que esto nunca se diga de ti!

Ideas creativas para mantener vivo el enamoramiento

1 *Prueben "recargar" el apasionamiento en 20 segundos.* Bésense por 20 segundos por lo menos, dos veces al día, en vez de darse el típico beso en la mejilla o en los labios.

2 *Pon una nota con cinta adhesiva en el espejo que diga:* "Hola, mi persona favorita. Estás mirando a la persona a quien amo con todo mi corazón".

3 *Prepara un librito de cupones hecho en casa que tu cónyuge pueda canjear cuando quiera.* Los cupones pueden decir algo como, "Este cupón te da derecho a dos horas de atención completa. Tú escoges lo que hacemos". O "Este cupón te da derecho a una tarde de mirar antigüedades en tu sitio preferido".

4 *Cuando sabes que tu esposa/o ha tenido un día especialmente difícil, dale un masaje por todo el cuerpo.*

5 *Haz una lista de todas las cosas que amas de tu consorte.* Séllala en un sobre y déjala en su almohada.

6 *Cuando tu esposa/o entre a la habitación donde estás, dale una mirada significativa y dedícale un buen silbido.*

7 *Invita a tu cónyuge a una fiesta de abrazos.* Dile que eres un terapeuta de abrazos que da abrazos muy buenos y dile que no sería una fiesta si no está ella.

8 *Pon los niños a la cama media hora antes y toma el tiempo adicional para pasarlo con tu consorte.* Es posible que los niños se quejen, pero sé amable con ellos a la vez que firme.

9 *Escojan cinco o diez minutos todos los días cuando puedan estar juntos.* Por ejemplo, compartan una bebida caliente antes que los niños se levanten en la mañana.

10 *Apaguen la televisión y acuéstense abrazados; conversen así hasta que se queden dormidos.*

El entretenimiento conyugal se constituye en una fuerte dosis de "Vitaminas" que permite a los matrimonios ser altamente eficaces para sobrellevar los problemas que aquejan una relación.

▣ *Llama a tu esposa/o a media tarde, sólo para saber cómo está.*

Ponle una chispa a tu vida amorosa planeando una salida de veinticuatro horas. Si los niños se quejan, diles que lo haces por su propio bien.

Juega con tu cónyuge

Los niños son expertos en jugar juntos y disfrutar de actividades sencillas entregándose por completo a la alegría. **Los adultos no pierden la habilidad de jugar; sólo se distraen por las presiones de la vida.** Y la sociedad no enfatiza la importancia del juego de los adultos. En lugar de ello, el trabajo y los logros son glorificados, mientras que los pasatiempos se clasifican como una pérdida

de tiempo. Pero las personas más satisfechas con la vida son las que mantienen un equilibrio entre el trabajo y los juegos.

El juego también nos permite lograr un sentido de conexión con aquellos a quienes amamos. Y las parejas que disfrutan de jugar juntos consideran el tiempo de juego como algo que significativamente fortalece su relación. Las parejas que no tienen un sentido de juego en su matrimonio se sienten tristes porque les falta algo en sus vidas.[3]

La importancia de ser juguetones se recalca en los estudios de R. William Betcher, un psicólogo clínico, quien descubrió que ser juguetones contribuye a estabilizar el matrimonio. Aumenta la comunicación y fortalece los vínculos matrimoniales, porque valoramos grandemente a la persona con quien más jugamos. **Un síntoma de que el matrimonio se está desintegrando se produce cuando los juegos desaparecen de la relación.** Que los juegos se reanuden es una indicación de que la relación que tenía problemas se está sanando.[4]

El juego es una forma de demostrar que estás feliz. El mensaje que esta relación le comunica a tu cónyuge es: "Disfruto de estar contigo y de que compartamos ratos divertidos juntos. Me haces feliz y quiero hacerte feliz".

> *El matrimonio debe ejemplificar los más altos ideales de amistad, de lo contrario será un fracaso".*
>
> *Margaret E. Sanger*

El juego es aún más importante cuando la relación se ha estresado, porque ayuda a las parejas a abrirse camino en las situaciones difíciles contribuyendo a descargar la tensión y ayudando a la persona a mantener un sentido de proporción cuando luchan con los problemas. **Cuando la pareja está irritada por algo, pero deciden jugar juntos, comienzan a reírse y vuelven a gustarse mutuamente.**

El juego es un medio de comunicación importante porque, en gran manera, es un lenguaje no verbal. Con unas pocas palabras puedes expresar pensamientos y sentimientos intensos en forma agradable. A los adultos se les hace más difícil jugar que a los niños, debido a los papeles más demandantes que les corresponde desempeñar. Las responsabilidades hacen que sea más difícil portarse como niños espontáneamente.

Difícil, tal vez; pero no imposible. Sin embargo, para poder recuperar este sentido del juego, es muy probable que tengas que hacer planes. **Una sugerencia es apagar el televisor una noche por semana y jugar con tu consorte.** Y en vez de tratar de ganar, aprende a disfrutar del juego: alégrate, bromea, piropea, conversa y ríete.

Las parejas sencillamente no juegan suficiente. Los juegos le añaden un equilibrio muy necesario al arduo trabajo del matrimonio. Cuando una pareja se encuentra preguntándose a dónde se fue todo el enamoramiento les conviene echar una mirada escudriñadora al papel de los juegos en su vida. **Las parejas pueden regresar al buen camino apartando tiempo de los estreses del trabajo y la paternidad para comenzar a disfrutar otra vez de la mutua compañía.** El estrés matrimonial y los sentimientos de desavenencia de ambos pueden ser el resultado de la falta de juegos. ¡No hay mejor momento para empezar a jugar juntos que hoy mismo! Aquí hay algunas ideas divertidas:

1 *Laven el carro juntos y luego tengan una pelea de agua.*

2 *Tírense calcetines o almohadas el uno al otro.*

3 *Canten a lo loco juntos en el carro.*

4 *Sin aviso, empuja a tu cónyuge hasta dentro del clóset del pasillo y plántale un beso en los labios que lo deje sin respiración.*

5 *Pinten el baño juntos mientras escuchan música vieja favorita con el volumen bien alto.*

6 *Que sigan las sorpresas.* Prueba un peluche que diga, "Cielito mío, adivina quién te quiere".

7 *Inventen tradiciones para ustedes dos nada más y que sólo ustedes conozcan.*

8 *Inventen una señal que diga "tú eres especial", que pueda ser transmitida en cualquier lugar sin*

*Las parejas
sencillamente
no juegan suficiente;
los juegos le añaden
un equilibrio muy
necesario al arduo
trabajo y la risa
añade salud
al cuerpo y felicidad
al matrimonio.*

que nadie se dé cuenta.

9 *Compartan una fantasía loca en cuanto a ser dueños de una isla o del palacio que van a construir y donde van a vivir algún día.*

Todo este jugueteo es beneficioso para la salud de tu matrimonio y vital para evitar el aburrimiento matrimonial.

Hagan una pausa para el humor

Es verdad. Las parejas felices se ríen juntos mucho más a menudo que las que no están felices. Cerca de tres cuartas partes de las personas felizmente casadas que contestaron una encuesta, indicaron que se reían juntos una vez al día o más. Compartir el humor ocupa un lugar importante en la lista de razones por las cuales las parejas feliz-mente casadas piensan que su matrimonio

ha perdurado. Hasta investigadores como Jeanette y Robert Lauer se sorprendieron por el grado de énfasis que las parejas ponían en la importancia del humor. Sin embargo, es innegable que el humor propicia la variedad y la alegría en la relación. Las parejas que se ríen juntas obviamente no no son víctimas de la esclavitud del aburrimiento.

La risa ha sido comparada al ejercicio aeróbico. La risotada típica sale a un promedio de ciento doce kilómetros por hora y provee los mismos beneficios que diez minutos de remar. Fortalece el sistema inmunológico, alivia el dolor, disminuye el estrés y mejora la circulación y la respiración.[5]

El humor y la risa liberan tensión. Re-latar chistes consiste en eso. Creas tensión y la haces crecer; entonces explotas el globo cuando cuentas la culminación. Ya que el

BENEFICIOS AERÓBICOS

L A RISA ha sido comparada al ejercicio aeróbico. La risotada típica sale a un promedio de ciento doce kilómetros por hora y provee los mismos beneficios que diez minutos de remar.

la risa compartida. Alguien ha dicho que la risa es como ver una situación desde el punto de vista de Dios. Nos ayuda a cobrar una perspectiva nueva de las cosas fastidiosas pero que no tienen importancia, y sana un sinnúmero de dolores.

Hasta una simple sonrisa puede mejorar la salud al igual que el estado mental. Sonreír estimula la glándula timo, que ayuda al sistema inmunológico del cuerpo. Un médico que daba tratamientos a personas que sufrían de dolor crónico les recomendaba a sus pacientes que sonrieran frente a ellos mismos en el espejo dos veces por día. ¿Qué importa si no tienes el deseo de sonreír? **Las investigaciones demuestran que aunque se trate de una sonrisa forzada, la mente se espacia en las cosas más placenteras.**

Sin embargo, cuidado con tratar de reírse de todos los problemas y de trivializar los problemas serios en vez de resolverlos. Esto puede ser extremadamente irritante para un cónyuge seriamente preocupado. Algunas situaciones no son muy chistosas.

Harry y yo tenemos conceptos muy di ferentes respecto del humor. Él prefiere el humor cursi y los chistes tontos (según yo). A mí me gustan las gracias ingeniosas, espontáneas, con finales insólitos. No obstante, el humor y el hecho de reírnos juntos le ha dado fuerza y espontaneidad a nuestro matrimonio. **El amor y la risa crean intimidad.**

La risa es muy valiosa en el matrimonio. Ruth Bell Graham en su libro *Es mi turno (It's My Turn)* escribe: "Es imposible amar a alguien con quien no te puedes reír".[6]

Un investigador descubrió que los hombres y las mujeres de gustos afines acerca de lo que es chistoso tienen más probabilidades

humor expone nuestras vulnerabilidades, algunas parejas le tienen miedo y lo consideran una amenaza para la relación. En vez de ver el humor en las situaciones de su propia vida, su tendencia es de prender el televisor y seguir el humor pasivo dictado por la grabación de risas de una comedia.

El humor nos quita nuestro barniz farisaico. Alivia la tensión. Las discusiones acaloradas pueden ser calmadas mediante

Está comprobado que, en la actualidad, las parejas con gustos más afines son los que permanecen unidos por más tiempo.

de gustarse, enamorarse y casarse que las personas que tienen diferentes gustos relativos al humor. Las parejas con gustos humorísticos más afines también habían permanecido más tiempo juntos que las de gustos disímiles. **Obviamente el humor contribuye al acercamiento porque indica principios, intereses, inteligencia, imaginación y necesidades similares.**

Si deseas aumentar tu cuota de risas, aquí hay algunas ideas:

1 *Aprende qué tipo de humor le gusta a tu esposa/o.* Recorta un chiste de una revista o del periódico y compártelo con él o ella.

2 *Comparte una historia chistosa.* Adorna una historia de verdad o invéntate algo chistoso acerca de tu día.

3 *Compartan apodos privados que los hagan sonreír.*

4 *Cuenta un chiste.* Un chiste mal contado es mejor que ningún chiste. La meta es reírse, no ganar puntos como comediante. Puedes reírte de algo simple.

5 *Si algo no funciona justo como querías que fuera, trata de reírte en vez de desesperarte.* Esto va a reducir el estrés y va a poner una sonrisa en tu cara.

6 *Ríete de algo tonto hasta que ya no puedas más.*

Si tú y tu cónyuge no se están riendo juntos, ya es hora de empezar. Las Escrituras hablan acerca de este tema también, diciéndonos: "El corazón alegre es una buena medicina" (Proverbios 17:22).

La salida renovadora

Yo recomiendo una salidita renovadora cada tres meses: quedarse una noche en un hotel o motel. Es posible que algunos de ustedes pongan en duda mi sensatez. Esta mujer está loca. ¿Y los niños, qué? ¿No sabes cuánto costaría? ¡No tenemos tiempo para ese tipo de locuras!

Considéralo de esta forma: Es posible que sea una de las mejores inversiones para el bien de tu matrimonio. ¿No es más importante dedicar un poco de tiempo, esfuerzo y dinero para fortalecer una relación saludable y cariñosa ahora? **Si no lo haces, hay muchas probabilidades de que tu matrimonio se debilite.**

Y sí, lo mejor es que la salida incluya una noche en un hotel. Déjenme explicarles por qué. Para el hombre, ¿qué es el hogar? ¡Su castillo! Es aquí donde él regresa después de un día de trabajo arduo para pasar su tiempo libre, relajarse y acumular energía para poder salir a luchar con el mundo otra vez. Para la mujer, ¿qué es el hogar? Ya sea que ella trabaje fuera de la casa o no, su concepto de hogar no deja de estar relacionado con todas sus responsabilidades domésticas, que representa TRABAJO, TRABAJO y más TRABAJO. No importa en qué habitación de la casa ella esté, hay algo que le grita, "Recógeme", "Guárdame", o "Límpiame". Dentro de los confines de la casa con tantas tareas exigiendo su atención, es difícil para ella relajarse y sentirse libre de presiones de todas clases. Sencillamente le hace bien salir con su esposo de vez en cuando y sentirse libre de obligaciones hogareñas y estrés para disfrutar libremente de la compañía y el cariño especial de su marido.

Además, hay algunas reglas de sentido común que aseguran que la salida renovadora fortalecerá tu matrimonio:

1 *No se permiten conversaciones referentes a deudas, los niños, los familiares u otros temas estresantes.*

2 *No se permiten maletines, llamadas a la oficina, beepers o teléfonos celulares.*

3 *No se permite la televisión, los videos o las películas* (la atención mutua debe estar concentrada en la pareja, no en acciones ajenas).

4 *Se permite la lectura estrictamente recreativa.*

5 *¡Nada de dietas!* (Mujeres, no es grato llevar a alguien a cenar en un lugar elegante y oírle decir: "¡Ah, no, yo no puedo comer eso! Por esta vez, ¡come y disfruta!)

6 *Mediante sorpresas cariñosas sutiles y en forma creativa, ¡demuéstrale a tu pareja cuán importante es para ti!*

Recuerda, las relaciones no se renuevan solas. Renovar la tuya constantemente está en tus manos. El apasionamiento es tan sólo una parte del matrimonio, pero proporciona placer y delicia. El desafío de estar casado consiste en aprender a mantener la relación cariñosa, interesante y viva a través de todos los años cambiantes del matrimonio.

El tiempo que dediques hoy día a ser amoroso no es lo que va a "arreglar" de inmediato tu matrimonio: pero tendrá un efecto crítico en tu hogar a largo plazo. Una salida renovadora puede convertirse en algunas de las horas más valiosas de su vida de casados. **Cómo la pareja utilice el tiempo que tienen para estar juntos durante la semana determinará en gran medida su felicidad futura.**

Encuentra la forma de expresar tu cariño a tu esposa/o tanto como sea posible. Toma un momento aquí y un momento allá para hacerlo. ¡Y no desperdicies ninguna oportunidad!

Es mi anhelo que a medida que leías las

Aunque los múltiples problemas nos muestran un panorama gris en nuestras vidas, es tiempo de mirar al cielo en busca de respuestas a nuestros problemas conyugales, de lo alto provienen las más efectivas recomendaciones. Permitamos que Dios gobierne nuestras vidas todos los años por venir.

páginas de este libro hayas encontrarado algo de qué reírte, algunos pensamientos inspiradores, y una nueva determinación de hacer que tu matrimonio llegue a ser lo mejor que pueda ser. **Delante de ustedes siempre habrá desafíos, no importa si acaban de empezar como marido y mujer, no importa si están enredados en los difíciles años de criar a los hijos, o si acaban de verlos enfrentar la vida por su cuenta.** Lo importante es hacerle frente a cada época cambiante a medida que se presenta, con entusiasmo y confianza. **Mantengan el corazón abierto hacia la persona con quien se casaron.** Estén dispuestos a correr el riesgo de abrirse honestamente a esa persona especial.

La razón original por la cual nos casamos es para compartir nuestra vida con alguien a quien queremos. **Todas las parejas pasan por tiempos difíciles.** A veces el hecho de sobrevivir una crisis y seguir a la próxima etapa hace que el matrimonio se fortalezca. **Los matrimonios altamente eficaces surgen de las crisis en las cuales el esposo y la esposa luchan por resolver las situaciones inciertas antes que se conviertan en desastres enormes.** Para hacerlo se necesita el trabajo conjunto de dos personas que se aman, confían y respetan mutuamente, y que están completamente resueltas a permitir que Dios gobierne sus vidas. A veces necesitarán la ayuda de una tercera persona, como un consejero; pero siempre será indispensable la compañía de otra **Tercera Persona: Cristo Jesús. A su lado, el hecho de sobreponerse a las crisis hará que tu matrimonio sea más fuerte, más satisfaciente y más exitoso: uno que durará todos los años por venir.**

Reconocimientos

NUNCA NADIE escribe un libro "completamente por sí solo", y esto es muy cierto en este caso. *Secretos de la dicha conyugal* ha llegado a la existencia, no sólo como producto de mis ideas, sino gracias al esfuerzo de muchas otras personas que dieron su tiempo, talentos e ideas. Es el resultado de haber enseñado cientos de clases de vida familiar durante los pasados 25 años de mi profesión, al igual que de dar consejería a parejas de todos los niveles socio-económicos. Es el resultado de haber asistido a seminarios y de conversar con muchos pastores y consejeros matrimoniales.

Es el producto de mis investigaciones de una multitud de libros escritos por profesionales.

Específicamente estoy en deuda con:

Alberta Mazat, LCSW (Trabajadora Social Clínica Licenciada), MFCC (Consejera de Matrimonios, Familias y Niños), especialista en el tema de la sexualidad, quien me proveyó el consejo técnico para el capítulo que tiene que ver con la satisfacción sexual.

Ronald M. Moore, MD., FACC (Socio, Colegio Americano de Cardiología), un doctor en consulta privada por más de 30 años en Fresno, California, quien revisó el material sexual para verificar su exactitud médica.

Doreen Clark, mi fiel secretaria, quien hábilmente preparó el manuscrito para la publicación. Todos los participantes a los seminarios cuyas experiencias han dado testimonio de que estos principios sí funcionan. Nadie puede calcular la gratitud que se merece un cónyuge cuando un autor está absorto en producir un libro de esta magnitud. **Mi deuda es honda para con mi esposo por su paciencia y comportamiento hacia mí, siempre amante, cuando yo estaba preocupada con el manuscrito. ¡Él es sencillamente el mejor!**

¡Y la gloria sea para Dios!

Bibliografía

•Blitchington, Peter y Evelyn, *Understanding the Male Ego* (Así es el ego masculino). **Nashville, TN: Thomas Nelson Publishers, 1984.**

•DeAngelis, Barbara, *Are You the One for Me?* (¿Eres tú la persona para mí?). **New York, NY: Dell Books, 1992.**

•De Angelis, Barbara, *Secrets About Men Every Woman Should Know* (Secretos que toda mujer debería conocer acerca de los hombres). **New York, NY: Delacorte Press, 1990.**

•Deutsch, Ronald M., *The Key to Feminine Response in Marriage* (La clave de la reacción femenina en el matrimonio). **New York, NY: Ballantine Books, 1968.**

•Gottman, John, *Why Marriages Succeed or Fail* (Por qué los matrimonios tienen éxito o fracasan).**New York, NY: Simon & Schuster, 1994.**

•Gray, John, *Mars and Venus in the Bedroom* (Marte y Venus en la habitación). **New York, NY: Harper Perennial, 1997.**

•Gray, John, *Men Are From Mars, Women Are From Venus* (Los hombres son de Marte, las mujeres son de Venus). **New York, NY: Harper Collins Publishers, 1992.**

•Harley, Willard F., Jr., *His Needs, Her Needs* (Las necesidades de él, las necesidades de ella). **Grand Rapids, MI: Fleming H. Revell, 1994.**

•Harley, Willard F., Jr., *Love Busters* (Los destructores del amor). **Grand Rapids, MI: Fleming H. Revell, 1992.**

•Hart, Archibald D., *The Sexual Man* (El hombre sexual). **Dallas, TX: Word Publishing, 1994.**

•Hite, Shere, *The Hite Report – A Nationwide Study of Female Sexuality* (El reporte Hite – Un estudio nacional de la sexualidad femenina). **New York, NY: Dell Books, 1976.**

•Janus, Samuel S. y Cynthia L., *The Janus Report on Sexual Behavior* (El reporte Janus sobre comportamiento sexual). **New York, NY: John Wiley & Sons, Inc., 1993.**

•Joy, Donald, *Men Under Construction* (Hombres en construcción). **Wheaton, IL: Victor Books, 1993.**

•Kaplan, Helen Singer, *How to Overcome Premature Ejaculation* (Cómo dominar la eyaculación precoz). **New York, NY: Brunner/Mazel Publishers, 1989.**

•Kayser, Karen, *When Love Dies: The Process of Marital Disaffection* (Cuando el amor muere: El proceso del desafecto matrimonial). **New York, NY: Guilford Press, 1993.**

•Kinder, Melvyn y Connell Cowan, *Husbands and Wives: Exploding Marital Myths /Deepening Love and Desire* (Esposos y esposas: Refutación de los mitos del matrimonio / Profundización del amor y el deseo). **New York, NY: C. N. Potter, Inc., 1989.**

•Kreidman, Ellen, *Light Her Fire* (Enciende el fuego de ella). **Villard Books, 1991.**

•Kreidman, Ellen, *Light His Fire* (Enciende el fuego de él). **New York, NY: Dell Books, 1989.**

•LaHaye, Tim y Beverly, *The Act of Marriage*

(El acto del matrimonio). **Grand Rapids, MI: Zondervan Publishing House, 1976.**

•**Lauer, Jeanette C. y Robert H.,** *Til Death Do Us Part: A Study and Guide to Long-Term Marriage* (Hasta que la muerte nos separe: Un estudio y guía para un matrimonio duradero). **New York, NY: Harrington Park Press, 1986.**

•**Masters, William H., y Virginia E. Johnson,** *Human Sexual Response* (Respuesta sexual humana). **Boston, MA: Little, Brown & Co., 1966.**

•**McManus, Michael J.,** *Marriage Savers: Helping Your Friends and Family Stay Married* (Salvadores de matrimonios: Cómo ayudar a tus amistades y familiares a permanecer casados). **Grand Rapids, MI: Zondervan Publishing House, 1993.**

•**Notarius, Clifford, y Howard Markham,** *We Can Work It Out: Making Sense of Marital Conflict* (Lo podemos solucionar: El tratamiento sensato del conflicto matrimonial). **New York, NY: G. P. Putnam's Sons, 1993.**

•**Penner, Clifford y Joyce,** *The Gift of Sex: A Christian Guide to Sexual Fulfillment* (El don del sexo: Una guía cristiana para la satisfacción sexual). **Waco, TX: Word Books, 1981.**

•**Penner, Clifford y Joyce,** *Men and Sex* (Los hombres y el sexo). **Nashville, TN: Thomas Nelson Publishers, 1997.**

•**Penney, Alexandra,** *How to Keep Your Man Monogamous* (Cómo mantener monógamo a tu hombre). **New York, NY: Bantam Books, 1989.**

•**Ruben, Harvey L.,** *Supermarriage: Overcoming the Predictable Crises of Married Life* (Supermatrimonio: Cómo sobreponerse a las crisis predecibles de la vida matrimonial). **New York,** NY: Bantam Books, 1986.

•**Tannen, Deborah,** *That's Not What I Meant!* (¡Eso no fue lo que quise decir!). **New York, NY: William Morrow and Co., Inc., 1986.**

•**Warren, Neil Clark,** *Finding the Love of Your Life* (Para encontrar el amor de tu vida). **Colorado Springs, CO: Focus on the Family Publishing, 1992.**

•**Wheat, Ed y Gaye,** *Intended for Pleasure* (Hecho para experimentar placer). **Old Tappan, NJ: Fleming H. Revell Co., 1977.**

•**Wright, H. Norman,** *Holding On to Romance* (Que se mantenga el cariño). **Ventura, CA: Regal Books, 1992.**

•**Wright, H. Norman,** *The Secrets of a Lasting Marriage* (Los secretos de un matrimonio duradero). **Ventura, CA: Regal Books, 1995.**

•**Wright, H. Norman,** *Understanding the Man in Your Life* (Comprende al hombre de tu vida). **Dallas, TX: Word Publishing, 1987.**

Referencias

1.Carolyn Pape Cowan, Ph.D., y Phillip Cowan, Ph.D., *When Partners Become Parents: The Big Life Change for Couples* (Cuando las parejas se convierten en padres: El gran cambio de vida para las parejas). **New York, NY: Basic Books, 1992.**

2.Willard F. Harley, *Love Busters* (Destructores del amor). **Grand Rapids, MI: Fleming H. Revell, 1992,** págs. 220-223.

3.Gini Kopecky, "For Play" (Para jugar), *American Health*, **mayo de 1996,** pág. 66.

4.R. William Betcher, "Intimate Play and Marital Adaptation" (Juegos íntimos y adaptación matrimonial), *Psychiatry 44*, **febrero de 1981,** págs. 13-33.

5.*Ibid.*

6.Ruth Bell Graham, *It's My Turn* (Es mi turno), **Old Tappan, NJ: Flemming H. Revell, 1982.**